Manual do Mundo

ENCICLOPÉDIA BRITÂNICA PARA CURIOSOS

VOLUME 1

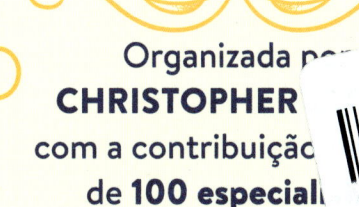

Organizada por
CHRISTOPHER LLOYD
com a contribuição
de **100 especialistas**

FOGUETES, VULCÕES, RADIOATIVIDADE, OCEANO PROFUNDO e outros assuntos extraordinários

SEXTANTE

BRITANNICA BOOKS

APRESENTAÇÃO

As maiores inspirações do Manual do Mundo sempre foram o desejo de aprender sobre tudo e a vontade de compartilhar esse conhecimento de forma acessível e descontraída. E foi justamente por isso que nos encantamos com esta versão da *Enciclopédia Britânica*.

Organizada por Christopher Lloyd, famoso palestrante e divulgador científico britânico, ela foi dividida em dois volumes. Em cada um deles você vai encontrar centenas de fotografias e ilustrações especialmente criadas para facilitar o entendimento dos mais variados assuntos.

Neste primeiro volume você vai começar sua jornada pelo Universo e a formação da Terra, seguindo pelo fascinante mundo da química e da física até chegar ao misterioso tema da vida no nosso planeta. Vai passar por galáxias e supernovas; por placas tectônicas e minérios raros; pelos elementos químicos e a criação dos plásticos; pela origem da vida e as profundezas dos oceanos, investigando os mais diversos tópicos na companhia de especialistas.

Com certeza a seção "Fatos Fantásticos!" vai fascinar você. Só para ter um gostinho, separamos alguns aqui:

- Uma nebulosa é uma nuvem de gás e poeira tão rarefeita que, se tivesse o tamanho da Terra, pesaria o mesmo que um pequeno saco de batatas.
- O tubarão-branco não para de nadar nunca.
- Pesquisadores fizeram diamantes usando manteiga de amendoim!

Ficou morrendo de vontade de saber mais, né?

Na seção "Desbravando o Desconhecido", você vai descobrir o que ainda intriga os cientistas (e todos nós): Os dinossauros poderiam voltar à vida? O que aconteceria se um astronauta caísse em um buraco negro? De onde veio a água da Terra? Os seres humanos poderiam viver na Lua?

Nós amamos os livros tanto quanto amamos a ciência – e este livro não pode faltar na sua biblioteca. Esperamos que você aproveite a leitura!

Iberê Thenório e Mari Fulfaro
Criadores do Manual do Mundo

PREFÁCIO

Desde 1768, a *Enciclopédia Britânica* tem inspirado a curiosidade e a alegria de aprender. Este livro dá continuidade a essa tradição. Ele levará você para uma jornada incrível por toda a História e através do Universo. Você terá a oportunidade de mergulhar em um buraco negro (e sair dele ileso!) e aprender sobre o que pode ser mais importante para nós aqui na Terra. Cada vez que virar uma página, vai encontrar algo novo para explorar – e, talvez, fique até um pouco alarmado, como eu fiquei, ao se deparar com a seção sobre animais rastejantes assustadores...

Mas, por mais surpreendente e fascinante que seja cada página, tudo que compartilhamos aqui está sempre sujeito a mudanças. Por isso criamos a seção "Desbravando o Desconhecido". Os acadêmicos, pesquisadores e outras mentes brilhantes que nos auxiliaram na criação deste livro ajudam a moldar os limites do conhecimento, movidos pela paixão e pela dedicação que têm à precisão, e assim nos ajudam a compreender melhor o mundo. E isso inclui compreender o que ainda não sabemos.

Acreditamos que os fatos importam e buscamos a exatidão por meio da checagem rigorosa de todas as informações. Ao longo dos seus mais de 250 anos de existência, a *Enciclopédia Britânica* tem estado comprometida com a investigação e a exploração, trabalhando com especialistas e impulsionando a inovação. É por isso que é uma grande honra lançar a Britannica Books, uma colaboração entre a Britannica e a What on Earth Publishing, com Christopher Lloyd e esta enciclopédia novinha em folha.

J. E. Luebering
Diretor editorial da *Enciclopédia Britânica*

SUMÁRIO

Introdução por Christopher Lloyd, vi

CAPÍTULO 1
UNIVERSO
por Jonathan O'Callaghan
2

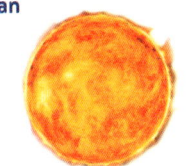

O Big Bang, 4 • Galáxias, 6 • A Via Láctea, 8 • Estrelas, 10 • Nebulosas, 12 • Constelações, 14 • Observando o espaço do espaço, 16 • Buracos negros, 18 • Exoplanetas, 20 • O nosso sistema solar, 22 • O Sol, 24 • Exploração planetária, 26 • Planetas rochosos, 28 • Gigantes gasosos, 30 • Luas, 32 • Asteroides, 34 • Cinturão de Kuiper, 36 • Foguetes, 38 • Satélites artificiais, 40 • Espaçonaves tripuladas, 42 • Sondas espaciais, 44 • O fim do Universo, 46 • Pergunte aos especialistas!, 48 • Quiz, 49

CAPÍTULO 2
TERRA
por John Farndon
50

Nasce a Terra, 52 • A Terra no espaço, 54 • Medindo a Terra, 56 • Dentro da Terra, 58 • A Terra, 60 • Placas tectônicas, 62 • Vulcões, 64 • Terremotos e tsunamis, 66 • Montanhas, 68 • Rochas e minerais, 70 • Cristais gigantes!, 73 • Riquezas da Terra, 74 • Fósseis, 76 • Encontrando dinossauros, 79 • Combustíveis fósseis, 80 • Mundo aquático, 82 • O gelo da Terra, 84 • A atmosfera, 86 • Condições atmosféricas, 88 • Megatempestades, 90 • Clima, 92 • Mudanças climáticas naturais, 94 • Pergunte aos especialistas!, 96 • Quiz, 97

CAPÍTULO 3
MATÉRIA
por John Farndon
98

O átomo, 100 • Elementos químicos, 102 • Radioatividade, 104 • Compostos químicos, 106 • Combustão, 108 • Sólidos, líquidos e gases, 110 • Plasma, 112 • Metais, 114 • Não metais, 116 • Plásticos, 118 • A química da vida, 120 • Energia, 122 • Som, 124 • Eletricidade, 126 • Luz, 128 • Demônios da velocidade, 131 • Forças, 132 • Gravidade, 134 • Pressão, 136 • Mais leve do que o ar, 138 • Estica e puxa, 140 • Máquinas simples, 142 • Pergunte aos especialistas!, 144 • Quiz, 145

CAPÍTULO 4
VIDA
por Michael Bright
146

A origem da vida, 148 • A evolução em ação, 150 • Classificação da vida, 152 • O mundo microscópico, 154 • Plantas e fungos, 156 • Animais, 158 • Insetos, 160 • Ecologia, 162 • Floresta tropical, 164 • A taiga e as florestas temperadas, 166 • Pradarias, 168 • Monte Everest, 170 • Desertos, 172 • A vida na água doce, 174 • Costas marítimas, 176 • A crise dos recifes de coral, 178 • Mar aberto, 180 • Em águas profundas, 182 • Os confins da Terra, 184 • Encolhimento do gelo, 186 • Fauna urbana, 188 • Aproveitando a natureza, 190 • Pergunte aos especialistas!, 192 • Quiz, 193

Notas, 194 • Glossário, 198 • Créditos das imagens, 204 • Colaboradores, 205

INTRODUÇÃO

Você é uma pessoa matinal? Tem gente que precisa que o despertador toque várias vezes para conseguir se levantar. Eu costumava ser assim. Só que não mais!

Passei a acordar cedo com mais facilidade quando comecei a escrever livros. Por quê? Quanto mais eu me dava conta do que não sabia, mais animado ficava para descobrir coisas novas. E esse ciclo nunca se esgotou. Agora eu acordo empolgado para saber quem vou conhecer e quais novas histórias vou encontrar. O dia a dia é tão bizarro, tão fascinante!

Imagine uma substância que simplesmente desaparece no ar quando a aquecemos. É um truque de mágica? Não, é apenas a água.

Ou pense no céu noturno. As estrelas não são hoje do jeito como você as enxerga. Você está vendo como elas eram em diferentes épocas do passado – algumas até 15 mil anos atrás! Esse é o tempo que a luz de muitas dessas estrelas levou para chegar ao planeta Terra.

Comecei a escrever livros depois de observar como minhas filhas adoravam aprender coisas que achavam interessantes. A mais velha, Matilda, por exemplo, amava pinguins. Você pode aprender mais sobre eles na página 185!

O que eu percebi é que, para atrair a atenção de todo mundo, precisamos encontrar uma forma de conectar os assuntos mais fascinantes. Por isso, incluímos referências cruzadas no rodapé das páginas pares. Se você ficar interessado nos assuntos de uma página específica, as referências vão lhe dizer aonde pode ir para aprender mais.

Fique à vontade para folhear este livro na ordem que quiser – ele foi feito para isso. Mas, se você é do tipo que gosta de ler na ordem certinha, também pode. Você vai embarcar em uma jornada que começa no Big Bang, atravessando a história da Terra e de como surgiu a vida em todas as suas formas gloriosas.

Uma coisa que aprendi em todas as minhas pesquisas é que cada resposta leva a uma série de novas perguntas. Agora penso em todas as respostas como as curvas em uma estrada de descobertas, em torno da qual existem dezenas de novas perguntas que eu nunca soube que existiam. E muitas dessas novas perguntas ainda não têm respostas definitivas. Apresentamos esses mistérios na seção "Desbravando o Desconhecido", e foi muito divertido aprender sobre eles neste livro.

Mas não sou o único pesquisador envolvido na criação desta enciclopédia. Tivemos a sorte de trabalhar com mais de 100 consultores especializados. Fico muito animado por você poder conhecer alguns deles por meio da "Nota do especialista!" e das entrevistas no fim dos capítulos.

Será que, no futuro, você também vai se tornar um especialista? Quais são os temas – do espaço à natureza, da arqueologia à tecnologia – de que você mais gosta? A beleza da vida é que cada um de nós fica intrigado com coisas diferentes, então juntos podemos descobrir muito sobre o mundo à nossa volta. E tenho uma esperança em particular: que, depois de passar algum tempo lendo este livro, você possa ter um novo impulso em seus passos, estimulado pelo conhecimento de que ainda existem muitas reviravoltas emocionantes na história da vida na Terra apenas esperando ser descobertas.

Christopher Lloyd
Fundador da What on Earth Publishing

O Sol é uma gigantesca bola de plasma – um estado da matéria que se parece muito com o gás, mas tem ainda mais energia, tanta energia que seus átomos podem perder ou ganhar elétrons, emitindo luz. Por ser parecido com o gás, o plasma não permite que o Sol tenha uma superfície fixa, como estamos acostumados no solo terrestre. A enorme quantidade de calor e luz gerada pelo Sol possibilita a vida na Terra e a maioria dos fenômenos do planeta, embora ele esteja a quase 150 milhões de quilômetros de distância.

CAPÍTULO 1
UNIVERSO

Aperte o cinto para uma incrível jornada pelo Universo. Neste momento, você está viajando sobre uma enorme esfera de pedra. Essa esfera está voando pelo espaço a milhares de quilômetros por hora, em uma galáxia rodopiante composta por bilhões de bolas de plasma gigantes. Essa esfera, claro, é a Terra. E as bolas de plasma gigantes são estrelas, incluindo o nosso próprio Sol. Espero que esse fato, por si só, seja suficiente para convencer você de que a realidade é muito mais incrível do que qualquer coisa que possa inventar.

Neste capítulo, vamos começar com uma partícula de energia infinita extraordinariamente minúscula a partir da qual o Universo surgiu, em uma explosão que ocorreu há 13,8 bilhões de anos, e vamos terminar falando como, quando ou se o Universo chegará ao fim. Para cada resposta que achamos, há dezenas de outras perguntas: existe vida inteligente em algum outro lugar do Universo? O que aconteceria se um astronauta caísse em um buraco negro? Ainda há muito a ser descoberto.

O BIG BANG

O Big Bang é o momento em que acreditamos que o Universo nasceu, 13,8 bilhões de anos atrás. Ele explica como um ponto minúsculo de repente se expandiu a uma velocidade maior do que a da luz, criando todo o Universo. O astrônomo belga Georges Lemaître, que foi o primeiro a propor essa teoria em 1927, chamou esse ponto de átomo primordial. Toda a matéria do Universo teve origem nesse minúsculo ponto e acabou se transformando em tudo que você vê ao seu redor hoje.

O que aconteceu no Big Bang?

O Big Bang ocorreu em uma fração de segundo. Os cientistas acreditam que, apesar de ter um início repentino, não foi uma explosão, mas uma expansão. A diferença está no tempo, pois o desdobramento desse evento não terminou em poucos segundos e, sim, continuou por bilhões de anos. Tudo começou incrivelmente quente, a bilhões de graus Celsius, porém depois foi esfriando até alcançar a temperatura de milhares de graus Celsius, e então os átomos se uniram e formaram a matéria. A matéria, por fim, se aglomerou para formar estrelas, galáxias, sistemas solares e planetas.

1 SEGUNDO

1. O princípio
O Universo começa como um pequeno ponto, com toda a matéria e energia conhecidas comprimidas nele.

2. Expansão extraordinária
Em uma fração de segundo, o ponto se expande rapidamente, de menor do que um átomo para cerca de 20 anos-luz de diâmetro.

3 MINUTOS

3. Elementos primordiais
Três minutos após o Big Bang, o Universo esfria o suficiente para que se formem átomos de hidrogênio e hélio.

300 MIL ANOS

4. Luz viajante
Por fim, 300 mil anos após o Big Bang, a luz viaja livremente pelo Universo.

1 BILHÃO DE ANOS

5. Ganhando forma
O hidrogênio e o hélio formam nuvens de gás, que dão origem às primeiras estrelas e, depois, às galáxias.

13,8 BILHÕES DE ANOS

6. O Universo de hoje
As estrelas explodem e produzem novos elementos, que formam os planetas, as luas e tudo que vive na Terra.

CONSULTORA ESPECIALISTA: Sarah Tuttle. **VEJA TAMBÉM:** Galáxias, pp.6-7; Estrelas, pp.10-11; Nebulosas, pp.12-13; Observando o espaço do espaço, pp.16-17; Buracos negros, pp.18-19; O fim do Universo, pp.46-47; O átomo, pp.100-101; Elementos químicos, pp.102-103; Energia, pp.122-123; Eletricidade, pp.126-127; Gravidade, pp.134-135.

Evidências do Big Bang

Nossa melhor prova de que o Big Bang aconteceu está ligada à Radiação Cósmica de Fundo (RCF), vista nesta foto do céu. A imagem mostra o calor que sobrou do Big Bang e se espalhou por todo o Universo. Foi tirada por cientistas usando a sonda Wilkinson Microwave Anisotropy Probe (WMAP), da NASA.

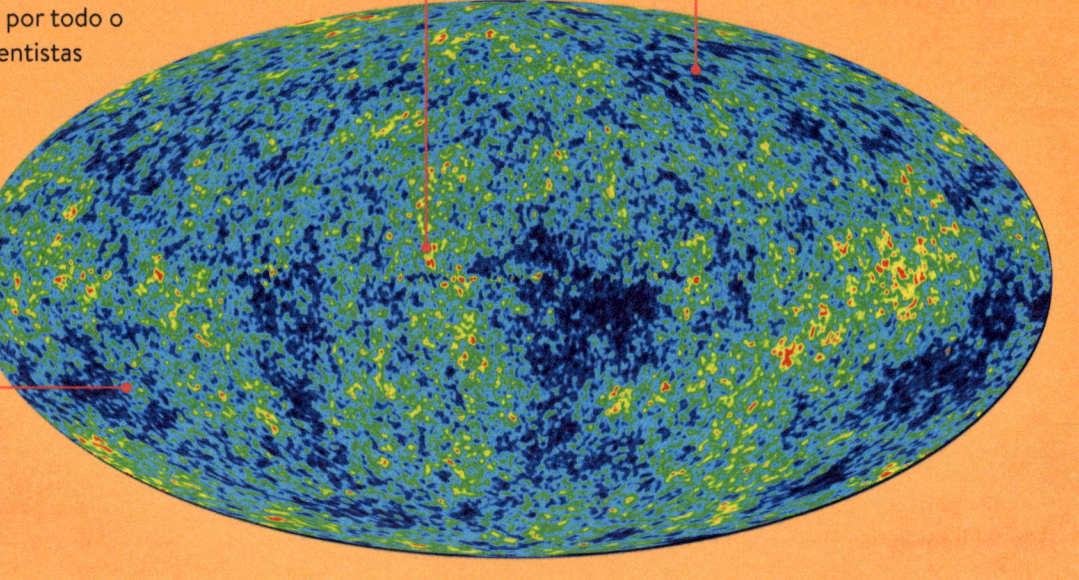

Lugares onde a matéria se aglomerou, formando galáxias, aparecem mais quentes na RCF.

Há menos galáxias onde a matéria não se aglomerou.

As cores mostram diferenças de calor no Universo. As áreas mais frias são azuis e as áreas mais quentes são vermelhas.

Interferência dos pombos

Em 1964, os astrônomos americanos Arno Penzias e Robert Wilson estavam usando um radiotelescópio para estudar o Universo quando viram muita interferência estática (como uma conexão ruim em uma chamada de vídeo). Eles acharam que ela poderia ser provocada por excrementos de pombos, pois havia um casal fazendo um ninho no telescópio. Porém, depois que os dois pegaram os pombos, o ruído não parou. No fim das contas, os astrônomos perceberam que estavam ouvindo o eco da Radiação Cósmica de Fundo – uma prova do Big Bang!

H 75% **He 25%**

Fatos Fantásticos!

Hidrogênio e hélio eram os únicos elementos que existiam no início do Universo. Eles formaram estrelas enormes. No núcleo dessas estrelas, novos elementos tiveram origem. Quando explodiram, as estrelas lançaram esses novos elementos no espaço.

DESBRAVANDO O DESCONHECIDO

Por que existe mais matéria do que antimatéria no Universo?

O oposto da matéria (coisas) é a antimatéria. Quando matéria e antimatéria colidem, ambas são destruídas, restando apenas energia. Os cientistas acreditam que elas foram criadas em quantidades iguais no Big Bang. Então por que a antimatéria não cancelou a matéria que constitui o Universo e tudo que há nele? Os cientistas ainda não sabem a resposta.

NOTA da especialista!

SARAH TUTTLE
Astrônoma

A professora Sarah Tuttle é especialista na observação de galáxias próximas. Ela adora poder olhar para o céu noturno com um telescópio e ver o princípio do Universo. Ela gosta de refletir sobre como o Universo surgiu – o que existia antes do Big Bang?

"Estamos viajando no tempo? Ou no espaço? Ou nos dois?"

GALÁXIAS

A maior parte do Universo visível é composta por galáxias: vastos conjuntos de estrelas, poeira e gás unidos pela gravidade. Os cientistas acreditam que existam 100 bilhões de galáxias no Universo. Muitas delas, incluindo a nossa Via Láctea, são quase tão antigas quanto o próprio Universo.

Como é uma galáxia vista da Terra?

Quase todas as estrelas que conseguimos ver a olho nu pertencem à Via Láctea. Andrômeda, importante galáxia vizinha da Via Láctea, pode ser vista sem telescópio, especialmente no Hemisfério Norte. No Hemisfério Sul, observadores às vezes são capazes de ver as Nuvens de Magalhães, duas galáxias que orbitam a Via Láctea.

A faixa poeirenta de estrelas no alto da imagem é o disco principal da Via Láctea.

Galáxia de Andrômeda, a maior galáxia nas proximidades da Via Láctea.

Espiral

Espiral barrada e com anel

Irregular

Peculiar

Lenticular

Elíptica

Tipos de galáxia

Os astrônomos classificam as galáxias segundo seu formato. Uma galáxia espiral, como o nome diz, tem uma forma meio espiralada, com um centro de onde saem "braços" luminosos. Uma espiral barrada, como a Via Láctea, é parecida, mas tem uma barra central de estrelas e pode também formar um anel ao seu redor. Galáxias irregulares e peculiares são menos definidas, enquanto uma espiral sem braços é chamada de lenticular. As elípticas têm forma oval.

Vênus se pondo sobre o Dinosaur Provincial Park, em Alberta, no Canadá.

CONSULTOR ESPECIALISTA: Toby Brown. **VEJA TAMBÉM:** O Big Bang, pp.4-5; A Via Láctea, pp.8-9; Estrelas, pp.10-11; Observando o espaço do espaço, pp.16-17; Exoplanetas, pp.20-21; O fim do Universo, pp.46-47; Gravidade, pp.134-135.

Quando galáxias colidem

Tudo no Universo está em movimento. Esta imagem mostra a Galáxia NGC 6052, uma galáxia formada a partir da colisão de outras duas. Em cerca de 4,5 bilhões de anos, a Via Láctea vai se fundir com a galáxia de Andrômeda. Elas vão formar o que os cientistas apelidaram de Milkomeda (em inglês, a Via Láctea é chamada de "Milky Way").

REVOLUCIONÁRIA
HENRIETTA SWAN LEAVITT
Astrônoma, viveu de 1868 a 1921

Estados Unidos

Até o século XX, a maioria dos cientistas acreditava que a Via Láctea era tudo que havia no Universo. Mas, em 1912, a astrônoma americana Henrietta Leavitt descobriu uma nova forma de calcular a distância das estrelas que acabou por ajudar a provar que algumas estão longe demais para fazerem parte da nossa galáxia. Em 1924, Edwin Hubble usou o método de Leavitt para provar que Andrômeda era uma galáxia separada.

DESBRAVANDO O DESCONHECIDO

Vamos encontrar vida inteligente em outro lugar do Universo? E como ela será?

O grande número de galáxias, estrelas e sistemas solares no Universo, assim como as leis da física, indica que deve haver outros planetas como a Terra, onde é possível existir vida inteligente. Para muitos cientistas, a maior questão não é se existe vida inteligente em outro lugar do Universo, mas como ela é e como podemos encontrá-la.

A VIA LÁCTEA

O nosso sistema solar pertence à galáxia da Via Láctea, que podemos ver como uma faixa estrelada no céu em uma noite escura. A Via Láctea que conhecemos hoje foi formada pela colisão e interação de muitas galáxias menores ao longo dos últimos 13,5 bilhões de anos. Ela é uma enorme galáxia espiral com dois grandes braços giratórios de estrelas e dois braços menores que se prolongam de seu centro.

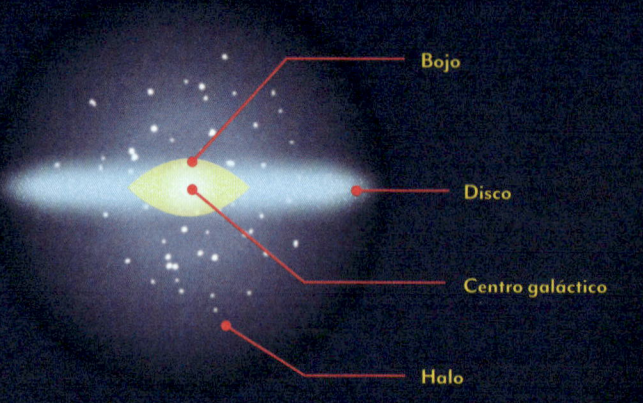

- Bojo
- Disco
- Centro galáctico
- Halo

Um bojo central de luz

O formato da nossa galáxia e seu bojo central podem ser mais facilmente compreendidos quando vistos de lado. A maior parte dos seus bilhões de estrelas está no disco plano ao redor do bojo, mas algumas estão mais distantes, em um halo ao redor do centro galáctico.

A Via Láctea em números
A LISTA

1. **1,12 trilhão de anos:** O tempo que um carro viajando a 96km/h levaria para cruzar a Via Láctea.
2. **13,5 bilhões de anos:** O número de anos desde que a Via Láctea se formou, no princípio do Universo.
3. **25 mil anos-luz:** A distância do nosso sistema solar para o centro da Via Láctea.
4. **100-400 bilhões:** O número de estrelas que os pesquisadores acreditam existir na Via Láctea. O número exato é impossível de calcular, segundo os cientistas da NASA.
5. **Centenas de bilhões:** O número de planetas na Via Láctea, se um ou mais planetas orbitar cada estrela.
6. **240 milhões de anos:** O tempo que leva para a Via Láctea dar uma volta em si mesma.
7. **4,5 bilhões de anos:** O tempo que vai se passar até que a Via Láctea colida com uma galáxia vizinha, Andrômeda.

O Braço Scutum-Centaurus desaparece gradualmente a uma distância de 55 mil a 60 mil anos-luz da Terra.

Acredita-se que o Braço de Cygnus seja a parte externa do Braço de Norma.

Um halo de matéria escura circunda a Via Láctea e responde por cerca de 90% de sua massa.

CONSULTORA ESPECIALISTA: Michelle Thaller. **VEJA TAMBÉM:** O Big Bang, pp.4-5; Galáxias, pp.6-7; Estrelas, pp.10-11; Nebulosas, pp.12-13; Constelações, pp.14-15; Observando o espaço do espaço, pp.16-17; Buracos negros, pp.18-19; O nosso sistema solar, pp.22-23.

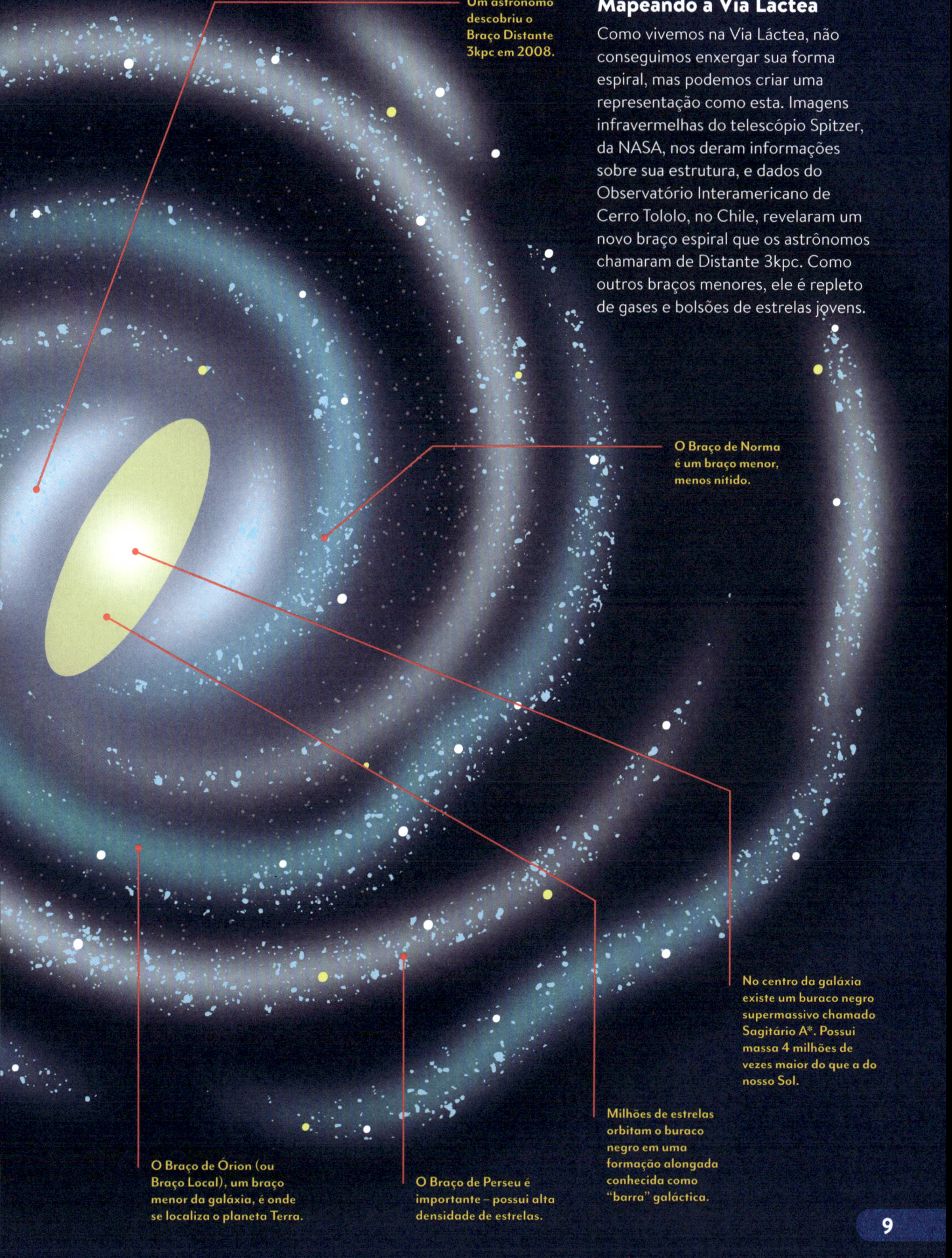

Um astrônomo descobriu o Braço Distante 3kpc em 2008.

Mapeando a Via Láctea

Como vivemos na Via Láctea, não conseguimos enxergar sua forma espiral, mas podemos criar uma representação como esta. Imagens infravermelhas do telescópio Spitzer, da NASA, nos deram informações sobre sua estrutura, e dados do Observatório Interamericano de Cerro Tololo, no Chile, revelaram um novo braço espiral que os astrônomos chamaram de Distante 3kpc. Como outros braços menores, ele é repleto de gases e bolsões de estrelas jovens.

O Braço de Norma é um braço menor, menos nítido.

No centro da galáxia existe um buraco negro supermassivo chamado Sagitário A*. Possui massa 4 milhões de vezes maior do que a do nosso Sol.

Milhões de estrelas orbitam o buraco negro em uma formação alongada conhecida como "barra" galáctica.

O Braço de Órion (ou Braço Local), um braço menor da galáxia, é onde se localiza o planeta Terra.

O Braço de Perseu é importante – possui alta densidade de estrelas.

9

ESTRELAS

Estrelas são bolas gigantes de plasma. Existe um vasto número de estrelas no Universo conhecido. No núcleo delas ocorre um processo chamado fusão nuclear, que produz uma enorme quantidade de energia na forma de luz e calor. O brilho de uma estrela depende de sua energia e de onde a estrela está em seu ciclo de vida. A maioria das estrelas, como o nosso Sol, é orbitada por planetas.

A lente ocular pode ser alterada para mudar o grau de ampliação.

Os telescópios nos ajudam a ver muito mais estrelas do que os poucos milhares que podem ser vistos a olho nu.

Por que as estrelas cintilam?

Nós vemos as estrelas cintilando por causa da atmosfera. À medida que a luz de estrelas distantes chega ao nosso planeta, ela é entortada (refratada) por causa de mudanças de temperatura e densidade da atmosfera. Quando olhamos para uma estrela, ela parece "cintilar", mas isso é apenas o zigue-zague da luz conforme ela viaja em nossa direção.

O cientista italiano Galileu Galilei foi o primeiro a usar um telescópio para ver objetos no espaço, em 1609.

Observação de estrelas

Para estudar as estrelas em mais detalhes, precisamos de um telescópio. O telescópio refrator coleta a luz das estrelas usando lentes (pedaços recurvados de vidro) e um tubo comprido. Quando os raios de luz de uma estrela entram no tubo, as lentes os redirecionam para um ponto focal, produzindo uma imagem da estrela. Outra lente, chamada ocular, amplia essa imagem.

CONSULTOR ESPECIALISTA: Ian Morison. **VEJA TAMBÉM:** O Big Bang, pp.4-5; Galáxias, pp.6-7; Nebulosas, pp.12-13; Constelações, pp.14-15; O Sol, pp.24-25; O fim do Universo, pp.46-47; A atmosfera, pp.86-87; Sólidos, líquidos e gases, pp.110-111; Luz, pp.128-129; Gravidade, pp.134-135; Pressão, pp.136-137.

O ciclo de vida de uma estrela

Uma estrela pode viver milhões, ou mesmo bilhões, de anos. Esse tempo depende do quanto de matéria ela contém. Quanto maior ela for, mais rápido usará seu combustível e mais curta será sua vida. Nosso Sol, que é uma anã amarela, vai se expandir e virar uma gigante vermelha em cerca de 5 bilhões de anos, e depois explodirá, deixando para trás um objeto denso chamado anã branca.

Estrelas são formadas em nuvens de poeira e gás chamadas nebulosas, que se mantêm unidas pela gravidade.

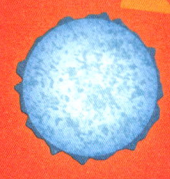

Se houver muita poeira e gás, poderá ser formada uma estrela extremamente massiva.

Se houver menos poeira e gás, podem se formar estrelas anãs menores.

Nosso Sol é uma anã amarela, um tipo relativamente mediano de estrela.

Um dos maiores tipos de estrelas no Universo é chamado de supergigante.

No final da vida do Sol, ele vai se expandir e virar uma gigante vermelha.

Quando uma supergigante chega ao fim da vida, ela pode explodir e virar uma supernova.

O Sol vai, então, se libertar de suas camadas externas e seu núcleo se transformará em uma nebulosa de gás.

Se a supergigante for realmente grande, depois de se tornar uma supernova ela deixará para trás um buraco negro.

Se não for grande o suficiente, sobrará uma pequena estrela densa, chamada estrela de nêutrons.

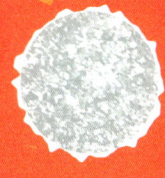

O núcleo remanescente do Sol será uma anã branca, que vai brilhar como uma estrela por trilhões de anos.

Fatos Fantásticos!

Quando olhamos para as estrelas, olhamos para o passado. Isso acontece porque a luz das estrelas viaja à velocidade da luz e leva algum tempo para chegar até nós. A estrela situada mais perto, a Proxima Centauri, está a 4,2 anos-luz de distância e é 4,2 anos mais velha do que a idade que vemos hoje. A galáxia de Andrômeda está a 2,5 milhões de anos-luz de distância, então é 2,5 milhões de anos mais velha do que o que vemos agora.

NOTA do especialista!

IAN MORISON
Astrônomo

O professor Ian Morison começou a se interessar pelo Universo aos 12 anos, quando montou um telescópio. Ele escreve livros para astrônomos amadores e contribuiu para o Projeto Phoenix – uma busca por vida extraterrestre.

❝Estrelas criam elementos como carbono, oxigênio, silício e ferro, que permitem que os planetas e a vida se formem.❞

NEBULOSAS

No espaço interestelar – as áreas entre as estrelas de uma galáxia –, poeira rodopiante e gases como hélio e hidrogênio formam nuvens chamadas de nebulosas. Às vezes, o gás e a poeira simplesmente se agrupam por causa da força da gravidade e, às vezes, são ejetados por estrelas moribundas. Algumas das maiores e mais impressionantes nebulosas são criadas a partir da explosão de supernovas – um evento que pode levar à criação de novas estrelas.

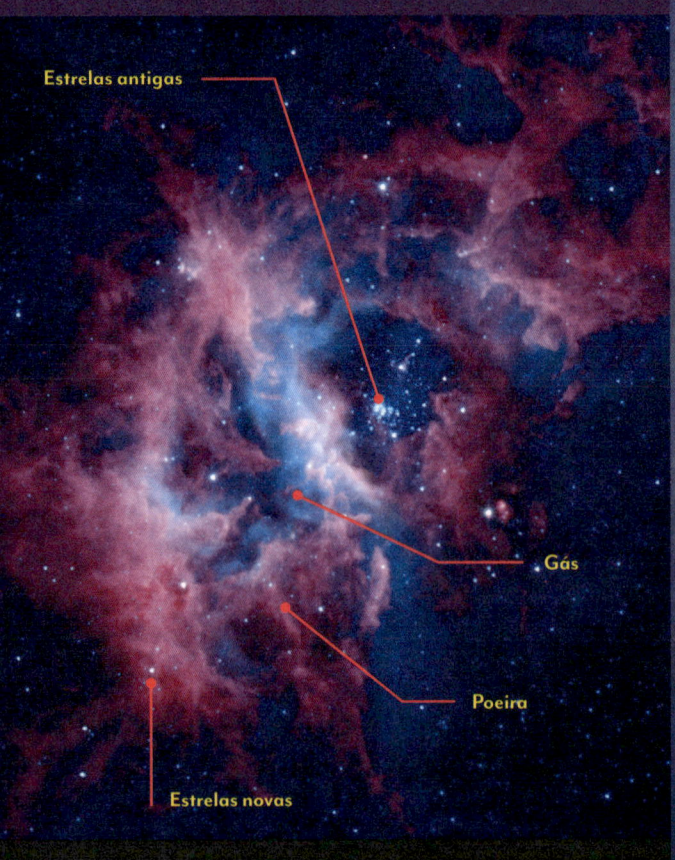

Ventos de estrelas próximas moldam as torres de gás e poeira.

Estrelas antigas

Gás

Poeira

Estrelas novas

Berçário de estrelas

A nebulosa RCW 49, na constelação austral da Quilha, é um berçário para mais de 2 mil novas estrelas. Normalmente, uma poeira escura esconde a nebulosa, mas esta imagem infravermelha obtida pelo telescópio espacial Spitzer, da NASA, capta matéria que emite radiação infravermelha (um tipo de luz que sentimos como calor), capaz de atravessar a poeira e o gás. Ela mostra estrelas antigas (no centro) e muitas estrelas novas.

Pilares da Criação

Uma das nebulosas mais famosas é a Nebulosa da Águia, sobretudo uma parte chamada Pilares da Criação. A cerca de 6.500 anos-luz da Terra, no braço espiral de Órion da Via Láctea, essa incrível massa de poeira e gás forma nuvens em forma de pilar com 5 anos-luz de comprimento. A Nebulosa da Águia inteira tem cerca de 70 anos-luz de diâmetro.

CONSULTOR ESPECIALISTA: Ian Morison. **VEJA TAMBÉM:** O Big Bang, pp.4-5; Galáxias, pp.6-7; A Via Láctea, pp.8-9; Estrelas, pp.10-11; Gigantes gasosos, pp.30-31; Sólidos, líquidos e gases, pp.110-111; Gravidade, pp.134-135.

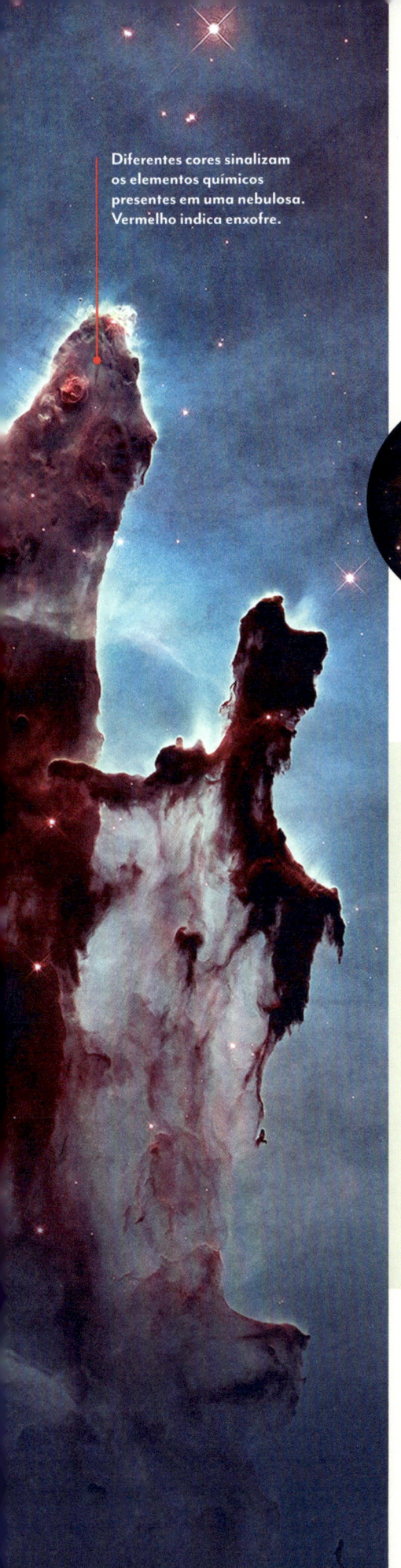

Diferentes cores sinalizam os elementos químicos presentes em uma nebulosa. Vermelho indica enxofre.

Diferentes tipos de nebulosa

Os cientistas classificam as nebulosas segundo sua aparência e o modo como se formaram. Elas podem ser muito grandes – com algumas centenas de anos-luz de diâmetro – e ter formas fantásticas, embora as nebulosas planetárias, que se expandem a partir do centro, normalmente sejam pequenas (cerca de 2 anos-luz de diâmetro) e uniformes. De modo geral, as nebulosas são divididas entre brilhantes e escuras.

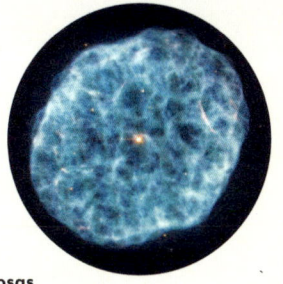

As nebulosas planetárias, formadas por estrelas moribundas, e não por supernovas, costumam ser redondas.

Os átomos de hidrogênio em uma nebulosa de emissão são agitados pela luz ultravioleta de estrelas muito quentes, emitindo luz vermelha.

A poeira em uma nebulosa de reflexão propaga a luz azul de estrelas próximas muito quentes. Não produz muita luz por si mesma.

A nebulosa Cabeça de Cavalo, na constelação de Órion, é uma nebulosa escura, na qual a poeira densa absorve a luz.

Supernova

Estrelas são sustentadas por um equilíbrio de forças: a força da própria gravidade e a pressão externa do calor do gás do núcleo. Quando uma grande estrela fica sem combustível, ela não tem mais como se sustentar e a gravidade vence, provocando seu colapso. Quando a camada externa atinge o núcleo da estrela, ela recupera o embalo, como se pulasse em uma cama elástica. Essa explosão, poderosa e muito brilhante, é chamada de supernova. Toda a poeira e todo o gás lançados no espaço podem formar uma nebulosa e, às vezes, dar origem a um objeto extremamente denso – um buraco negro.

Gravidade
Calor
Núcleo
Pressão

Fatos Fantásticos!

Uma nebulosa do tamanho da Terra pesaria o mesmo que um pequeno saco de batatas! Isso ocorre porque suas partículas de gás e poeira estão muito espalhadas, sendo bilhões de milhões de vezes menos densas que a atmosfera terrestre, por exemplo. No entanto, a massa total e a gravidade são suficientes para a nebulosa colapsar e formar novas estrelas.

CONSTELAÇÕES

Uma constelação é um grupo de estrelas que forma um padrão no céu. Culturas antigas batizaram as formas que viam fazendo referência a animais e figuras mitológicas. Os nomes que a maioria de nós usa hoje vêm da Grécia Antiga. Dependendo se estamos ao norte ou ao sul da Linha do Equador, ou de onde a Terra está em sua órbita ao redor do Sol, vemos constelações diferentes.

Hemisfério Norte

As constelações mais fáceis de identificar ao norte da Linha do Equador são Cassiopeia, com formato de W, Órion (procure pelas três estrelas que formam o cinturão de Órion, as famosas Três Marias) e Cisne, em formato de cruz.

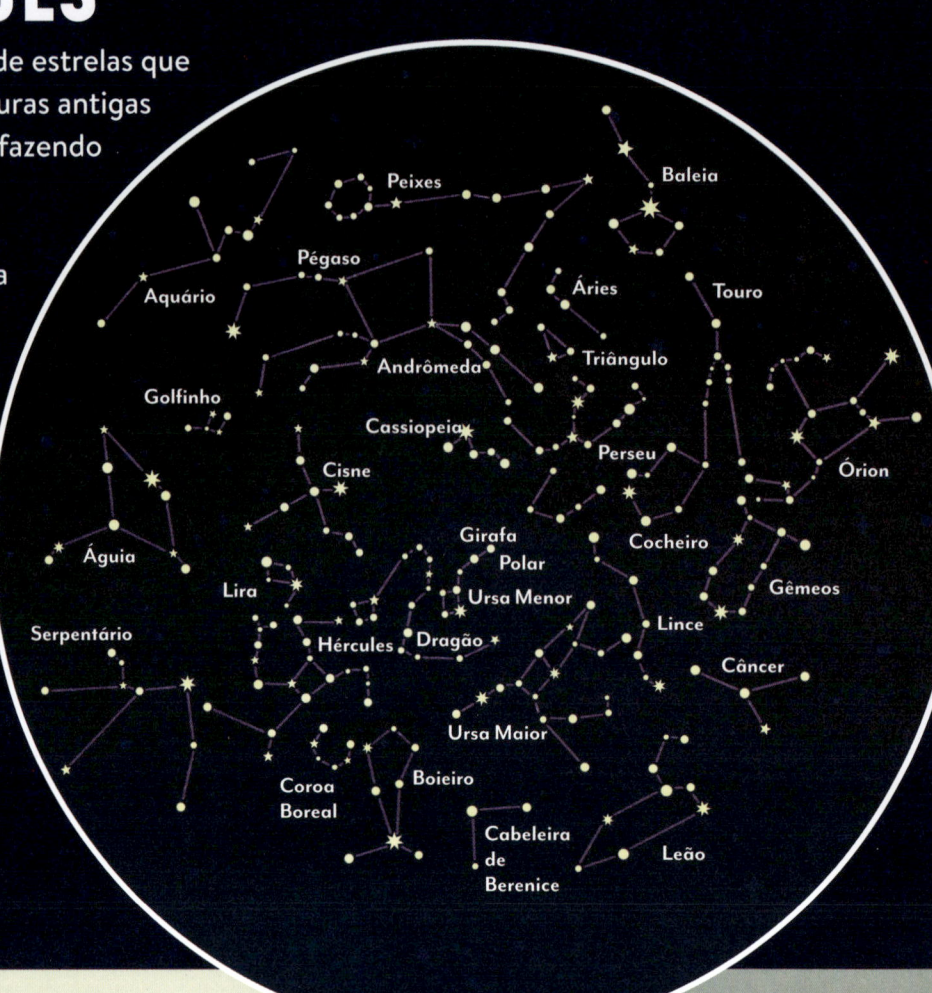

Criaturas míticas

A constelação da Ursa Maior é uma das mais brilhantes do Hemisfério Norte. Os antigos gregos a viam como Calisto, uma ninfa que foi transformada em ursa. O conjunto de estrelas do Arado faz parte dela.

As estrelas na cauda e nos quartos traseiros são conhecidas como o Arado (ou Caçarola, ou Grande Carro).

Alguns dos melhores pontos de observação do céu noturno

- Sertão do Nordeste, Brasil
- Observatório do Teide, Tenerife
- Deserto de Gobi, Mongólia
- Mauna Kea, Havaí
- Deserto do Atacama, Chile
- Reserva Natural NamibRand, Namíbia
- Aoraki Mackenzie, Nova Zelândia

CONSULTOR ESPECIALISTA: Ian Morison. **VEJA TAMBÉM:** Galáxias, pp.6-7; A Via Láctea, pp.8-9; Estrelas, pp.10-11.

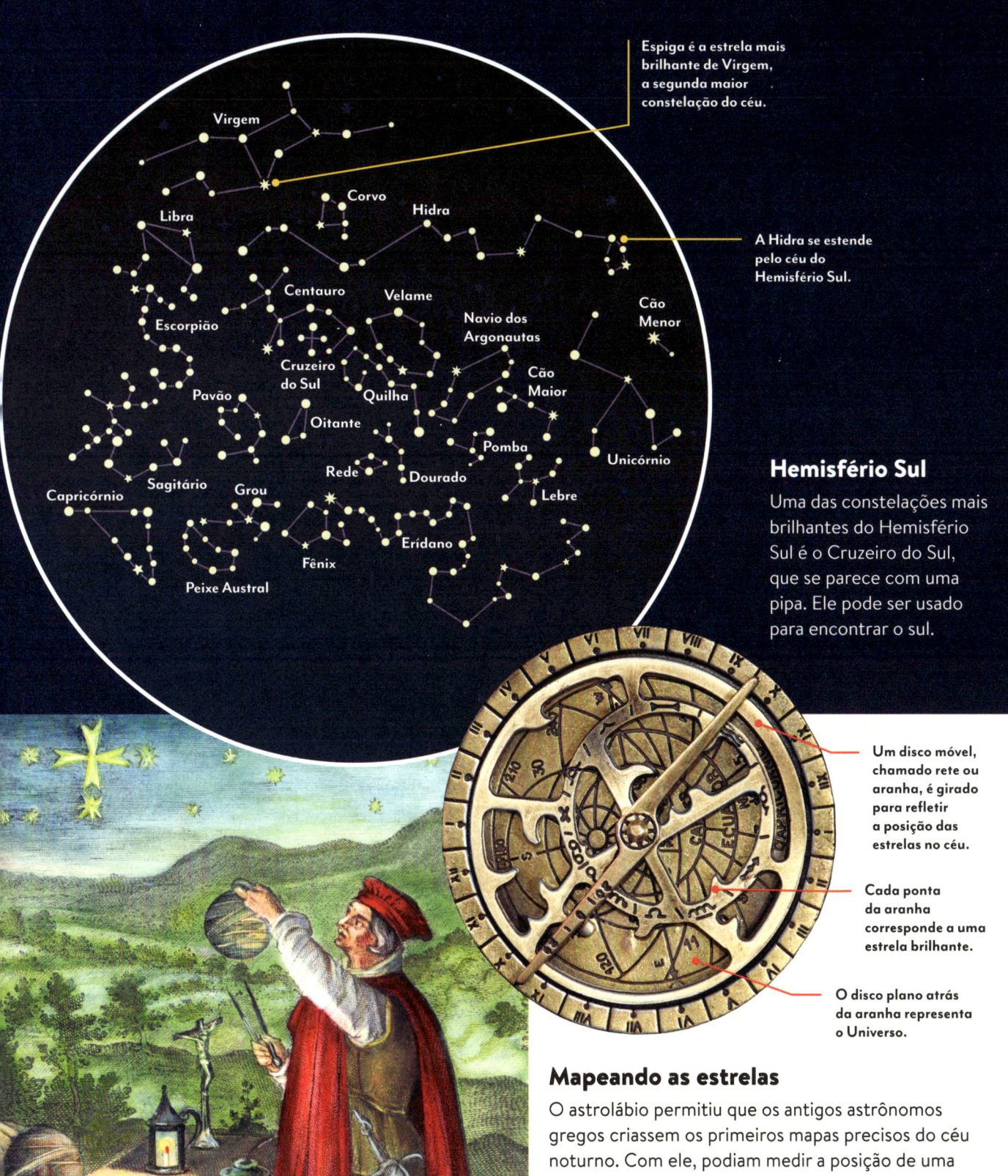

Espiga é a estrela mais brilhante de Virgem, a segunda maior constelação do céu.

A Hidra se estende pelo céu do Hemisfério Sul.

Hemisfério Sul

Uma das constelações mais brilhantes do Hemisfério Sul é o Cruzeiro do Sul, que se parece com uma pipa. Ele pode ser usado para encontrar o sul.

Um disco móvel, chamado rete ou aranha, é girado para refletir a posição das estrelas no céu.

Cada ponta da aranha corresponde a uma estrela brilhante.

O disco plano atrás da aranha representa o Universo.

Mapeando as estrelas

O astrolábio permitiu que os antigos astrônomos gregos criassem os primeiros mapas precisos do céu noturno. Com ele, podiam medir a posição de uma estrela ou outro objeto no céu noturno. Estudiosos islâmicos também usaram astrolábios para saber as horas e localizar a cidade sagrada de Meca, para que soubessem em que direção rezar. Na Era dos Descobrimentos, que teve início no século XV, os primeiros navegadores utilizavam astrolábios para se guiar pelos oceanos.

Marcadores dos polos

Os primeiros marinheiros e exploradores usaram a Estrela Polar, acima do polo norte da Terra, para apontar o caminho para o norte, e o Cruzeiro do Sul, mostrado aqui, no Hemisfério Sul, para ajudá-los a encontrar o sul.

15

Este espelho secundário concentra a luz infravermelha do espelho primário no telescópio. A partir daí, ele reflete a luz de volta ao centro do espelho primário, onde passa por um furo e forma a imagem.

Um enorme escudo, do tamanho de uma quadra de tênis, permite que o JWST observe o Universo sem ser ofuscado pelo Sol nem aquecer demais.

OBSERVANDO O ESPAÇO DO ESPAÇO

Que segredos as estrelas guardam? Hoje, graças aos telescópios mais modernos, podemos estudar o Universo em riqueza de detalhes. O mais famoso deles é o Telescópio Espacial Hubble (HST, na sigla em inglês), da NASA, lançado em 1990. Agora, uma nova geração de supertelescópios espaciais está prestes a desbravar ainda mais o Universo. O primeiro deles, o Telescópio Espacial James Webb (JWST), tem um espelho gigante revestido de ouro e observa o Universo em infravermelho – ou seja, detectando o calor que os objetos emitem.

CONSULTOR ESPECIALISTA: Clifford Cunningham. **VEJA TAMBÉM:** O Big Bang, pp.4-5; Buracos negros, pp.18-19; Exoplanetas, pp.20-21; O nosso sistema solar, pp.22-23; O Sol, pp.24-25; Planetas rochosos, pp.28-29; Gigantes gasosos, pp.30-31; Luas, pp.32-33; Satélites artificiais, pp.40-41; Sondas espaciais, pp.44-45.

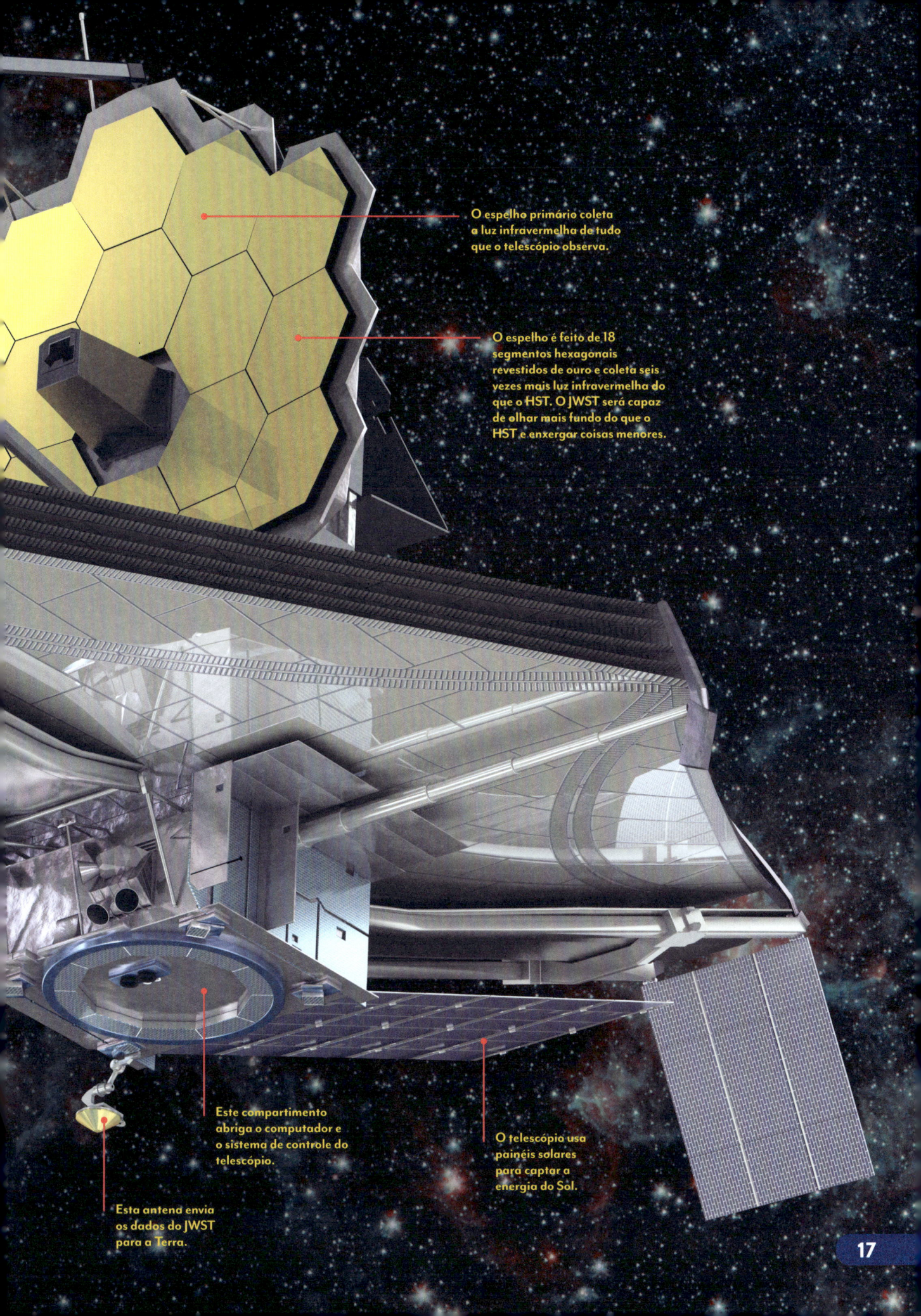

O espelho primário coleta a luz infravermelha de tudo que o telescópio observa.

O espelho é feito de 18 segmentos hexagonais revestidos de ouro e coleta seis vezes mais luz infravermelha do que o HST. O JWST será capaz de olhar mais fundo do que o HST e enxergar coisas menores.

Este compartimento abriga o computador e o sistema de controle do telescópio.

O telescópio usa painéis solares para captar a energia do Sol.

Esta antena envia os dados do JWST para a Terra.

BURACOS NEGROS

Um buraco negro é um objeto espacial com uma gravidade tão forte que nada pode escapar dele. Em geral se forma quando uma estrela massiva morre e parte de sua matéria é comprimida em um corpo extremamente denso. Os buracos negros podem variar de miniburacos, do tamanho de um átomo mas com a massa de uma montanha, a buracos supermassivos no centro de galáxias.

Primeira imagem de um buraco negro

Nem mesmo a luz consegue escapar de um buraco negro, de modo que eles são invisíveis. Porém, em 2019, astrônomos viram gases brilhantes ao redor de um buraco negro no centro da galáxia M87. Eles usaram uma rede de radiotelescópios para criar um supertelescópio chamado Event Horizon Telescope (EHT). Até então, os cientistas haviam detectado buracos negros por sua atração gravitacional sobre estrelas e gás quente.

CONSULTORA ESPECIALISTA: Michelle Thaller. **VEJA TAMBÉM:** O Big Bang, pp.4-5; Nebulosas, pp.12-13; A Terra no espaço, pp.54-55; O átomo, pp.100-101; Energia, pp.122-123; Eletricidade, pp.126-127; Luz, pp.128-129; Forças, pp.132-133; Gravidade, pp.134-135.

A anatomia de um buraco negro

A gravidade de um buraco negro aumenta em direção ao seu centro. Nos limites externos, a poeira e o gás formam um disco que aquece até 100 milhões de graus Celsius à medida que gira em torno do buraco negro. Chama-se "disco de acreção". Dentro dele está o horizonte de eventos, onde nada escapa de sua atração. O próprio centro do buraco pode ser uma singularidade – um ponto onde a matéria é comprimida com tanta força que tem densidade infinita – ou pode ser que a matéria em tal densidade se comporte de formas que ainda não conseguimos imaginar.

Buracos negros supermassivos estão no centro de quase todas as galáxias. O do centro da Via Láctea é chamado de Sagitário A*.

Poeira e gás formam um disco de acreção superquente que gira em torno do buraco negro em alta velocidade, produzindo radiação eletromagnética.

O horizonte de eventos esférico é o ponto de não retorno, onde nada pode escapar da gravidade do buraco negro. Em seu centro está a singularidade, um minúsculo ponto de densidade infinita.

REVOLUCIONÁRIO

STEPHEN HAWKING
Físico, viveu de 1942 a 2018

Reino Unido

O físico britânico Stephen Hawking expandiu nossa compreensão dos buracos negros. Ele sugeriu que talvez algo pudesse escapar de um buraco negro. Esse algo foi chamado de radiação Hawking, um tipo de luz. Ele supôs que a fuga dessa radiação acabaria por reduzir a energia dos buracos negros. Até hoje os cientistas não a encontraram, mas ainda estão procurando.

Estranha física

A gravidade é tão forte no centro dos buracos negros que coisas estranhas podem acontecer por lá – eventos que desafiam as leis da física que governam o Universo. Tal gravidade poderia fazer o tempo parar ou mesmo produzir "buracos de minhoca" (túneis) para outros lugares do Universo.

DESBRAVANDO O DESCONHECIDO

O que aconteceria se um astronauta caísse em um buraco negro?

Os cientistas acreditam que um corpo atraído pelo horizonte de eventos de um buraco negro seria transformado em espaguete – esticado como macarrão pela gravidade do buraco negro. No entanto, não se sabe o que aconteceria com um astronauta bem no centro do buraco negro.

EXOPLANETAS

O Sol não é a única estrela a ser orbitada por planetas. Existem bilhões de estrelas em nossa galáxia, e acredita-se que quase todas elas tenham planetas. Chamamos os planetas que estão fora do nosso sistema solar de exoplanetas. Até agora, os cientistas já encontraram mais de 4 mil. Eles variam bastante em tamanho, desde os menores do que a Terra até os muito maiores do que Júpiter. Os cientistas esperam descobrir se alguns desses exoplanetas podem abrigar vida.

Telescópio Kepler

O telescópio Kepler, da NASA, encontrou a grande maioria dos exoplanetas descobertos até hoje. Ele acompanhou a Terra em sua órbita ao redor do Sol de 2009 a 2018, quando sofreu uma falha mecânica. O Kepler encontrava exoplanetas pelo método de trânsito planetário: quando eles passam na frente de estrelas distantes, o brilho diminui momentaneamente. Ao procurar por esse sinal, o Kepler achava esses corpos celestes.

Um cometa é um pedaço de gelo e rocha que sobrou após a formação de um sistema solar.

Todo sistema solar tem uma estrela no centro. No nosso caso, é o Sol.

Gigantes gasosos tendem a se formar mais longe de sua estrela, onde podem coletar mais poeira e gás.

Planetas recém-formados traçam uma rota no disco de poeira de sua estrela.

Asteroides são corpos rochosos que não conseguiram se transformar em planetas. Às vezes eles colidem com planetas.

Como surge um sistema solar?

Um sistema solar surge quando uma estrela se forma no centro de um disco de poeira e gás. À medida que a estrela gira, partes da poeira e do gás se aglomeram, formando objetos que crescem com o passar do tempo. Ao longo de milhões de anos, isso pode levar à criação de planetas. Muitos objetos menores também se formam durante esse período, como asteroides e cometas.

CONSULTORES ESPECIALISTAS: Tracy M. Becker e Erik Gregersen. **VEJA TAMBÉM:** Galáxias, pp.6-7; A Via Láctea, pp.8-9; Estrelas, pp.10-11; Observando o espaço do espaço, pp.16-17; O nosso sistema solar, pp.22-23; O Sol, pp.24-25; Exploração planetária, pp.26-27; Planetas rochosos, pp.28-29; Gigantes gasosos, pp.30-31.

Fatos Fantásticos!

Um ano no exoplaneta NGTS-10b dura apenas cerca de 18 horas!
Descoberto em 2019, o NGTS-10b orbita tão perto de sua estrela que completa uma volta a cada 18 horas. Acredita-se que esses planetas, que são semelhantes a Júpiter, se formam mais longe em um sistema solar antes de serem empurrados para dentro. Sua temperatura pode chegar a milhares de graus Celsius. Em dado momento, sua estrela os destroça.

LINHA DO TEMPO
dos exoplanetas

1984 Descoberta do primeiro disco planetário em torno de outra estrela.

1992 Confirmação dos primeiros planetas conhecidos orbitando outra estrela.

1995 Astrônomos encontram o primeiro planeta a orbitar uma estrela como o nosso Sol (51 Pegasi b).

2004 Astrônomos obtêm pela primeira vez uma imagem de um exoplaneta, chamado 2M1207b.

2009 Lançamento do Telescópio Kepler, da NASA, que encontra milhares de novos planetas.

2015 Descoberta do planeta Kepler-452b, considerado potencialmente habitável, como a Terra.

2016 Descoberta do Proxima Centauri b, um planeta que orbita a estrela mais próxima do nosso Sol.

2017 Cientistas descobrem que o sistema Kepler-90 tem tantos planetas quanto o nosso sistema solar; eles também descobrem que o sistema TRAPPIST-1 tem sete planetas com aproximadamente o mesmo tamanho da Terra.

2018 Lançamento do novo telescópio caçador de exoplanetas da NASA, o TESS.

DESBRAVANDO O DESCONHECIDO

Existe uma Terra 2.0?

Milhares de exoplanetas já foram encontrados, mas nenhum foi identificado como "Terra 2.0". Em outras palavras, os cientistas não descobriram um planeta como a Terra orbitando uma estrela como o Sol. Tal planeta poderia abrigar vida, assim como o nosso. Os astrônomos procuram planetas orbitando uma estrela na zona habitável – à distância ideal para que as condições sejam adequadas à existência da vida.

NOTA do especialista!

ERIK GREGERSEN
Editor de astronomia

Gregersen é o especialista da Britannica em astronomia e exploração espacial. Ele adora astronomia porque sempre há alguma descoberta nova e surpreendente.

"O número cada vez maior de exoplanetas é um dos temas mais fascinantes da astronomia atualmente."

Marte
1,52 AU
Ano planetário:
686,98d

Terra
1 AU
Ano planetário:
365,26d

Vênus
0,72 AU
Ano planetário:
224,7d

Mercúrio
0,39 AU
Ano planetário:
87,97d

Cometa

Sol

Cinturão de asteroides

O NOSSO SISTEMA SOLAR

O nosso sistema solar é o lugar que chamamos de casa. Ele inclui o Sol, os planetas, planetas anões como Plutão, asteroides e muitos outros objetos que orbitam o Sol. Existem oito planetas principais, sendo Mercúrio o menor e Júpiter o maior. Entre Marte e Júpiter fica o cinturão de asteroides, uma vasta região repleta de asteroides. Para além de Netuno há um cinturão de cometas e asteroides chamado Cinturão de Kuiper. Mais afastado ainda existe um anel distante de cometas, a Nuvem de Oort.

AU = Unidade Astronômica – 1 AU é a distância média da Terra ao Sol

m = minuto terrestre

h = hora terrestre

d = dia terrestre

a = ano terrestre

Uma rotação

O tempo que leva para um planeta dar uma volta em torno do próprio eixo (mostrado como uma linha tracejada amarela) é medido em relação a 1 dia terrestre. Um dia médio da Terra tem pouco menos de 24 horas: 23h56m4s. O dia de Júpiter é o mais curto, com menos de ½ dia terrestre.

Mercúrio 58,65d
Vênus 243,02d
Terra 0,99d
Marte 1,03d
Júpiter 0,41d
Saturno 0,44d
Urano 0,72d
Netuno 0,67d

Fatos Fantásticos!

O computador em cada uma das sondas *Voyager* tem apenas cerca de 70kb de memória, o equivalente a uma imagem de internet em baixa resolução. E foi com isso que exploraram o Sistema Solar por mais de 40 anos.

CONSULTOR ESPECIALISTA: Rudi Kuhn. **VEJA TAMBÉM:** A Via Láctea, pp.8-9; Estrelas, pp.10-11; Exoplanetas, pp.20-21; O Sol, pp.24-25; Exploração planetária, pp.26-27; Planetas rochosos, pp.28-29; Gigantes gasosos, pp.30-31; Luas, pp.32-33; Asteroides, pp.34-35; Cinturão de Kuiper, pp.36-37.

Júpiter
5,2 AU
Ano planetário:
11,86a
(4.332,82d)

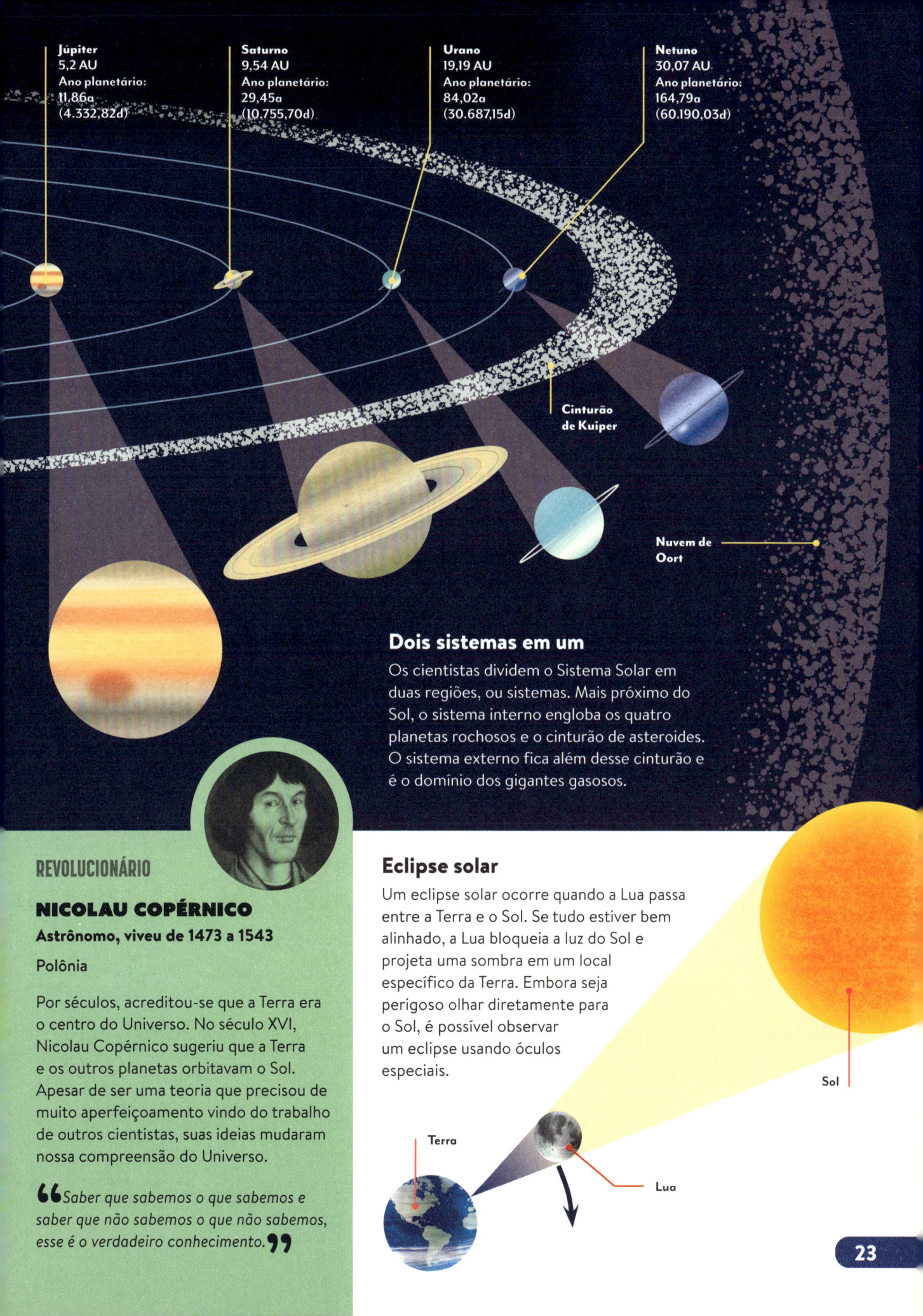

Saturno
9,54 AU
Ano planetário:
29,45a
(10.755,70d)

Urano
19,19 AU
Ano planetário:
84,02a
(30.687,15d)

Netuno
30,07 AU
Ano planetário:
164,79a
(60.190,03d)

Cinturão de Kuiper

Nuvem de Oort

Dois sistemas em um

Os cientistas dividem o Sistema Solar em duas regiões, ou sistemas. Mais próximo do Sol, o sistema interno engloba os quatro planetas rochosos e o cinturão de asteroides. O sistema externo fica além desse cinturão e é o domínio dos gigantes gasosos.

Eclipse solar

Um eclipse solar ocorre quando a Lua passa entre a Terra e o Sol. Se tudo estiver bem alinhado, a Lua bloqueia a luz do Sol e projeta uma sombra em um local específico da Terra. Embora seja perigoso olhar diretamente para o Sol, é possível observar um eclipse usando óculos especiais.

Sol

Terra

Lua

REVOLUCIONÁRIO

NICOLAU COPÉRNICO

Astrônomo, viveu de 1473 a 1543

Polônia

Por séculos, acreditou-se que a Terra era o centro do Universo. No século XVI, Nicolau Copérnico sugeriu que a Terra e os outros planetas orbitavam o Sol. Apesar de ser uma teoria que precisou de muito aperfeiçoamento vindo do trabalho de outros cientistas, suas ideias mudaram nossa compreensão do Universo.

"Saber que sabemos o que sabemos e saber que não sabemos o que não sabemos, esse é o verdadeiro conhecimento."

O SOL

O Sol é a estrela que alimenta o Sistema Solar. Ele se formou a partir de uma nebulosa de poeira e gás há cerca de 4,5 bilhões de anos e agora é uma bola gigante de gás do tipo anã amarela. Tem 1,4 milhão de quilômetros de diâmetro e é composto principalmente de hidrogênio e hélio, embora tenha metais mais pesados em seu núcleo. A temperatura do núcleo pode chegar a 15 milhões de graus Celsius!

Gerador de vida

A energia do Sol é criada em seu núcleo, onde a fusão nuclear converte hidrogênio em hélio e libera uma grande quantidade de energia. A luz e o calor produzidos são irradiados por todo o Sistema Solar. Na Terra, dependemos dessa radiação para sobreviver, mas o Sol também tem efeitos em outros lugares. Seu calor torna Vênus quente demais para que haja vida e seus raios chegam a tocar a superfície de Plutão no sistema solar externo.

A temperatura da superfície do Sol é de cerca de 5.500°C, mas sua atmosfera externa, chamada coroa, chega a milhões de graus. Ninguém sabe ao certo por que a atmosfera é muito mais quente.

Esta é uma proeminência solar, um arco de material lançado na atmosfera pelo campo magnético do Sol.

Raios solares
A LISTA

1. **Radiação luminosa** A maior parte da luz do Sol é visível, mas ele também emite raios ultravioleta e infravermelhos (calor).
2. **Vento solar** O Sol emite constantemente correntes de partículas, chamadas de vento solar, a partir de sua superfície. Essas partículas interagem com átomos na atmosfera de um planeta, dando origem a auroras (cortinas luminosas de luz) em Júpiter e Saturno, assim como nos polos terrestres. Na Terra, as auroras são divididas em boreal (norte) e austral (sul).
3. **Erupções solares** Brilhantes explosões de radiação no Sol, conhecidas como erupções solares, liberam uma enorme quantidade de energia no espaço.
4. **Ejeções de massa coronal** O Sol ejeta grandes quantidades de material para o espaço em gigantescas "golfadas" chamadas ejeções de massa coronal (pois provêm da coroa do Sol, a região mais externa da atmosfera solar). Quando alcançam a Terra, afetam o campo magnético do planeta. Assim como as erupções solares, elas podem derrubar sistemas tecnológicos, como os de comunicação e de redes elétricas.

CONSULTOR ESPECIALISTA: Ian Morison. **VEJA TAMBÉM:** Galáxias, pp.6-7; A Via Láctea, pp.8-9; Observando o espaço do espaço, pp.16-17; O nosso sistema solar, pp.22-23; O fim do Universo, pp.46-47; A atmosfera, pp.86-87; O átomo, pp.100-101; Sólidos, líquidos e gases, pp.110-111; Energia, pp.122-123.

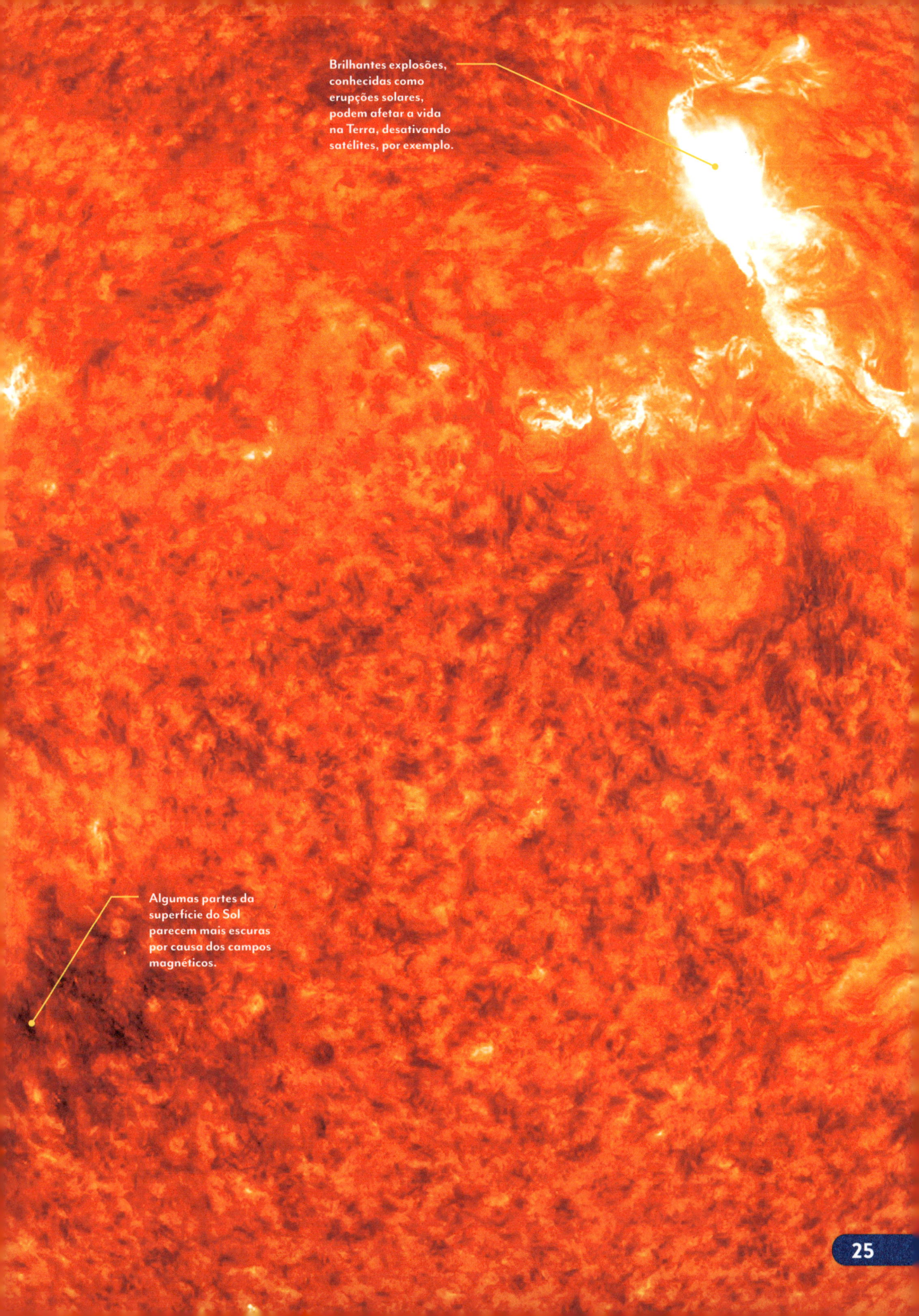

Brilhantes explosões, conhecidas como erupções solares, podem afetar a vida na Terra, desativando satélites, por exemplo.

Algumas partes da superfície do Sol parecem mais escuras por causa dos campos magnéticos.

EXPLORAÇÃO PLANETÁRIA

Desde a década de 1960, os cientistas lançaram missões que pousaram em outros mundos. Vários países enviaram sondas para Vênus, sendo que a Rússia pousou com sucesso muitas delas. Elas sobreviveram por pouco tempo, mas mandaram imagens incríveis. Estados Unidos, Rússia, China, Japão, Índia e Europa lançaram missões à Lua. Foram enviados até *rovers* para Marte, em busca de sinais de vida.

Curiosity em Marte

O *rover* Curiosity, da NASA, pousou em Marte em 6 de agosto de 2012. Desde então, percorre a superfície em busca de sinais de vida ancestral. Ele descobriu que seu local de pouso, a cratera Gale, foi outrora um lago. Também encontrou seixos, evidências de que rios existiram em Marte bilhões de anos atrás.

O *rover* tem câmeras, incluindo esta elevada, para capturar imagens da superfície do planeta.

O Curiosity tem 11 instrumentos para estudar a superfície de Marte.

As câmeras do *rover* permitem que ele estude as rochas em detalhes.

O Curiosity usa uma pequena broca para coletar e estudar amostras de rochas.

Com o tempo, rochas e poeira de Marte desgastaram o *rover*, danificando suas rodas.

CONSULTOR ESPECIALISTA: Rudi Kuhn. **VEJA TAMBÉM:** O nosso sistema solar, pp.22-23; Planetas rochosos, pp.28-29; Gigantes gasosos, pp.30-31; Asteroides, pp.34-35; Cinturão de Kuiper, pp.36-37.

Acredita-se que a Huygens tenha pousado em um leito de rio seco.

Fatos Fantásticos!

Titã, uma das luas de Saturno, tem lagos e mares. Titã é o único lugar que conhecemos, além da Terra, que possui corpos líquidos em sua superfície. No entanto, em Titã essas substâncias são semelhantes a gasolina, não a água. Em 2005, a NASA e a Agência Espacial Europeia enviaram uma sonda para Titã, chamada Huygens, que capturou as primeiras imagens da superfície lunar enquanto caía de paraquedas.

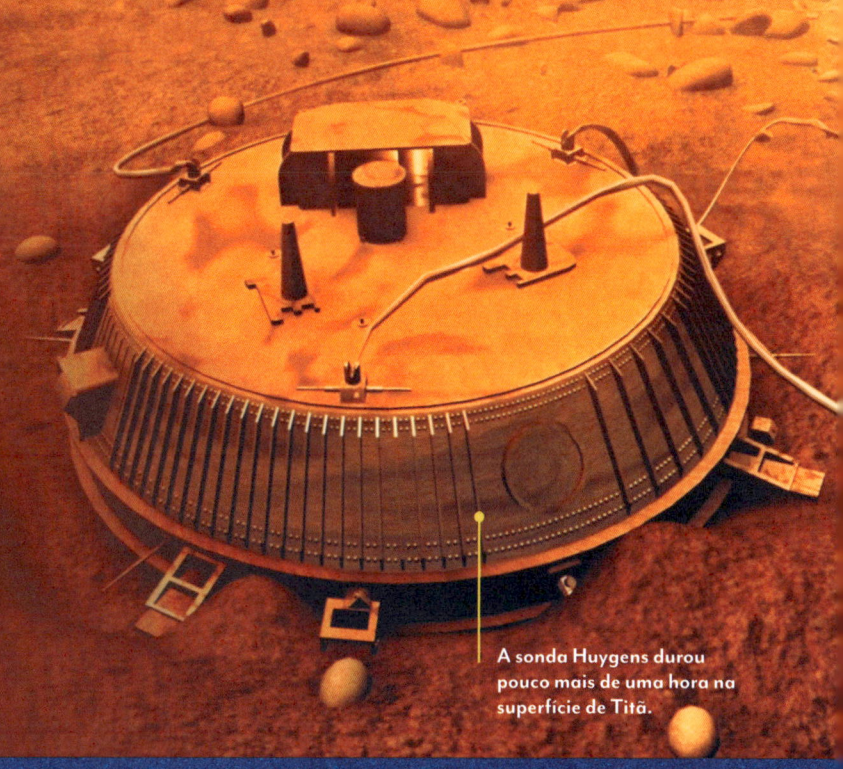

A sonda Huygens durou pouco mais de uma hora na superfície de Titã.

Pousos no Sistema Solar
A LISTA

Os humanos pousaram sondas em vários corpos do Sistema Solar, incluindo asteroides, cometas, planetas e luas. Algumas missões tiveram vida bastante curta, enquanto outras estão até hoje em operação. Deixamos a marca da humanidade em todo o Sistema Solar. Veja a seguir alguns dos destinos:

1. Lua Seis missões tripuladas visitaram a nossa Lua.

2. Marte Várias sondas e *rovers* pousaram em Marte, incluindo o Curiosity. A exploração continua.

3. Vênus A maioria das sondas em Vênus sobrevive menos de uma hora, porque a temperatura e a pressão são muito altas.

4. Titã A sonda Huygens foi a única a pousar até hoje.

5. Asteroides Várias naves pousaram em asteroides, algumas delas enviando amostras à Terra.

6. Cometa Em 2014, a Agência Espacial Europeia pousou uma sonda – chamada Philae – em um cometa pela primeira vez.

NOTA do especialista!

RUDI KUHN
Astrônomo

O Dr. Rudi Kuhn trabalha como astrônomo observacional para um dos maiores telescópios do mundo, o Grande Telescópio do Sul da África (SALT, na sigla em inglês). Sua pesquisa atual se concentra na detecção de exoplanetas.

❝ *Muitas vezes sou a primeira pessoa a ver algumas das coisas mais incríveis do espaço – planetas orbitando estrelas distantes, estrelas explodindo ou galáxias em colisão.* ❞

DESBRAVANDO O DESCONHECIDO

Existem vulcões ativos em Vênus?

Os cientistas acreditam que possam existir vulcões ativos na superfície de Vênus, mas é difícil enxergar através da atmosfera do planeta, que é muito densa. Então, é necessário usar imagens infravermelhas e de radar para procurar por sinais de que eles existem. Caso isso seja confirmado, os cientistas provariam que Vênus é mais parecido com a Terra do que pensávamos.

Imagens infravermelhas e de radar de Vênus nos permitem estudar sua superfície.

PLANETAS ROCHOSOS

Um planeta rochoso é composto majoritariamente de rocha. Em nosso sistema solar, os quatro planetas interiores são rochosos: Mercúrio, Vênus, Terra e Marte. Todos têm superfície sólida e são compostos de metais e rochas chamadas silicatos, como o quartzo. O centro deles é feito sobretudo de metal. Às vezes, um manto de gases (atmosfera) envolve um planeta rochoso.

Interiores rochosos

Planetas rochosos se formam quando fragmentos de poeira e gás se aglomeram ao longo do tempo, criando uma bola. Se for grande e quente o suficiente, ela se separa em camadas de rocha e metal. O centro metálico do planeta é chamado de núcleo. Em seguida, vem uma camada de rocha, o manto. Já a camada externa rochosa é a crosta.

Seções transversais dos planetas (em escala)

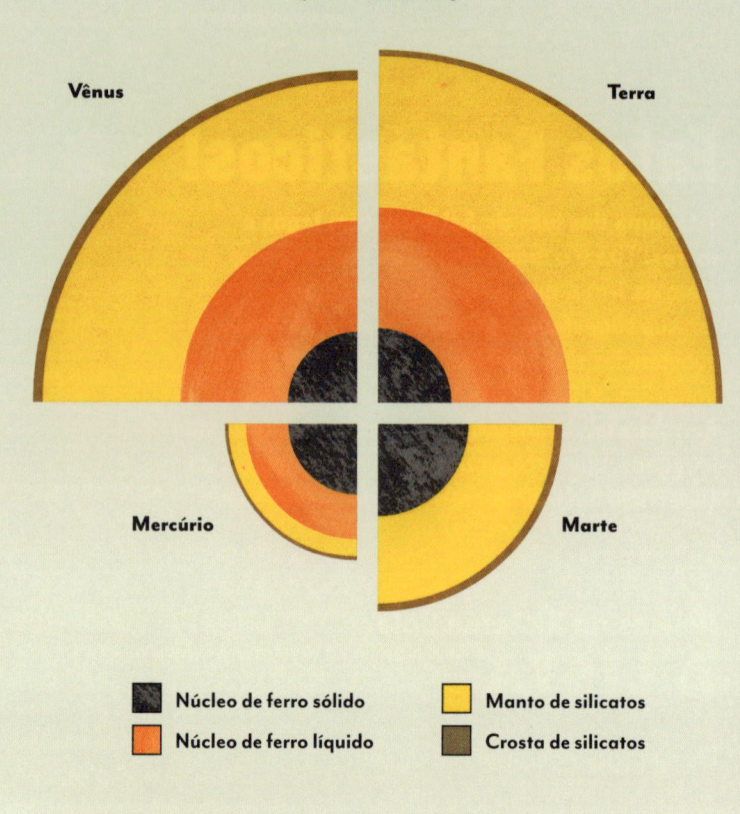

Vênus · Terra · Mercúrio · Marte

- Núcleo de ferro sólido
- Núcleo de ferro líquido
- Manto de silicatos
- Crosta de silicatos

Fatos Fantásticos!

O objeto que formou a Bacia Caloris atingiu Mercúrio com tanta força que surgiram colinas do outro lado do planeta. O impacto ocorreu há 4 bilhões de anos. Ele deixou uma cratera que mede 1.525 quilômetros de diâmetro.

Bacia Caloris

A sufocante atmosfera de Vênus

Vênus tem a atmosfera mais densa de todos os planetas rochosos. Seus gases retêm muito calor, tornando-o o planeta mais quente do Sistema Solar. A atmosfera de Vênus também é venenosa, contendo o perigoso ácido sulfúrico.

A maior parte da luz solar é refletida por densas nuvens de ácido sulfúrico.

A luz solar que passa é retida pelas nuvens e fica presa na superfície do planeta.

As nuvens também retêm gases, como o dióxido de carbono, tornando o planeta ainda mais quente.

CONSULTORA ESPECIALISTA: Tracy M. Becker. **VEJA TAMBÉM:** A Via Láctea, pp.8-9; Estrelas, pp.10-11; Exoplanetas, pp.20-21; O nosso sistema solar, pp.22-23; O Sol, pp.24-25; Exploração planetária, pp.26-27; Gigantes gasosos, pp.30-31; Luas, pp.32-33; Asteroides, pp.34-35; Cinturão de Kuiper, pp.36-37.

O Planeta Vermelho

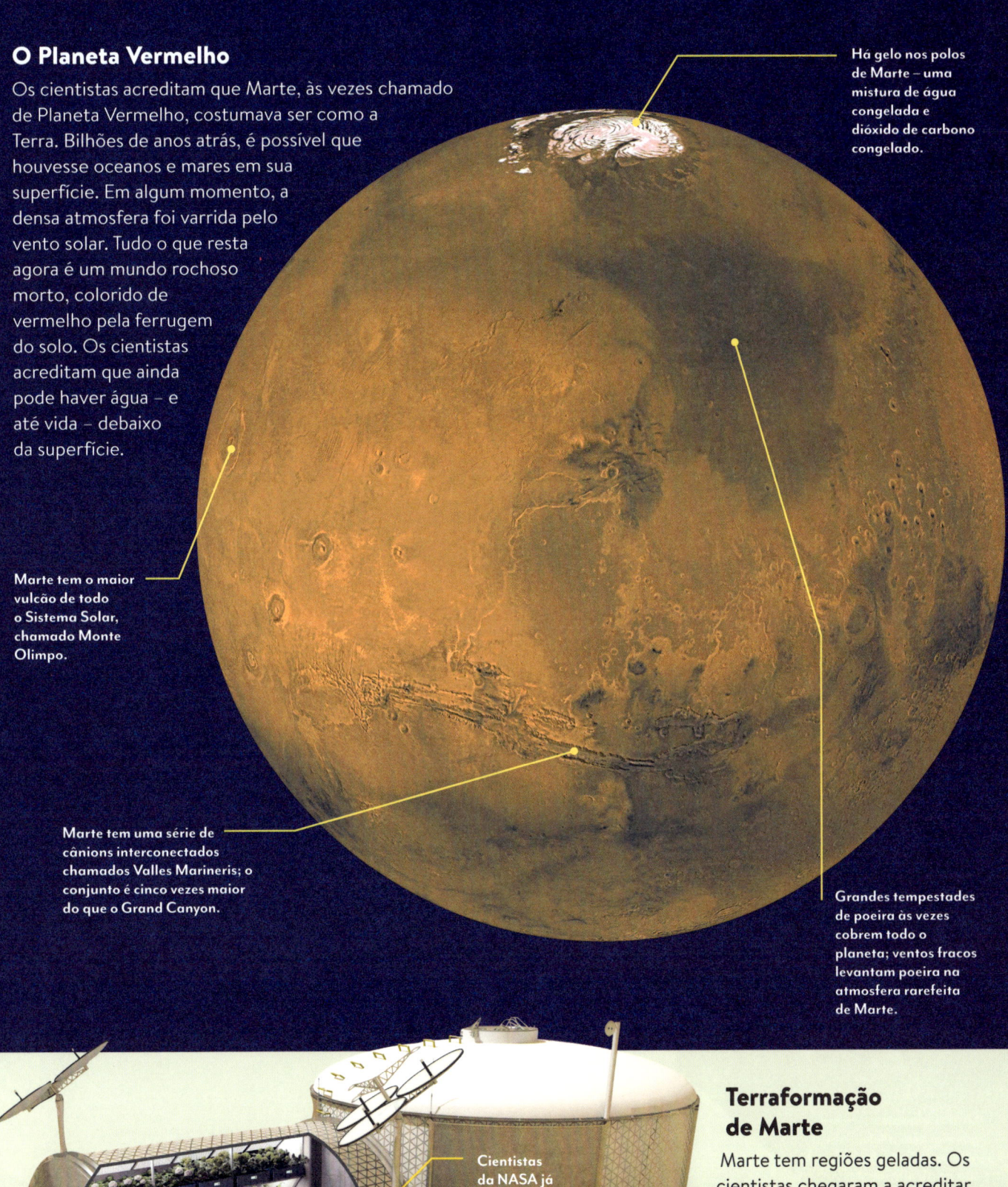

Os cientistas acreditam que Marte, às vezes chamado de Planeta Vermelho, costumava ser como a Terra. Bilhões de anos atrás, é possível que houvesse oceanos e mares em sua superfície. Em algum momento, a densa atmosfera foi varrida pelo vento solar. Tudo o que resta agora é um mundo rochoso morto, colorido de vermelho pela ferrugem do solo. Os cientistas acreditam que ainda pode haver água – e até vida – debaixo da superfície.

Há gelo nos polos de Marte – uma mistura de água congelada e dióxido de carbono congelado.

Marte tem o maior vulcão de todo o Sistema Solar, chamado Monte Olimpo.

Marte tem uma série de cânions interconectados chamados Valles Marineris; o conjunto é cinco vezes maior do que o Grand Canyon.

Grandes tempestades de poeira às vezes cobrem todo o planeta; ventos fracos levantam poeira na atmosfera rarefeita de Marte.

Cientistas da NASA já desenvolveram uma tecnologia que permite aos astronautas cultivar vegetais no espaço.

Terraformação de Marte

Marte tem regiões geladas. Os cientistas chegaram a acreditar que seria possível derreter o gelo, transformando-o em água, e tornar o planeta habitável, como a Terra. Mas há um problema nessa ideia: como Marte tem uma atmosfera muito rarefeita, a água não permaneceria líquida na superfície, mas evaporaria ou voltaria a se congelar antes de poder ser usada.

GIGANTES GASOSOS

Um gigante gasoso é um planeta formado quase que inteiramente de hélio e hidrogênio, como Júpiter, Saturno, Urano e Netuno. A temperatura e a pressão no interior do planeta transformam gás em líquido. Gigantes gasosos tendem a ter espessas faixas de nuvens em suas atmosferas superiores. Ao contrário dos planetas rochosos, não têm superfície, mas podem ter sistemas climáticos colossais, com furacões gigantes ou enormes tempestades de raios.

O nascimento de um gigante gasoso

Gigantes gasosos se formam quando nuvens de poeira e gás se juntam para formar um objeto maior. O tamanho descomunal de um gigante gasoso produz uma enorme pressão no interior do planeta, gerando líquidos como hidrogênio metálico em torno do que se pensa ser um centro ou núcleo rochoso.

Seções transversais dos planetas (em escala)

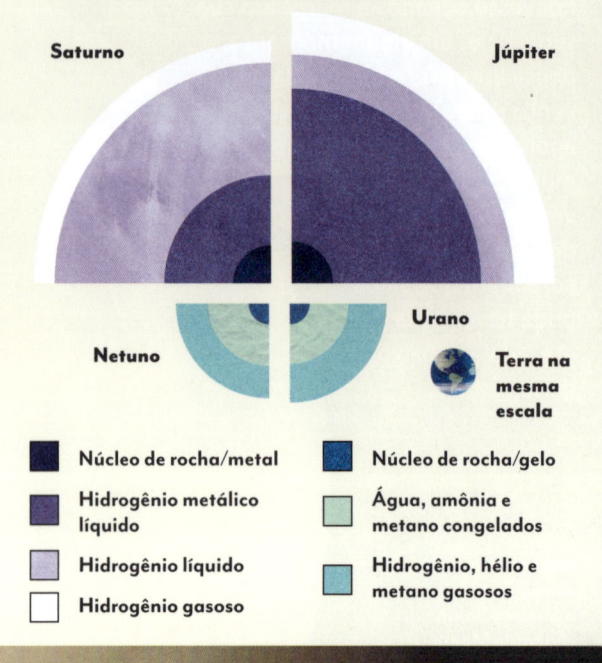

Saturno · Júpiter · Netuno · Urano · Terra na mesma escala

- Núcleo de rocha/metal
- Núcleo de rocha/gelo
- Hidrogênio metálico líquido
- Água, amônia e metano congelados
- Hidrogênio líquido
- Hidrogênio, hélio e metano gasosos
- Hidrogênio gasoso

Saturno

Segundo maior planeta do Sistema Solar (depois de Júpiter), Saturno é famoso por seu enorme sistema de anéis. Os anéis principais estão a cerca de 140 mil quilômetros de distância do centro do planeta. É possível vê-los da Terra usando um telescópio. O planeta possui mais de 140 luas. Em seu polo norte, ocorre uma tempestade em formato hexagonal que os cientistas ainda não conseguiram explicar.

Vastas tempestades cercam Saturno, enquanto ventos rugem em sua atmosfera.

Os anéis de Saturno são feitos de partículas de água congelada que variam em tamanho, desde pequenos pedaços de poeira até enormes pedras do tamanho de casas.

Outros gigantes gasosos têm anéis, mas os de Saturno são particularmente impressionantes.

CONSULTORES ESPECIALISTAS: Tracy M. Becker e Erik Gregersen. **VEJA TAMBÉM:** A Via Láctea, pp.8-9; Estrelas, pp.10-11; Exoplanetas, pp.20-21; O nosso sistema solar, pp.22-23; O Sol, pp.24-25; Exploração planetária, pp.26-27; Planetas rochosos, pp.28-29; Luas, pp.32-33; Asteroides, pp.34-35; Cinturão de Kuiper, pp.36-37.

A Grande Mancha Vermelha de Júpiter

Júpiter (abaixo) é a casa da maior tempestade do Sistema Solar. Um enorme ciclone chamado Grande Mancha Vermelha (ampliado à direita) está em atividade há mais de 400 anos. Um dia, já foi maior do que a Terra. A tempestade tem diminuído nos últimos anos, mas acredita-se que ainda não esteja morrendo.

Gigantes coloridos

Netuno é particularmente notável por sua cor azul, decorrente do gás metano em sua atmosfera. Netuno só foi visto de perto uma vez, com a espaçonave *Voyager 2* em 1989. É possível detectar vastas tempestades e ventos em sua atmosfera azul usando poderosos telescópios na Terra.

Fatos Fantásticos!

Urano é o único planeta do Sistema Solar que gira de lado. Enquanto a maioria dos outros planetas gira na direção em que orbitam, Urano gira a 90 graus de sua órbita. Talvez um grande impacto no início de sua vida tenha provocado isso.

Eixo de rotação

NOTA da especialista!

TRACY M. BECKER
Cientista planetária

Em seu trabalho como cientista planetária, Tracy Becker gosta de investigar suas perguntas sobre planetas, luas e asteroides. Um de seus primeiros projetos científicos foi estudar as partículas geladas que compõem os anéis de Saturno, e agora ela quer descobrir como elas se formaram.

“O estudo aprofundado dos anéis de Saturno respondeu a muitas questões científicas, mas também gerou dezenas de outras.”

Moons gallery labels

- Lua — O diâmetro da lua da Terra é de 3.474km.
- Fobos
- Deimos
- Io
- Europa
- Ganimedes
- Calisto
- Mimas
- Encélado
- Tétis
- Dione
- Rhea
- Titã
- Hipérion
- Jápeto
- Febe
- Puck
- Miranda
- Ariel
- Umbriel
- Titânia
- Oberon
- Proteu
- Tritão
- Nereida

(conhecidas) ... (conhecidas) ... (conhecidas)

Fatos Fantásticos!

A Lua se afasta da Terra cerca de 3,8 centímetros a cada ano. Essa é mais ou menos a mesma velocidade com que as nossas unhas crescem!

A Terra mostrada na mesma escala das luas.

As principais luas dos planetas

Existem pelo menos 285 luas no Sistema Solar, orbitando todos os planetas exceto Mercúrio e Vênus. Nos últimos anos, dezenas de pequenas luas foram descobertas. É provável que, no momento em que você lê este livro, ainda mais luas tenham sido encontradas.

LUAS

As luas do Sistema Solar se apresentam em todas as formas e tamanhos. Muitas são esféricas, como a lua da Terra. Algumas, como Pã, Dafne e Atlas, que orbitam Saturno, têm um formato que lembra um ravióli. Há também algumas luas muito pequenas, como Deimos, de Marte, com apenas 15 quilômetros de diâmetro. A lua Ganimedes, de Júpiter, é maior do que Mercúrio.

Explorando a lua da Terra

A lua da Terra é o único lugar no espaço onde humanos já pousaram. Entre 1969 e 1972, os Estados Unidos pousaram seis missões Apollo na Lua. Muitas sondas não tripuladas a visitam. Entre elas está a missão Chang'e 4, da China, enviada para explorar o lado oculto da Lua em 2019.

CONSULTORA ESPECIALISTA: Tracy M. Becker. **VEJA TAMBÉM:** O nosso sistema solar, pp.22-23; O Sol, pp.24-25; Planetas rochosos, pp.28-29; Asteroides, pp.34-35; Foguetes, pp.38-39; Elementos químicos, pp.102-103; Gravidade, pp.134-135; A origem da vida, pp.148-149.

No entorno da borda externa da cratera, forma-se a ejecta – rochas lançadas quando um meteoroide atinge a Lua.

A borda elevada é formada por rocha lançada para fora da cratera durante o impacto.

Faixas brilhantes, chamadas de raios, se estendem a partir da cratera por grandes distâncias.

As paredes da cratera podem ter terraços em forma de degraus com centenas de metros de profundidade.

O fundo da cratera é plano ou em formato de tigela.

Às vezes surgem picos centrais em crateras com mais de 40 quilômetros de diâmetro.

Um grão de poeira lunar

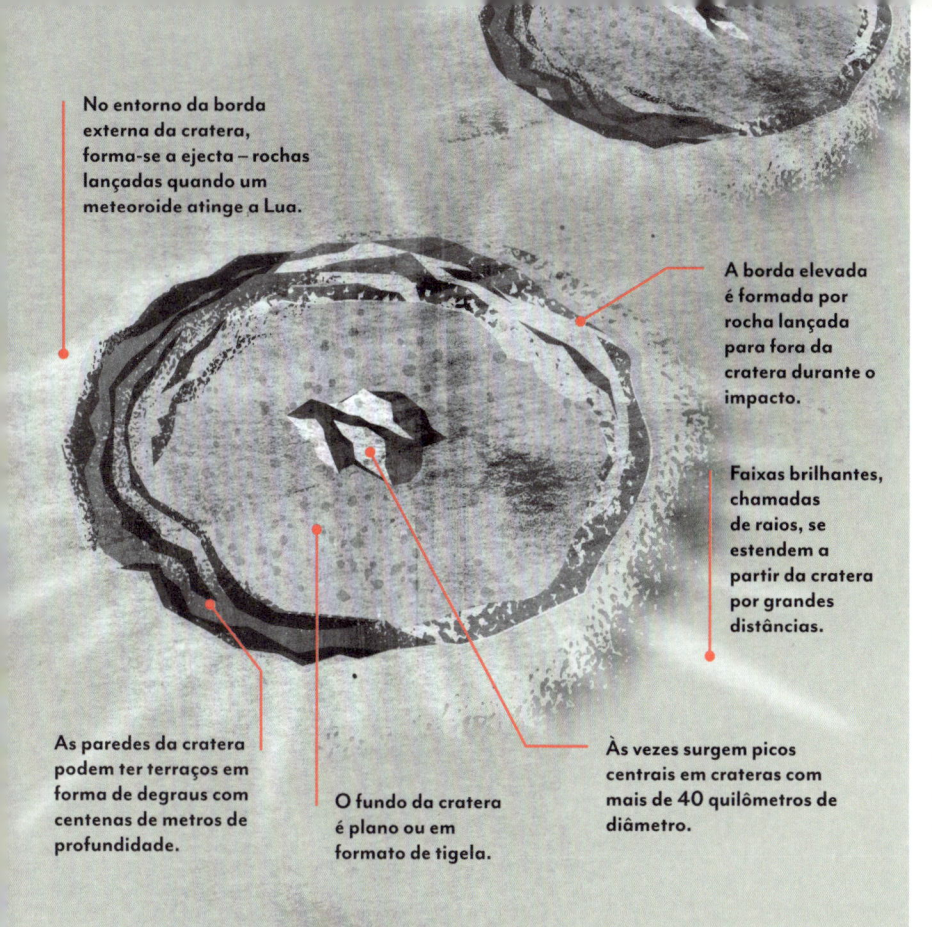

A poeira lunar, chamada regolito, vista aqui por meio de um microscópio eletrônico, é o resultado da quebra de rochas lunares por meteoroides ao longo de bilhões de anos. Os astronautas que foram à Lua dizem que tem cheiro de pólvora.

Anatomia de uma cratera

Nossa lua é recoberta de crateras – reentrâncias circulares formadas quando rochas espaciais, como asteroides ou meteoroides, atingiram sua superfície. A maior cratera é a Bacia do Polo Sul-Aitken, com 2.575 quilômetros de diâmetro. Os cientistas acreditam que pedaços do asteroide que formou essa cratera podem ainda estar sob a superfície.

Estrutura da Lua

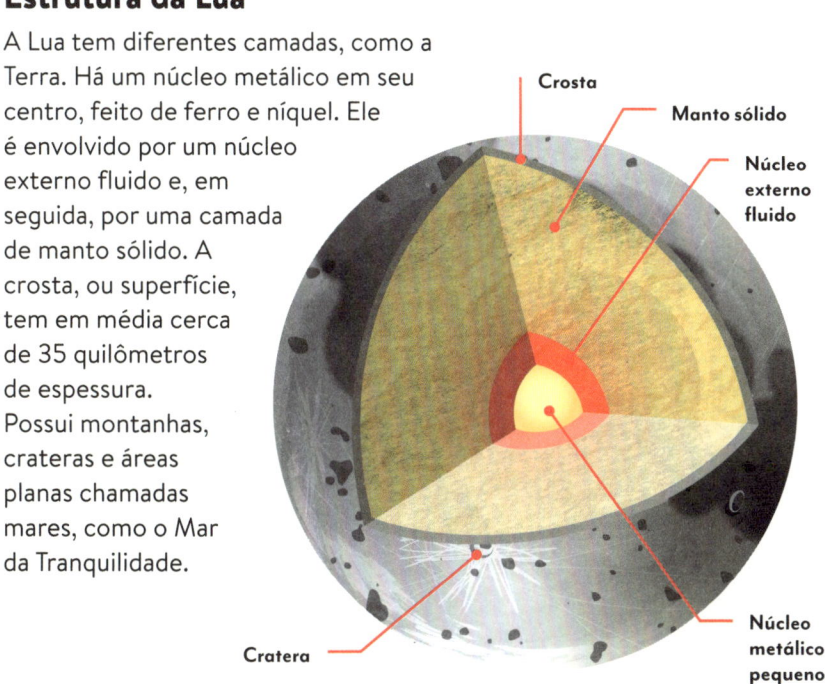

A Lua tem diferentes camadas, como a Terra. Há um núcleo metálico em seu centro, feito de ferro e níquel. Ele é envolvido por um núcleo externo fluido e, em seguida, por uma camada de manto sólido. A crosta, ou superfície, tem em média cerca de 35 quilômetros de espessura. Possui montanhas, crateras e áreas planas chamadas mares, como o Mar da Tranquilidade.

Crosta
Manto sólido
Núcleo externo fluido
Cratera
Núcleo metálico pequeno

DESBRAVANDO O DESCONHECIDO

Os humanos poderiam viver na Lua?

Cientistas nos Estados Unidos e na Europa trabalham em planos para construir bases na Lua. Eles acreditam que pode ser extraída água do gelo sob a superfície. No entanto, a vida seria dura, com temperaturas variando de -133°C a 121°C. Imagine um dia lunar com duração de 14 dias terrestres, seguido por uma noite lunar igualmente longa.

33

ASTEROIDES

Asteroides datam do início do Sistema Solar, há cerca de 4,6 bilhões de anos; são pedaços de rocha que não conseguiram se transformar em planetas. Existem hoje milhões de asteroides no Sistema Solar. Eles variam em tamanho – de alguns metros a centenas de quilômetros de diâmetro. A maioria se encontra no cinturão de asteroides, uma vasta região que fica entre os planetas Marte e Júpiter. Os asteroides que se aproximam da órbita da Terra são chamados de objetos próximos da Terra (NEOs, na sigla em inglês).

Resquícios rochosos

Às vezes, os asteroides entram na atmosfera terrestre e atingem o solo. Eles deixam uma cratera ou pedaços de rochas, chamadas de meteoritos. Os cientistas estudam essas rochas para descobrir de onde veio o asteroide.

Evento de extinção

Os cientistas acreditam que, algumas vezes na história, um grande asteroide vindo do espaço atingiu a Terra. A colisão mais notável provocou a extinção dos dinossauros (exceto as aves), 66 milhões de anos atrás. O impacto do asteroide formou a cratera Chicxulub, no México. Acredita-se que tenha exterminado 75% de toda a vida na Terra.

CONSULTORA ESPECIALISTA: Tracy M. Becker. **VEJA TAMBÉM:** Exoplanetas, pp.20-21; O nosso sistema solar, pp.22-23; Exploração planetária, pp.26-27; Planetas rochosos, pp.28-29; Gigantes gasosos, pp.30-31; Cinturão de Kuiper, pp.36-37

Meteoro, meteoroide ou meteorito?

Esses três termos são parecidos, mas na verdade se referem a coisas diferentes. Eis o que cada um deles significa e como diferenciá-los.

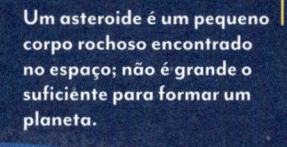

Um asteroide é um pequeno corpo rochoso encontrado no espaço; não é grande o suficiente para formar um planeta.

Um meteoroide é um pedaço de rocha com menos de 1 metro de diâmetro.

Um meteoro é qualquer meteoroide que arde na atmosfera da Terra, produzindo um rastro luminoso (uma estrela cadente).

Um meteorito é qualquer parte de um meteoroide que chega até o solo.

Fatos Fantásticos!

Todos os anos, a Terra é bombardeada por milhares de meteoritos, mas só conseguimos resgatar uns 500 deles. A maioria cai em áreas desabitadas, como no meio do oceano. Até agora, ninguém virou notícia por ter sido atingido por um desses!

DESBRAVANDO O DESCONHECIDO

Será que a vida chegou em asteroides e cometas?

Alguns cientistas acreditam que a vida chegou à Terra a bordo de um asteroide ou cometa. Segundo essa hipótese (chamada Panspermia Cósmica), tipos de vida microscópica, como bactérias, poderiam sobreviver a uma jornada pelo espaço em uma rocha. Ao alcançar a Terra, essa vida teria prosperado em nosso ambiente habitável.

Ingredientes para a vida, como aminoácidos, teriam viajado pelo espaço.

Isso poderia ter levado à evolução da vida baseada em DNA na Terra, como os seres humanos.

Missões de asteroides

Os cientistas enviaram várias missões para estudar asteroides. Em 2019, a espaçonave japonesa *Hayabusa2* coletou algumas rochas de um asteroide chamado Ryugu para trazê-las para a Terra. A missão OSIRIS-Rex, da NASA, coletou rochas do asteroide Bennu.

CINTURÃO DE KUIPER

Além da órbita de Netuno no Sistema Solar está o Cinturão de Kuiper. Como o cinturão de asteroides, essa região é repleta de rochas remanescentes do início do Sistema Solar. Os Objetos do Cinturão de Kuiper (KBOs, na sigla em inglês) estão tão longe do Sol que tendem a ser feitos de gelo. Quando são empurrados para o interior do Sistema Solar, eles sublimam (o gelo se transforma em gás) e passam a ser chamados de cometas.

Plutão

Netuno

Os cientistas acreditam que existem milhões de Objetos do Cinturão de Kuiper – milhares deles com mais de 100 quilômetros de diâmetro.

Plutão tem um vasto lago de nitrogênio congelado em sua superfície, chamado Sputnik Planitia. Sua camada superficial evapora durante o dia e congela novamente à noite.

A grande mancha em formato de coração em Plutão é chamada Tombaugh Regio.

Plutão tem cinco luas. A maior é Caronte, com cerca de 1.200 quilômetros de diâmetro, aproximadamente metade do tamanho de Plutão.

Algumas partes de Plutão aparecem vermelhas por causa de materiais chamados tolinas, que se formam na atmosfera e caem na superfície do planeta.

Plutão, o planeta anão

Plutão orbita no Cinturão de Kuiper e é menor do que a lua terrestre. Antes considerado um planeta, Plutão perdeu esse status em 2006. Daqui a pouco mais de 200 anos, a órbita de Plutão entrará temporariamente na órbita de Netuno. Plutão tem uma atmosfera perceptível e montanhas em sua superfície.

CONSULTORA ESPECIALISTA: Tracy M. Becker. **VEJA TAMBÉM:** O nosso sistema solar, pp.22-23; Exploração planetária, pp.26-27; Planetas rochosos, pp.28-29; Gigantes gasosos, pp.30-31; Luas, pp.32-33; Asteroides, pp.34-35.

O que é um cometa?

Cometas são diferentes dos asteroides porque contêm grandes quantidades de gelo, que recobre um centro rochoso chamado núcleo. Os cometas nasceram no sistema solar externo, mas às vezes são empurrados para dentro, em direção ao Sol. Quando isso acontece, o gelo sólido se transforma em gás, produzindo uma cauda fantástica.

A cauda do cometa é feita de gás e poeira. Como o Sol repele o gás, a cauda fica na frente do cometa quando ele está se afastando do Sol.

A cabeleira (ou coma) é uma nuvem de gás e poeira que envolve o cometa.

O centro de um cometa é chamado de núcleo. É feito basicamente de gelo e poeira.

Juntos, a cabeleira e o núcleo são conhecidos como a cabeça do cometa.

Planetas anões
A LISTA

Um planeta pequeno que compartilha sua órbita com outros objetos é chamado de planeta anão. Os mais conhecidos orbitam no Cinturão de Kuiper.

1. Ceres O maior objeto do cinturão de asteroides, Ceres tem 945 quilômetros de diâmetro. A sonda Dawn, da NASA, o visitou em 2015.
2. Plutão Em 2006, os astrônomos decidiram que Plutão compartilhava sua órbita com muitos outros objetos para ser propriamente um planeta.
3. Éris Está localizado dentro do Cinturão de Kuiper, em um disco disperso de objetos.
4. Haumea Encontrado no Cinturão de Kuiper, Haumea tem cerca de 1.240 quilômetros de diâmetro. Possui anéis e luas.
5. Makemake Também encontrado no Cinturão de Kuiper, Makemake é um pouco maior que Haumea, com cerca de 1.430 quilômetros de diâmetro.

Sobrevoo distante

Em julho de 2015, a *New Horizons*, da NASA, tornou-se a primeira espaçonave a passar por Plutão. Mas a missão não acabou aí. Ela passou a estudar outro objeto no Cinturão de Kuiper, chamado Arrokoth. Esse estranho objeto, com duas partes conectadas, parece um boneco de neve.

Nuvem de Oort

Depois do Cinturão de Kuiper existe um lugar chamado Nuvem de Oort. Tem início a uma distância quase 70 vezes maior que a do Sol até Netuno e se estende por um quarto do caminho até a estrela mais próxima. Acredita-se que a Nuvem de Oort contenha mais de um trilhão de objetos gelados que circundam nosso sistema solar.

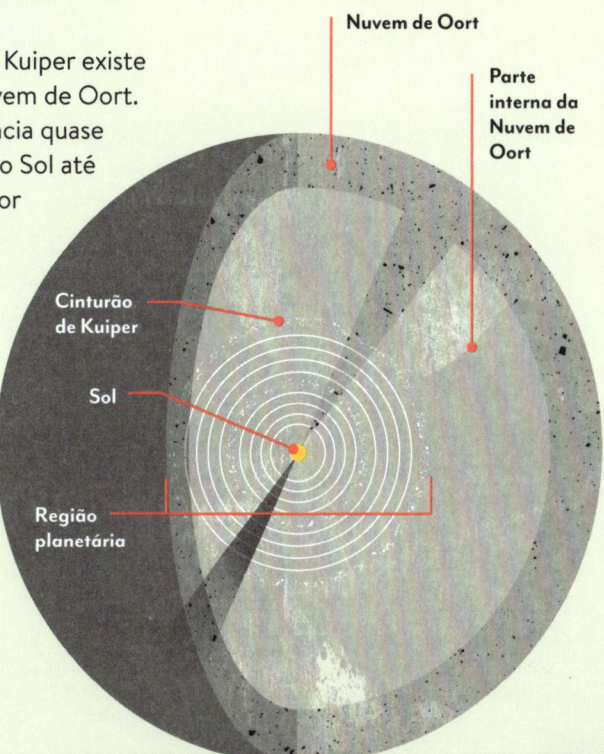

Nuvem de Oort
Parte interna da Nuvem de Oort
Cinturão de Kuiper
Sol
Região planetária

FOGUETES

Para viajar até o espaço, é necessário um foguete para superar a força da gravidade da Terra. As agências espaciais usam foguetes para lançar satélites e sondas espaciais e enviar espaçonaves com astronautas até a Estação Espacial Internacional. Todos os foguetes têm várias partes (ou estágios) empilhadas umas sobre as outras. À medida que cada uma consome todo o seu combustível, ela é descartada e cai de volta na Terra. Por fim, a espaçonave atinge sua órbita.

Fatos Fantásticos!

Os primeiros foguetes foram feitos pelos chineses usando cilindros de bambu. Os cilindros eram preenchidos com pólvora e presos a flechas disparadas por arcos. Durante a Batalha de Kai-Keng, em 1232, os chineses usaram "flechas de fogo voador" para repelir os mongóis.

Como funcionam os foguetes

Foguetes normalmente funcionam queimando combustível juntamente com oxigênio. Os primeiros foguetes geralmente usavam combustível sólido, enquanto os modernos usam sobretudo combustível líquido, como hidrogênio líquido. Os motores empurram o gás formado na queima para fora da base do foguete, produzindo empuxo e, assim, fazendo a espaçonave subir. Como a gravidade da Terra é muito forte, os foguetes precisam ser muito grandes para armazenar combustível suficiente.

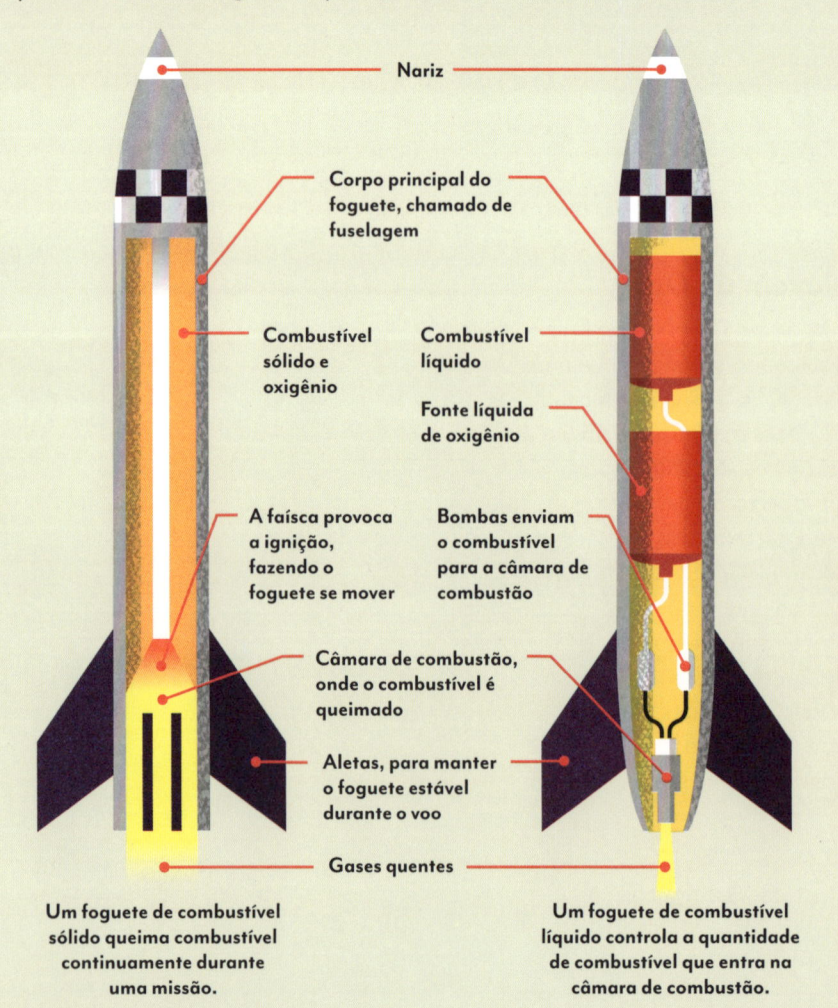

Nariz

Corpo principal do foguete, chamado de fuselagem

Combustível sólido e oxigênio

Combustível líquido

Fonte líquida de oxigênio

A faísca provoca a ignição, fazendo o foguete se mover

Bombas enviam o combustível para a câmara de combustão

Câmara de combustão, onde o combustível é queimado

Aletas, para manter o foguete estável durante o voo

Gases quentes

Um foguete de combustível sólido queima combustível continuamente durante uma missão.

Um foguete de combustível líquido controla a quantidade de combustível que entra na câmara de combustão.

LINHA DO TEMPO
dos primeiros foguetes

Por volta de 1200 Os chineses fabricam os primeiros foguetes de combustível sólido.

1903 O russo Konstantin Tsiolkovsky calcula a quantidade de combustível necessária para foguetes de diferentes tamanhos chegarem ao espaço.

1926 O cientista americano Robert Goddard lança o primeiro foguete de combustível líquido. Ele atinge 12,5 metros de altura.

1942 Na Alemanha, os nazistas desenvolvem o *V2*, o primeiro foguete capaz de chegar ao espaço. Eles o usam pela primeira vez como arma contra Londres na Segunda Guerra Mundial.

1957 A União Soviética põe em órbita o primeiro satélite artificial, o *Sputnik 1*.

1961 O soviético Yuri Gagarin se torna o primeiro ser humano a viajar para o espaço e orbitar a Terra.

1969 Nos Estados Unidos, o foguete *Saturno V* lança a missão Apollo 11 para a Lua. Os astronautas Neil Armstrong e Buzz Aldrin se tornam as primeiras pessoas a pisar na Lua.

CONSULTOR ESPECIALISTA: Michael G. Smith. **VEJA TAMBÉM:** Exploração planetária, pp.26-27; Luas, pp.32-33; Combustão, pp.108-109; Sólidos, líquidos e gases, pp.110-111; Energia, pp.122-123; Forças, pp.132-133; Gravidade, pp.134-135.

Foguetes reutilizáveis

A maioria dos foguetes queima após o uso e seus detritos caem nos oceanos da Terra. Mas alguns são reutilizáveis, como os aviões. A empresa SpaceX construiu foguetes como este (acima), que usam parte do combustível para pousar de volta no chão. Isso significa que eles podem ser reutilizados, tornando a exploração espacial menos dispendiosa e mais sustentável.

DESBRAVANDO O DESCONHECIDO

Como podemos lançar foguetes de outros planetas?

Lançamos foguetes da Terra e da Lua há décadas, mas nunca lançamos um de outro planeta. Os cientistas querem descobrir como fazer isso para que possam trazer foguetes de volta à Terra com rochas e solo para estudos. Eles também querem um dia usar foguetes para trazer de volta os exploradores planetários.

Megafoguetes

Utilizado para levar seres humanos à Lua entre 1969 e 1972, *Saturno V* foi um foguete americano com altura de um prédio de 36 andares e o peso de 400 elefantes. Agora, novos "megafoguetes" estão sendo construídos, como o *Starship*, da SpaceX, e o Sistema de Lançamento Espacial (SLS, na sigla em inglês), da NASA. Esses foguetes podem algum dia levar seres humanos a Marte, talvez na década de 2030.

A tripulação fica no topo do foguete.

Painéis pretos ajudam a equipe de terra a avaliar quanto o foguete está girando.

O estágio mais baixo do foguete é o primeiro a se separar.

SATÉLITES ARTIFICIAIS

Satélites são quaisquer objetos que orbitam outra coisa no espaço. Existem satélites naturais, como a Lua, e satélites artificiais, construídos por seres humanos e lançados em órbita ao redor de planetas para executar tarefas específicas. Milhares de satélites artificiais orbitam a Terra. Alguns são do tamanho de um ônibus, outros são menores do que uma torradeira.

Orbitando a Terra

Satélites são lançados usando foguetes. Mas, se fossem lançados para cima em linha reta, cairiam novamente por causa da força da gravidade da Terra. Para enviar satélites para uma órbita – uma rota em torno de um planeta –, eles são lançados para cima e para o lado ao mesmo tempo. Isso lhes dá uma velocidade de mais de 27.000km/h, de modo que constantemente "caem" em direção ao nosso planeta, mas nunca o alcançam, percorrendo uma órbita.

SORCE

O satélite Solar Radiation and Climate Experiment (SORCE) mede a energia do Sol para ajudar os cientistas a entender como isso afeta as mudanças climáticas de longo prazo na Terra.

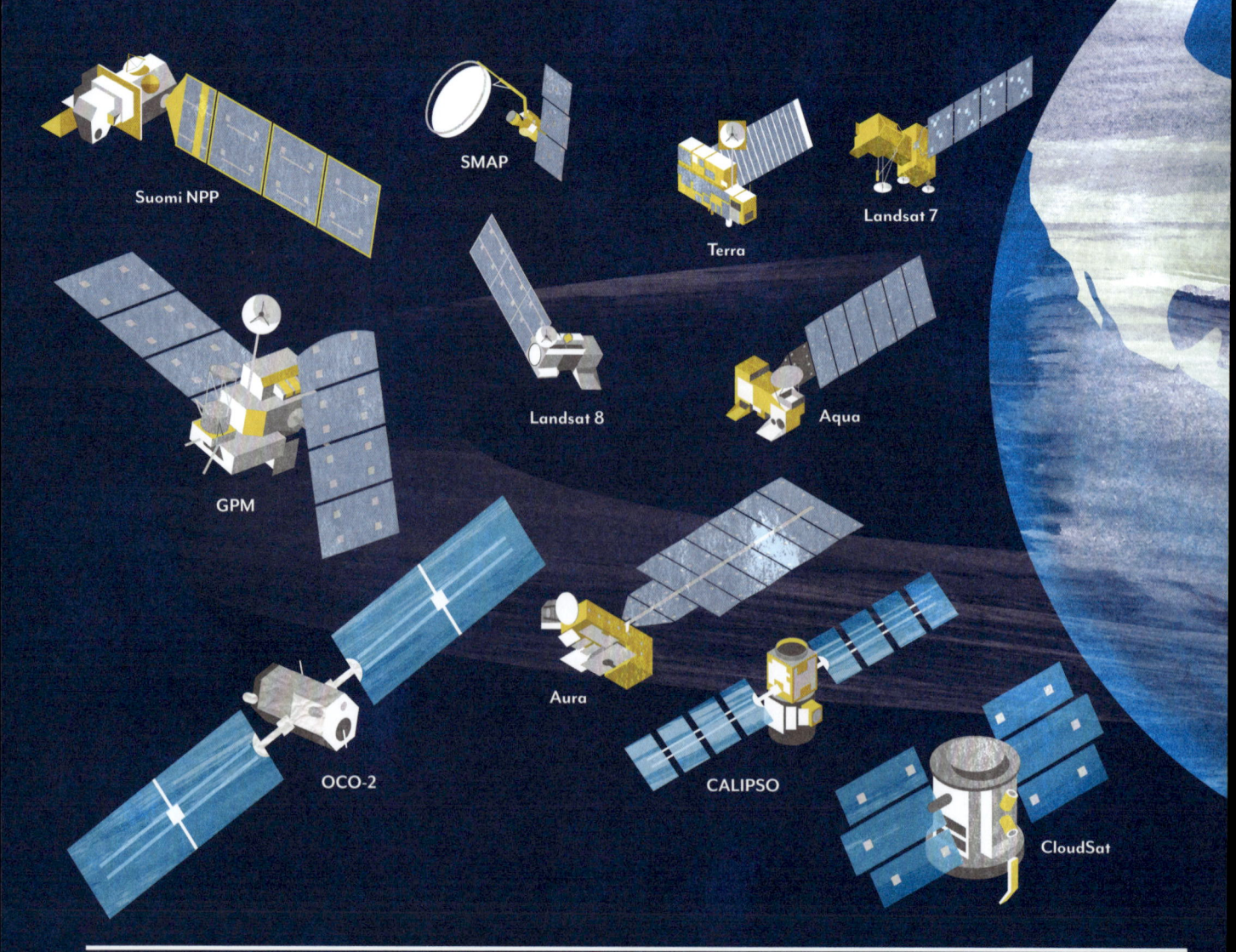

Suomi NPP

SMAP

Terra

Landsat 7

GPM

Landsat 8

Aqua

OCO-2

Aura

CALIPSO

CloudSat

CONSULTOR ESPECIALISTA: Clifford Cunningham. **VEJA TAMBÉM:** Observando o espaço do espaço, pp.16-17; O nosso sistema solar, pp.22-23; Exploração planetária, pp.26-27; Luas, pp.32-33; Medindo a Terra, pp.56-57; A atmosfera, pp.86-87; Condições atmosféricas, pp.88-89; Megatempestades, pp.90-91; Forças, pp.132-133; Gravidade, pp.134-135.

Tarefas que os satélites executam
A LISTA

1. Observar o Universo Satélites científicos, como o Telescópio Espacial Hubble, observam outros planetas e o Universo distante. Eles enviam fotos incríveis para a Terra.

2. Enviar comunicações Alguns satélites têm espelhos gigantes em forma de prato que refletem sinais de um lugar na Terra para outro. Isso nos permite fazer ligações para o mundo todo, usar a internet e assistir a programas de TV em casa.

3. Espionar outros países Satélites militares monitoram atividades em outros países, como a movimentação de tropas.

4. Monitorar o tempo e o clima Satélites podem nos dizer quando e onde vai chover, e quanto o planeta está esquentando devido às mudanças climáticas.

5. Ajudar a navegação Os satélites GPS (Sistema de Posicionamento Global) podem nos ajudar a localizar qualquer lugar na Terra. Ao comparar o sinal de vários satélites, eles podem determinar exatamente onde você está.

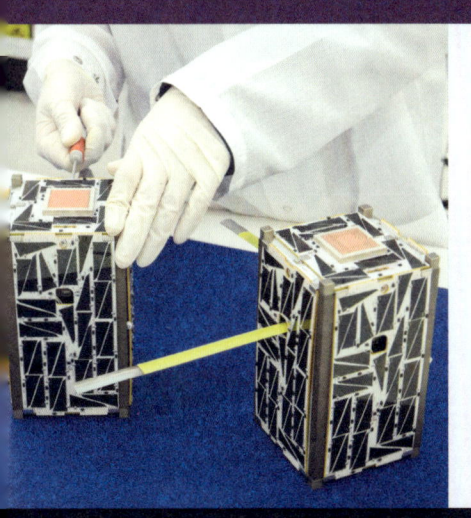

Fatos Fantásticos!

Existe um cemitério de espaçonaves no Oceano Pacífico! Ao final de sua missão, muitos satélites e foguetes são deliberadamente lançados no Oceano Pacífico, em um local conhecido como Ponto Nemo. Localizado a leste da Nova Zelândia, é o ponto do planeta mais distante de qualquer porção de terra. Centenas de espaçonaves já foram parar lá.

O Ponto Nemo está a mais de 2.500 quilômetros da porção de terra mais próxima.

CubeSats

Foguetes podem transportar satélites em miniatura chamados CubeSats (à esquerda) com satélites maiores. Os cientistas usam esses satélites pequenos e baratos para realizar experimentos e fazer medições. Vários CubeSats podem ser conectados para executar diversas tarefas. Por serem pequenos, queimam completamente quando entram de volta na atmosfera da Terra.

Lixo espacial

Cerca de 3 mil satélites antigos que não funcionam mais orbitam a Terra, ao lado de milhões de peças. Se esse lixo espacial colidir com satélites ativos, pode destruí-los. Os cientistas estão tentando remover satélites extintos da órbita. Em 2025, a Agência Espacial Europeia planeja lançar a ClearSpace-1, a primeira missão para retirar de órbita uma parte do lixo espacial.

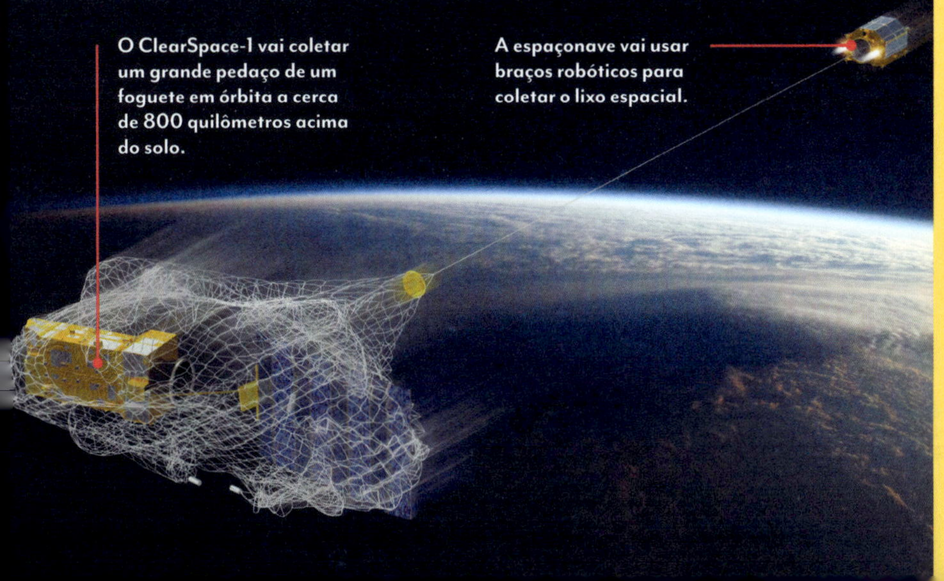

O ClearSpace-1 vai coletar um grande pedaço de um foguete em órbita a cerca de 800 quilômetros acima do solo.

A espaçonave vai usar braços robóticos para coletar o lixo espacial.

NOTA do especialista!

CLIFFORD CUNNINGHAM
Cientista planetário

O Dr. Clifford Cunningham se interessa pela história da astronomia, principalmente pelas descobertas dos antigos gregos e romanos. Ele acredita que, se você pode colaborar para o avanço do conhecimento ou da civilização, seu trabalho vale a pena.

"Os satélites levam consigo para o espaço a inteligência da humanidade."

A Estação Espacial Internacional

Se você olhar para o céu noturno, em algumas ocasiões poderá avistar a Estação Espacial Internacional (ISS, na sigla em inglês), a cerca de 400 quilômetros acima da Terra. A estação abriga até seis astronautas por vez, realizando pesquisas e experimentos. Ela possui vários cômodos, incluindo cozinha, laboratórios e banheiro. Há também uma sala com sete grandes janelas, de onde os astronautas podem contemplar a Terra.

As paredes têm diversas camadas para impedir a entrada de pequenos meteoros e detritos espaciais.

Painéis solares produzem energia coletando a luz do Sol. Em um único dia, a ISS testemunha 16 amanheceres e 16 pores do sol, pois completa uma volta na Terra a cada 90 minutos.

Este módulo central, chamado Zarya, foi a primeira parte da ISS, lançada em 1998.

O módulo japonês Kibo é o maior da estação.

ESPAÇONAVES TRIPULADAS

Os seres humanos viajam para o espaço desde 1961 em foguetes e ônibus espaciais. Em um futuro próximo, novos veículos poderão levar pessoas para além da órbita da Terra. Nos Estados Unidos, a empresa de foguetes SpaceX já está trabalhando em uma nova espaçonave chamada *Starship*, projetada para levar 100 passageiros por vez em viagens a Marte.

Comendo no espaço

No espaço, onde a ação da gravidade é anulada, tudo flutua, inclusive a comida. Por isso, os astronautas usam bolsas em vez de pratos. Mas a comida espacial não é tão diferente da comida na Terra. Os astronautas comem pizza e tacos, e frutas frescas e pães são entregues à ISS por espaçonaves de carga.

CONSULTOR ESPECIALISTA: Pablo De Leon. **VEJA TAMBÉM:** Exoplanetas, pp.20-21; O nosso sistema solar, pp.22-23; Exploração planetária, pp.26-27; Luas, pp.32-33; Foguetes, pp.38-39; A atmosfera, pp.86-87; Gravidade, pp.134-135.

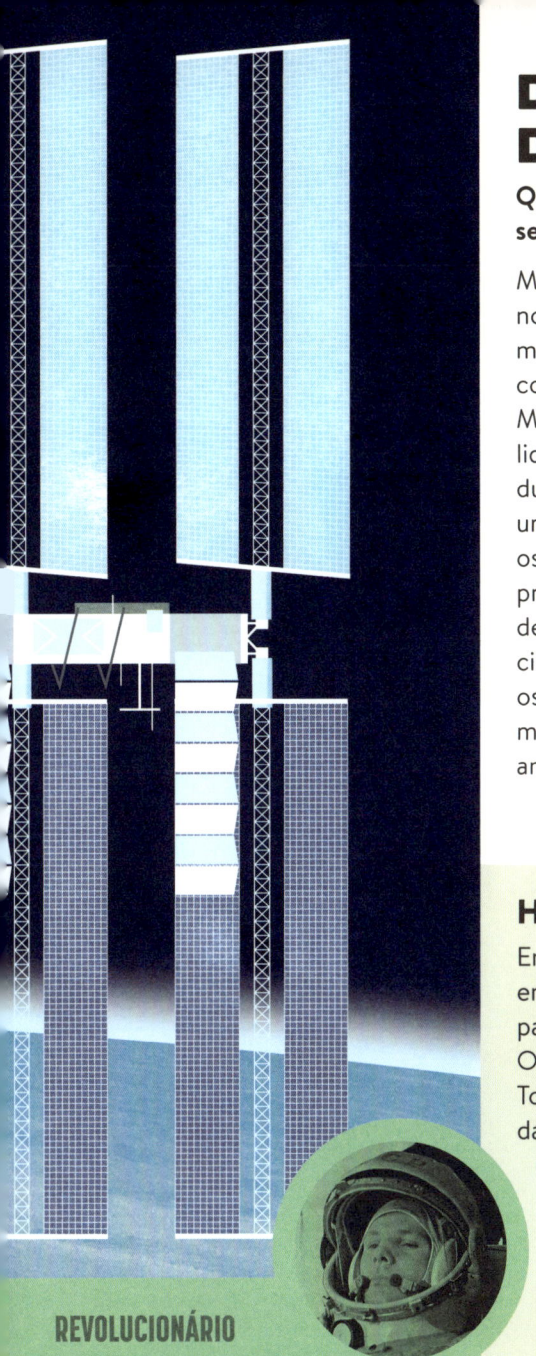

DESBRAVANDO O DESCONHECIDO

Quais são os efeitos a longo prazo de se passar meses ou anos no espaço?

Mesmo depois de um curto período no espaço, os astronautas ficam em média 5 centímetros mais altos, por conta da sensação de gravidade zero. Mas não sabemos como o corpo lidaria com viagens espaciais de longa duração. Alguns astronautas passam um ano na ISS. Estudar os efeitos de longo prazo na saúde deles vai ajudar os cientistas a preparar os astronautas para missões de vários anos em Marte.

Manutenção espacial

Às vezes, os astronautas precisam sair da espaçonave para consertar coisas. Em 2019, as astronautas americanas Christina Koch e Jessica Meir fizeram a primeira caminhada espacial de uma equipe exclusivamente feminina. Elas substituíram uma peça conectada aos painéis solares que é usada para carregar as baterias da ISS.

Hotel para robôs

Em dezembro de 2019, a NASA enviou um novo habitat para a ISS – para robôs em vez de seres humanos. Os astronautas anexaram o Robotic Tool Stowage (RiTS) à parte externa da ISS em uma caminhada espacial, uma missão fora da espaçonave. Sensores e instrumentos conectados à unidade permitem que ajudantes robóticos façam medições vitais no vácuo frio do espaço. Uma de suas funções é detectar gases.

Fatos Fantásticos!

Um banheiro espacial custou 19 milhões de dólares! Por que foi tão caro? Bem, banheiros espaciais são como aspiradores de pó superespeciais. Eles precisam de uma série complexa de canos e tubos aspiradores para sugar os resíduos e secá-los. A água extraída é reaproveitada e os resíduos são armazenados. Por fim, eles são lançados de volta para a atmosfera terrestre, onde queimam como estrelas cadentes.

Os astronautas têm que fazer xixi em um tubo como este.

REVOLUCIONÁRIO

YURI GAGARIN
Cosmonauta, viveu de 1934 a 1968
União Soviética

Em 12 de abril de 1961, o cosmonauta russo Yuri Gagarin se tornou a primeira pessoa a viajar para o espaço. Ele completou uma órbita em torno da Terra a bordo da espaçonave *Vostok 1* e retornou em segurança. A órbita levou uma hora e 48 minutos. A missão lhe rendeu fama mundial e levou a uma corrida entre União Soviética e Estados Unidos para ser o primeiro a enviar um ser humano à Lua. Os Estados Unidos venceram a corrida em 1969.

SONDAS ESPACIAIS
A LISTA

ESPAÇONAVES ESTUDANDO O SISTEMA SOLAR NO INÍCIO DA DÉCADA DE 2020
(das mais próximas para as mais afastadas do Sol)

1. Parker Solar Probe Orbita próxima ao Sol para observar o vento solar, o campo magnético e como a energia flui nas regiões externas do Sol.

2. Akatsuki Estuda a atmosfera de Vênus, incluindo o papel das nuvens na retenção do calor atmosférico.

3. ARTEMIS 1/P2 Estuda como o vento solar afeta a Lua.

4. Chandrayaan-2 Estuda a Lua e procura água em forma de gelo na superfície ou abaixo dela.

5. Chang'e-4 (aterrissador) Explora o lado oculto da Lua pela primeira vez na história.

6. BepiColombo A caminho de estudar Mercúrio – chegará lá em 2025.

7. Mars Reconnaissance Orbiter Estuda formas de relevo, minerais e gelo em Marte.

8. Curiosity (aterrissador) Busca evidências de vida em Marte e explora a Cratera Gale, onde pousou.

9. Ingenuity Mini-helicóptero testando novas tecnologias para exploração de Marte.

10. MAVEN Estuda como Marte perdeu sua atmosfera ao longo do tempo.

11. Trace Gas Orbiter Estuda gases na atmosfera de Marte.

12. Zhurong (aterrissador) Estuda as mudanças climáticas ocorridas em Marte.

13. Hayabusa2 Estudará asteroides após coletar amostras do asteroide Ryugu.

14. OSIRIS-REx Estudará o asteroide 99942 Apophis após coletar amostras do asteroide Bennu.

15. Juno Estuda Júpiter para descobrir de que ele é composto e como se formou.

16. New Horizons Estudou Plutão e Arrokoth e deve estudar outros objetos do Cinturão de Kuiper.

A espaçonave Juno orbita Júpiter desde 2016.

Esta é a grande antena de Juno. É usada para comunicação com a Terra.

Juno é a espaçonave mais distante do Sol a operar usando energia solar.

CONSULTOR ESPECIALISTA: Clifford Cunningham. **VEJA TAMBÉM:** Observando o espaço do espaço, pp.16-17; O nosso sistema solar, pp.22-23; O Sol, pp.24-25; Exploração planetária, pp.26-27; Planetas rochosos, pp.28-29; Gigantes gasosos, pp.30-31; Luas, pp.32-33; Asteroides, pp.34-35; Espaçonaves tripuladas, pp.42-43.

Os redemoinhos brancos são enormes tempestades na atmosfera do planeta.

O planeta Júpiter

Júpiter, um gigante gasoso, é o maior planeta do Sistema Solar. Esta foto foi tirada pela espaçonave *Juno*, olhando para o polo sul de Júpiter, situado na extremidade azul da imagem.

O FIM DO UNIVERSO

Em cerca de 5 bilhões de anos, a energia do Sol vai começar a se esgotar e ele vai se expandir, virando uma estrela gigante vermelha que engolirá a Terra. Mas o que vai acontecer com o Universo? A maioria dos cientistas acredita que um dia ele vai morrer, mas divergem sobre como e quando. Uma das teorias diz que o Universo continuará a se expandir a um ritmo cada vez mais rápido. Um dia, tudo estará tão distante que nada de novo poderá se formar.

Descobertas do Hubble

Tudo no Universo está se movendo. Ao estudar o Universo com telescópios como o Hubble, os cientistas podem ver que as galáxias estão se afastando umas das outras mais rapidamente do que no passado. Isso significa que a expansão está se acelerando.

COMO O UNIVERSO VAI ACABAR?

Há três teorias sobre como o Universo pode acabar – o Grande Colapso (Big Crunch), a Grande Ruptura (Big Rip) e o Grande Congelamento (Big Freeze). A maioria dos cientistas acredita que o Grande Congelamento, também chamado de Morte Térmica, seja o mais provável.

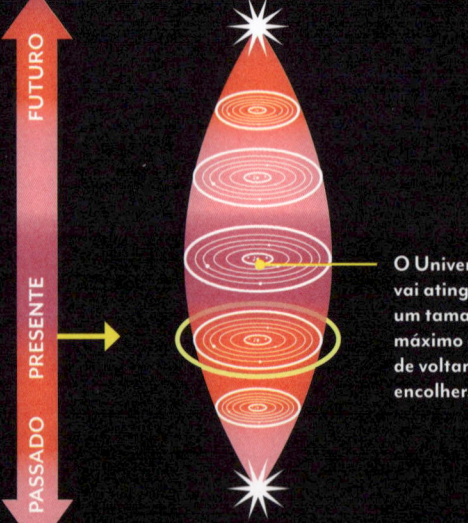

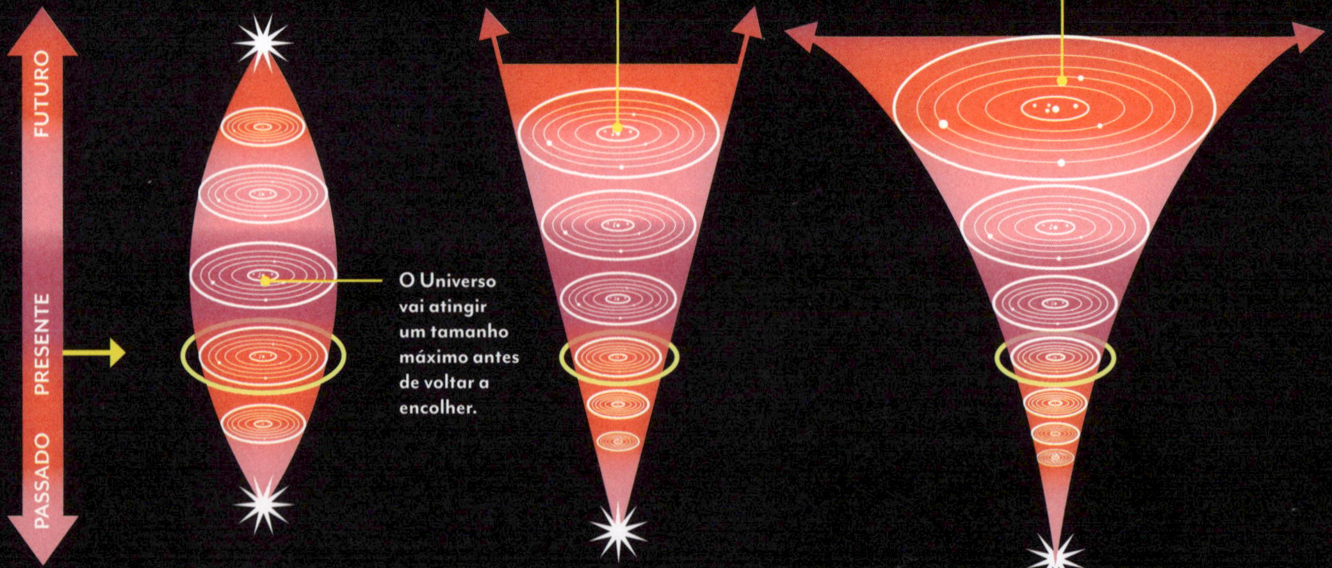

O Universo vai atingir um tamanho máximo antes de voltar a encolher.

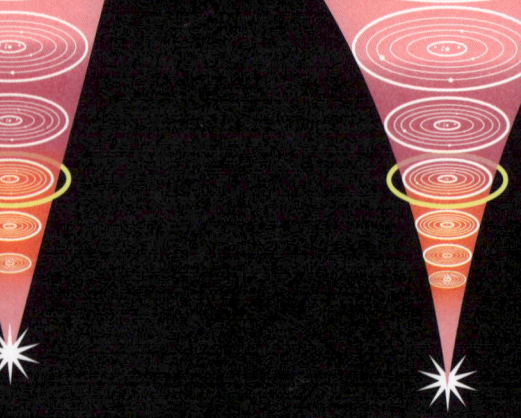

A energia do Universo vai se dispersar para sempre.

A Grande Ruptura vai destruir tudo no Universo, sem deixar nada.

Grande Colapso

A expansão do Universo vai começar a desacelerar e depois retroceder, provocando um Grande Colapso. Nesse momento, um novo Big Bang acontecerá e o Universo vai começar de novo!

Grande Congelamento

O Universo vai continuar a se expandir. Em algum momento, a matéria do Universo estará tão dispersa que nenhuma nova estrela ou planeta poderá se formar. Esse estado é conhecido como Grande Congelamento ou Morte Térmica.

Grande Ruptura

A expansão do Universo vai se acelerar tanto que destruirá tudo – começando pelas galáxias, dilacerando estrelas, planetas e até átomos.

CONSULTORA ESPECIALISTA: Michelle Thaller. **VEJA TAMBÉM:** Big Bang, pp.4-5; Estrelas, pp.10-11; Nebulosas, pp.12-13; Observando o espaço do espaço,

DESBRAVANDO O DESCONHECIDO

O que é energia escura?

Como a expansão do Universo está ficando mais rápida, deve haver uma força causando sua aceleração. Os cientistas acreditam que se trata da energia escura, que atua de forma oposta à gravidade. Eles supõem que ela componha 68% do Universo, mas ainda não conseguiram detectá-la!

REVOLUCIONÁRIO

EDWIN HUBBLE
Astrônomo, viveu de 1889 a 1953

Estados Unidos

Edwin Hubble foi um dos primeiros astrônomos a perceberem que o Universo está se expandindo. Na década de 1920, ele notou que todas as galáxias estavam se afastando umas das outras a determinada velocidade. Ele criou a chamada Lei de Hubble, que explicava como as galáxias mais distantes se moviam mais rápido do que as mais próximas de nós. Suas descobertas dão suporte à teoria do Big Bang para o início do Universo.

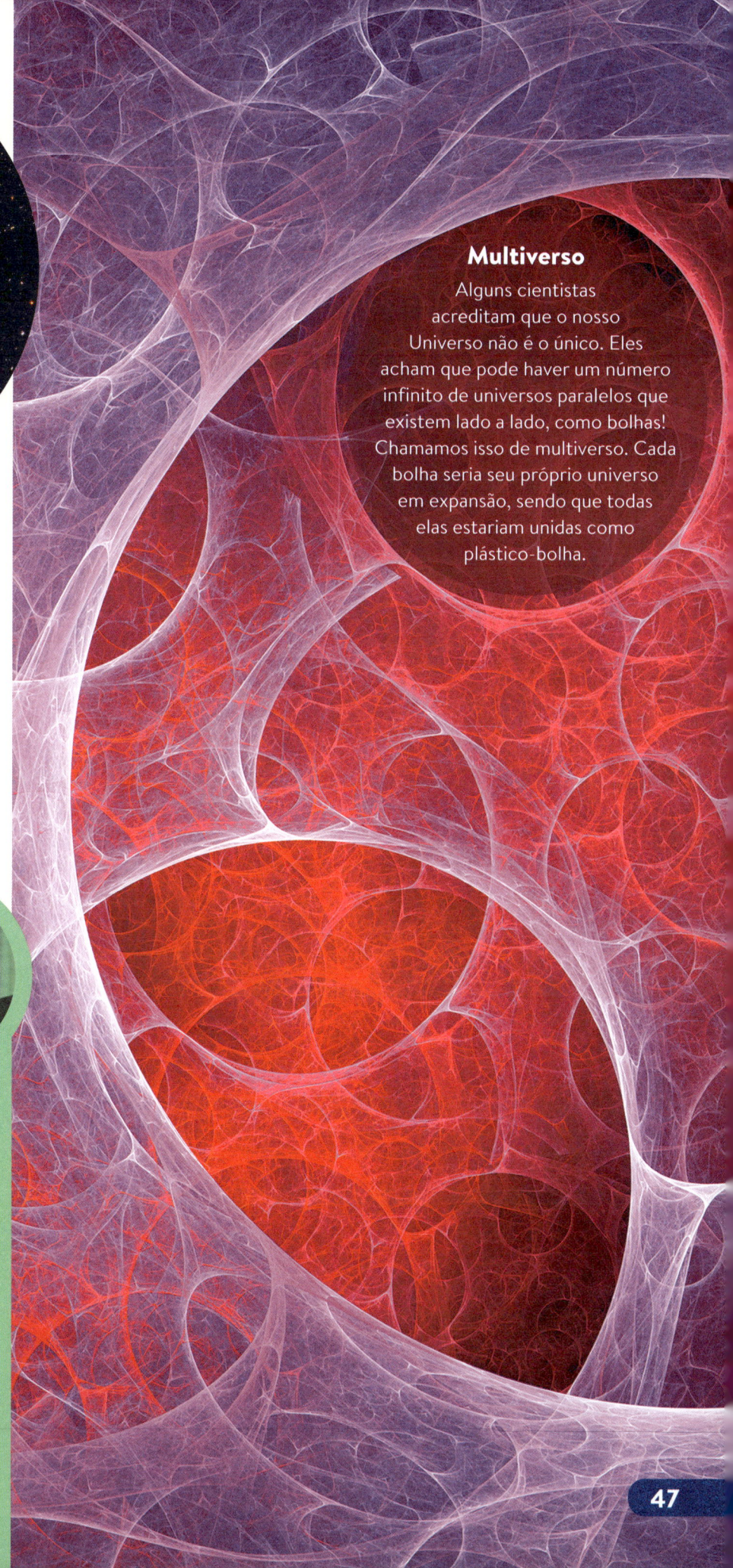

Multiverso

Alguns cientistas acreditam que o nosso Universo não é o único. Eles acham que pode haver um número infinito de universos paralelos que existem lado a lado, como bolhas! Chamamos isso de multiverso. Cada bolha seria seu próprio universo em expansão, sendo que todas elas estariam unidas como plástico-bolha.

Universo
PERGUNTE AOS ESPECIALISTAS!

MICHELLE THALLER
Astrônoma

O que fez você querer estudar astronomia?
Resolvi estudar as estrelas quando descobri que são elas as responsáveis pela formação de todos os átomos do nosso corpo, com exceção dos mais simples, que se formaram no Big Bang. Nosso sangue é vermelho por causa de uma pequena quantidade de ferro contida nele, e a única coisa que produz ferro no Universo é a explosão violenta que se segue à morte de uma estrela.

Qual descoberta seria considerada revolucionária na sua área?
Descobrir vida fora da Terra! Acho que podemos estar muito perto disso. A primeira forma de vida que vamos encontrar provavelmente será bastante simples. É possível que seja como nossas bactérias ou células bem elementares. Existem vários lugares em nosso sistema solar que têm as condições adequadas, como Marte e as luas de Júpiter e Saturno.

Do que você gosta no seu trabalho?
Adoro trabalhar em observatórios. Há algo de mágico em ficar acordada a noite inteira, geralmente no topo de uma montanha, com um telescópio gigante: essa enorme e delicada peça de tecnologia nos mostra coisas totalmente novas sobre o Universo.

MICHAEL G. SMITH
Historiador espacial

O que torna o seu trabalho emocionante?
Gosto de descobrir os mistérios da História. No meu trabalho como historiador, faço as descobertas em bibliotecas e arquivos quando estou folheando documentos escondidos em arquivos antigos e encontro evidências do passado. Às vezes é um fato ou uma ideia incrível. Outras vezes, é um detalhe que só faz sentido mais tarde. É sempre divertido e inspirador descobrir uma peça de um quebra-cabeça que se encaixa com outras para formar uma imagem maior do passado.

O que é considerado um desafio na sua área?
Como fazer a exploração espacial, a colonização em lugares como estações espaciais e novas casas planetárias custar menos e durar mais. Sabemos que a Terra é vulnerável como planeta, por isso precisamos encontrar uma forma de viver no espaço sideral em vez de apenas visitá-lo periodicamente ou explorá-lo com espaçonaves não tripuladas.

TOBY BROWN
Astrofísico

O que você mais quer descobrir?
"Como as galáxias evoluem?" é a pergunta central da minha pesquisa. Descobrir as origens das galáxias, incluindo a Via Láctea, é fundamental para entender a própria história da humanidade.

O que é considerado um problema não solucionado na sua área?
Por que as galáxias param de formar estrelas? Na maioria dos casos, as galáxias estão formando estrelas ativamente ou pararam de formá-las há bilhões de anos. Entender o porquê disso está no cerne da minha área. Apesar do enorme esforço nas últimas décadas, ainda estamos muito longe de obter uma resposta completa.

Universo
QUIZ

1) **Quais são os dois únicos elementos que existiam logo após a formação do Universo?**
   a. Hidrogênio e hélio
   b. Hidrogênio e oxigênio
   c. Carbono e hidrogênio
   d. Hélio e oxigênio

2) **Em 1965, os astrônomos americanos Arno Penzias e Robert Woodrow Wilson acharam que as leituras de seu radiotelescópio haviam sido interrompidas por:**
   a. Vândalos
   b. Um show de música nas proximidades
   c. Alienígenas
   d. Excrementos de pombo

3) **Qual é o oposto da matéria?**
   a. Matéria negativa
   b. Antimatéria
   c. Matéria-zero
   d. Ausência de matéria

4) **O planeta Terra está localizado em qual braço espiral da Via Láctea?**
   a. Braço de Órion
   b. Braço de Perseu
   c. Braço de Sagitário
   d. Braço de Norma

5) **Quanto tempo aproximadamente leva uma rotação completa da Via Láctea?**
   a. 24 anos
   b. 240 anos
   c. 24 mil anos
   d. 240 milhões de anos

6) **Qual dessas constelações pode ser vista em qualquer lugar do Hemisfério Sul?**
   a. Órion
   b. Cassiopeia
   c. Ursa Maior
   d. Cruzeiro do Sul

7) **Qual instrumento científico foi usado pela primeira vez pelos antigos astrônomos gregos para mapear as estrelas no céu noturno?**
   a. Telescópio
   b. Astrolábio
   c. Planetário
   d. Oráculo

8) **Em que ano foi lançado o Telescópio Espacial Hubble?**
   a. 1980
   b. 1990
   c. 2000
   d. 2010

9) **Que evidência o *rover* Curiosity encontrou que sugere já ter havido água corrente em Marte?**
   a. Cristais de gelo
   b. Seixos
   c. Conchas
   d. Canos de esgoto

10) **O cinturão de asteroides fica entre quais planetas?**
    a. Júpiter e Saturno
    b. Marte e Saturno
    c. Saturno e Netuno
    d. Marte e Júpiter

11) **Uma das luas de Saturno, Titã apresenta líquido em sua superfície. Esse líquido é semelhante a:**
    a. Água
    b. Lodo
    c. Ectoplasma
    d. Gasolina

12) **A Estação Espacial Internacional pode acomodar até quantos astronautas por vez?**
    a. 3
    b. 6
    c. 12
    d. 24

13) **Qual das seguintes opções NÃO é o nome de uma teoria sobre como o Universo vai acabar?**
    a. Grande Colapso
    b. Grande Congelamento
    c. Grande Carro
    d. Grande Ruptura

14) **O astrônomo Edwin Hubble é famoso por ter descoberto que o Universo está:**
    a. Se expandindo
    b. Se contraindo
    c. Esquentando
    d. Esfriando

RESPOSTAS: 1) a, 2) d, 3) b, 4) a, 5) d, 6) d, 7) b, 8) b, 9) b, 10) d, 11) d, 12) b, 13) c, 14) a

Nascer da Terra fotografado pelo astronauta Bill Anders enquanto orbitava a Lua na espaçonave *Apollo 8*. Depois de fazer este emblemático registro, Anders disse: "Viemos até aqui para explorar a Lua, e o mais importante é que descobrimos a Terra."

CAPÍTULO 2
TERRA

Por milhares de anos, as pessoas viram o nascer do sol e o nascer da lua, mas foi apenas em 1968 que tivemos o primeiro vislumbre do nascer da Terra. Imagine o nosso gigantesco e lindo planeta azul erguendo-se contra o vazio negro do espaço profundo. Que incrível deve ter sido para Bill Anders, o astronauta da *Apollo 8*: ele fotografou pela primeira vez o nascer da Terra! Nosso planeta estava envolto em um manto de ar brilhante, com grande parte da superfície reluzindo em azul. Manchas de terra marrom-esverdeadas podiam ser vistas por debaixo das tiras de nuvens brancas.

Neste capítulo, você vai descobrir como a colisão da Terra com outro planeta deu origem às nossas belas estações do ano. Vai descobrir que nossa casa rochosa e cheia d'água gira em torno de seu eixo a mais de 1.600 quilômetros por hora. E, se isso não for suficiente para deixá-lo estupefato, mergulhe em algumas das incógnitas da Terra, como a capacidade dos animais de prever terremotos. Ou conheça o gênio Eratóstenes, da Grécia Antiga, que calculou a circunferência do planeta usando apenas um poço, uma vara e a sombra projetada pela luz do Sol.

Inspire-se na impressionante riqueza natural de fósseis, minerais, pedras preciosas e cristais que nosso planeta tem. E maravilhe-se com o incrível poder de vulcões, terremotos, furacões e tsunamis.

NASCE A TERRA

Os cientistas acreditam que a Terra se formou há 4,6 bilhões de anos, como uma pequena bola sólida feita de detritos que giravam em torno do recém-nascido Sol. Os elementos mais pesados se agregaram em um núcleo superdenso. Mas as colisões com outros detritos fizeram da superfície da Terra primitiva um mar de magma quente e borbulhante. Por fim, o magma esfriou até se tornar uma crosta rochosa, e a água começou a se condensar para formar o primeiro oceano da Terra.

Por que a Terra é uma esfera?

A gravidade de um planeta é a força que puxa tudo para o seu centro. Como ela atua igualmente em todas as direções, a distância do centro até a borda é a mesma em todas as direções. Assim, se forma uma esfera.

A Terra ainda estava quente e meio derretida, como uma espécie de bola gigante de lava, quando Theia colidiu com ela.

Os cientistas acreditam que Theia se formou em uma órbita ao redor do Sol muito próxima da órbita da Terra.

Pedaços de Theia e da Terra voaram e, por fim, se juntaram para formar a Lua.

Como a Terra ficou inclinada

No início do Sistema Solar, pedaços de rochas colidiam uns com os outros o tempo todo. As crateras na superfície dos planetas e das luas são cicatrizes dessas colisões. Nessa época, uma rocha gigante do tamanho de Marte, que os cientistas chamam de Theia, se chocou com a Terra. Esse impacto pode ter ajudado a dar à Terra a inclinação que tem hoje, responsável pelas estações do ano.

CONSULTOR ESPECIALISTA: Lewis Dartnell. **VEJA TAMBÉM:** O Big Bang, pp.4-5; Exoplanetas, pp.20-21; O nosso sistema solar, pp.22-23; Planetas rochosos, pp.28-29; Luas, pp.32-33; Dentro da Terra, pp.58-59; Montanhas, pp.68-69; Rochas e minerais, pp.70-71.

Fatos Fantásticos!

A Lua tem formato de ovo!
Ela parece redonda, mas isso é só o lado que podemos ver. Na verdade, sua forma é oval. Os cientistas acreditam que a gravidade da Terra deformou a Lua quando a fina crosta lunar ainda recobria a rocha quente derretida.

Começos míticos

As culturas antigas criaram histórias sobre como a Terra surgiu. No mito chinês, Pan Gu, o primeiro homem, colocou o Sol, a Lua, as estrelas e os planetas nas suas posições, separou os oceanos e moldou as terras de acordo com o conceito do yin-yang – de que existem dois lados para tudo. Outra lenda chinesa diz que a Terra foi feita do gigantesco cadáver de Pan Gu. Seus olhos se transformaram no Sol e na Lua, seu sangue formou rios e seu cabelo se transformou em árvores e plantas.

O criador mítico Pan Gu segura o símbolo do yin-yang.

As primeiras rochas do mundo

Por que não existem rochas que datam dos primeiros anos da Terra? Amostras de rochas de meteoritos e da Lua comprovam que a Terra tem 4,6 bilhões de anos. Então, porque é que a rocha mais antiga da Terra tem apenas 4,28 bilhões de anos? Uma das teorias é que a própria atividade tectônica da Terra tenha destruído as rochas originais do planeta.

As rochas de gnaisse Acasta do Canadá têm cerca de 4 bilhões de anos; já a rocha verde Nuvvuagittuq, também do Canadá, tem 4,28 bilhões de anos.

NOTA do especialista!

LEWIS DARTNELL
Astrobiólogo

O professor Lewis Dartnell estuda como diferentes características da Terra afetaram a vida em nosso planeta. Ele defende a teoria de que a água chegou à Terra durante colisões com asteroides e cometas que continham água, após a colisão com Theia.

"A Terra é um planeta maravilhosamente ativo e dinâmico. Está sempre mudando de aparência ao longo do tempo. Seu temperamento pode ser muito imprevisível."

A TERRA NO ESPAÇO

De todos os planetas do Sistema Solar, a Terra é o único que abriga vida. É único também porque grande parte da sua superfície é rochosa, as temperaturas não são nem muito quentes nem muito frias e porque tem muita água, necessária à vida. Há cerca de 4 bilhões de anos, um micróbio que os cientistas chamam de Último Ancestral Comum Universal (ou LUCA, na sigla em inglês) emergiu em algum ponto na Terra, e toda a vida diversificada do planeta descende dele!

A Terra vista do espaço

Satélites e naves espaciais enviam fotografias para mostrar a aparência da Terra à distância. Os satélites não conseguem captar o planeta inteiro em uma única imagem porque orbitam muito perto, por isso imagens como esta são montadas a partir de mais de uma foto. As agências espaciais intensificam as cores para deixar a Terra mais bonita.

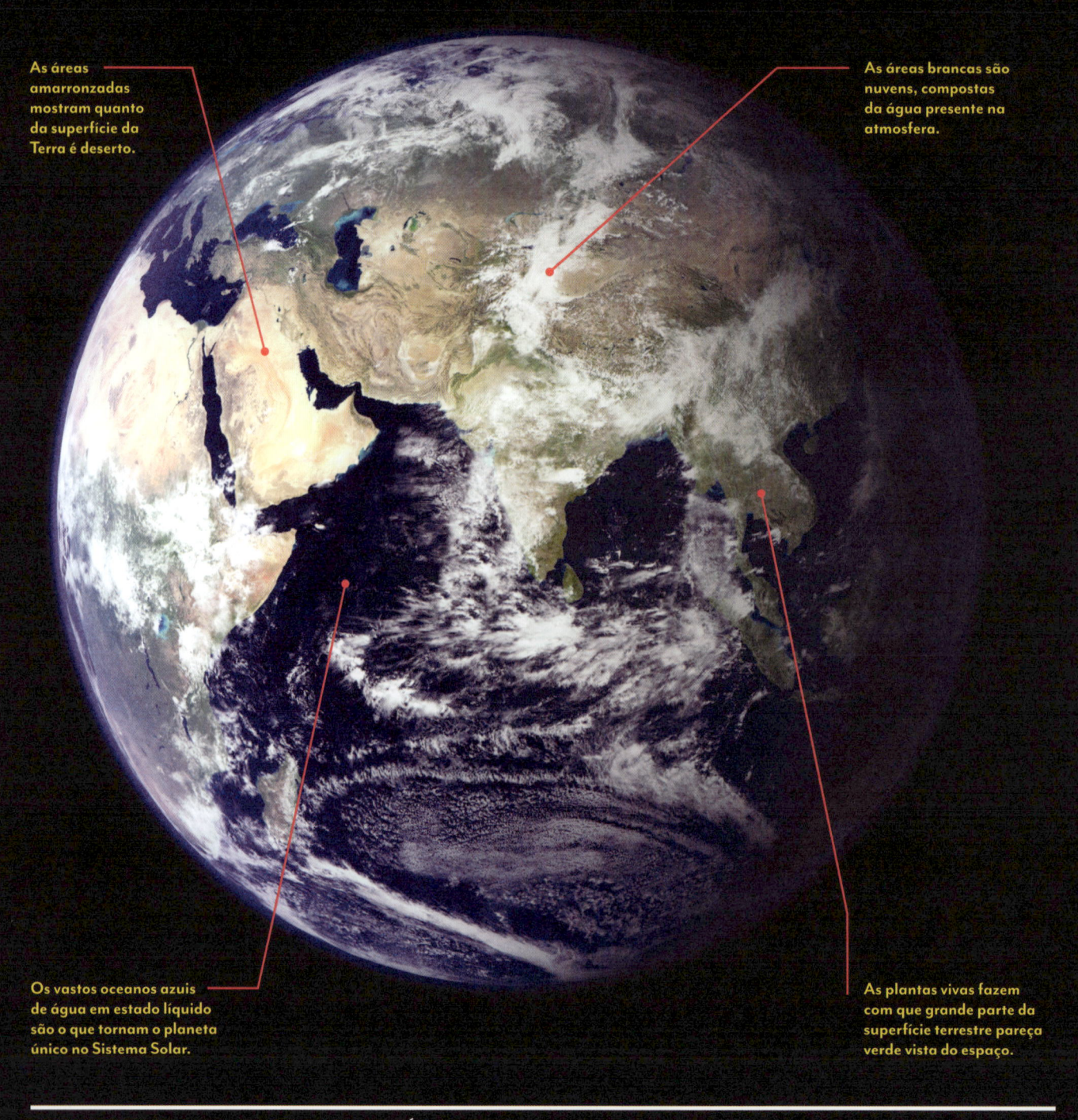

As áreas amarronzadas mostram quanto da superfície da Terra é deserto.

As áreas brancas são nuvens, compostas da água presente na atmosfera.

Os vastos oceanos azuis de água em estado líquido são o que tornam o planeta único no Sistema Solar.

As plantas vivas fazem com que grande parte da superfície terrestre pareça verde vista do espaço.

CONSULTOR ESPECIALISTA: Paolo Forti. **VEJA TAMBÉM:** O nosso sistema solar, pp.22-23; O Sol, pp.24-25; Exploração planetária, pp.26-27; Luas, pp.32-33; Nasce a Terra, pp.52-53; Medindo a Terra, pp.56-57; A Terra, pp.60-61; Mundo aquático, pp.82-83; A atmosfera, pp.86-87.

Zona Cachinhos Dourados

A Terra está no lugar exato – nem muito quente, nem muito frio – para que a água líquida permaneça na superfície e torne a vida possível. Alguns cientistas chamam esse lugar de "Zona Cachinhos Dourados", em homenagem à história infantil. O nome científico da região é zona habitável circunstelar (ZHC).

Júpiter, Saturno e os planetas além estão muito distantes do Sol e são frios demais para serem habitáveis.

Marte está dentro da zona habitável e é parecido com a Terra, mas perdeu sua atmosfera protetora.

Mercúrio, Vênus e suas luas estão muito perto do Sol e são quentes demais para serem habitáveis.

Saturno · Júpiter · Marte · Terra · Vênus · Mercúrio · Sol

Razões para as estações

As regiões polares são frias e os trópicos (as faixas ao norte e ao sul da Linha do Equador) são quentes. Na área entre as regiões polares e os trópicos, o ano tem quatro estações perceptíveis – primavera, verão, outono e inverno. Isso acontece porque o planeta é inclinado e o ângulo em que a luz solar atinge a Terra muda à medida que orbitamos o Sol. Quando a metade norte da Terra se inclina em direção ao Sol, é verão lá e inverno no sul. Seis meses depois, a metade sul se inclina em direção ao Sol e ocorre o oposto.

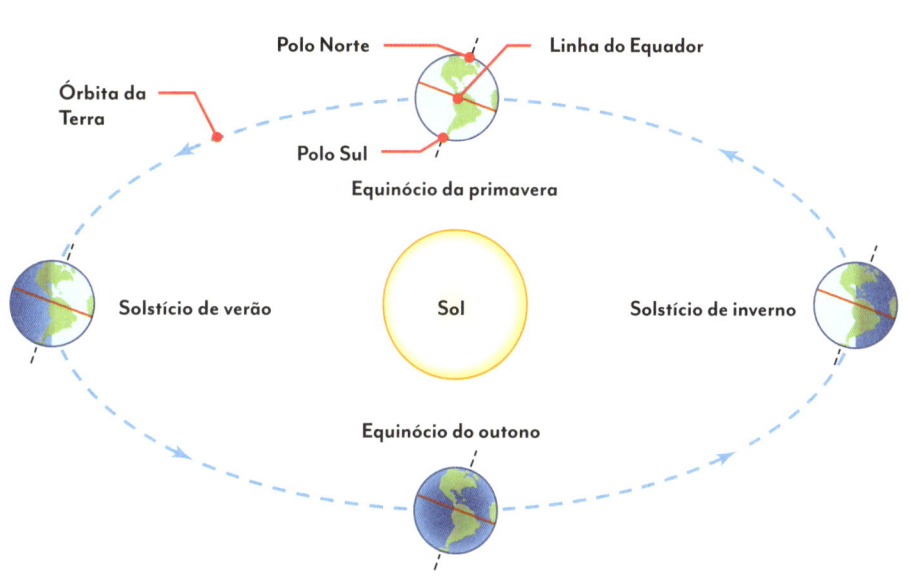

Polo Norte · Linha do Equador · Órbita da Terra · Polo Sul · Equinócio da primavera · Solstício de verão · Sol · Solstício de inverno · Equinócio do outono

Magnetosfera da Terra

As reações nucleares no Sol enviam um fluxo de partículas de alta energia chamado vento solar. O campo magnético da Terra (magnetosfera), que se estende pelo espaço, funciona como um escudo, protegendo-a dessa força mortal.

Por que os oceanos da Terra têm marés?

Os oceanos da Terra são puxados pela gravidade do Sol e da Lua, que provoca a subida e a descida das marés. Há duas marés altas e duas marés baixas por dia. Quando o Sol e a Lua estão no mesmo lado da Terra, as marés altas são ainda mais altas do que quando o Sol e a Lua estão em lados opostos.

A Terra em números
A LISTA

1. A Terra gira em torno do Sol a 107.000km/h.
2. A Terra leva **365,2564 dias** para orbitar o Sol (e não 365 dias). Essa "sobra" se acumula e, a cada quatro anos, temos um dia a mais no ano: 29 de fevereiro. Chamamos esses anos mais longos de bissextos. Eles mantêm nosso calendário em ordem.
3. Mais de 90% da massa da Terra são compostos de ferro, oxigênio, silício e magnésio.
4. A Terra é o planeta mais denso do Sistema Solar. O centímetro cúbico médio da Terra tem 5,5 gramas.
5. A atmosfera da Terra pesa 5 trilhões de toneladas.
6. A Terra dá um giro completo em torno de seu eixo a cada 24 horas, a mais de 1.600km/h na região da Linha do Equador. Mas o planeta está desacelerando! Daqui a cerca de 140 milhões de anos, uma rotação completa (atualmente 24 horas) vai levar cerca de 25 horas.

MEDINDO A TERRA

A Terra é uma bola de rocha gigante. É redonda, mas não perfeitamente esférica, e os cientistas hoje descrevem sua forma como "geoide", que significa "no formato da Terra". Ela é um pouco mais achatada nos polos e mais larga na Linha do Equador, que tem 40.024 quilômetros de circunferência (a volta completa). Imagens de satélite também mostram que a Terra tem pequenas saliências aqui e ali. Essas imperfeições são tão pequenas que só podem ser detectadas por instrumentos precisos.

Qual é o peso da Terra?

A Terra pesa cerca de 6 trilhões de trilhões de quilos. É claro que não temos como pesar o planeta, então como os cientistas sabem disso? Eles podem deduzir a partir de quanto a gravidade da Terra atrai os planetas vizinhos. A gravidade de um objeto é proporcional à sua massa – a quantidade de matéria que compõe esse objeto.

Latitude e longitude

A localização de qualquer ponto na Terra pode ser determinada com precisão em relação à Linha do Equador por meio de uma grade de linhas chamadas latitude e longitude. As linhas de latitude são círculos imaginários traçados ao redor da Terra paralelamente à Linha do Equador, por isso costumam ser chamadas de paralelos. As linhas de longitude são círculos traçados cortando sempre os polos Norte e Sul, que dividem a Terra como os gomos de uma laranja. Também são chamadas de meridianos.

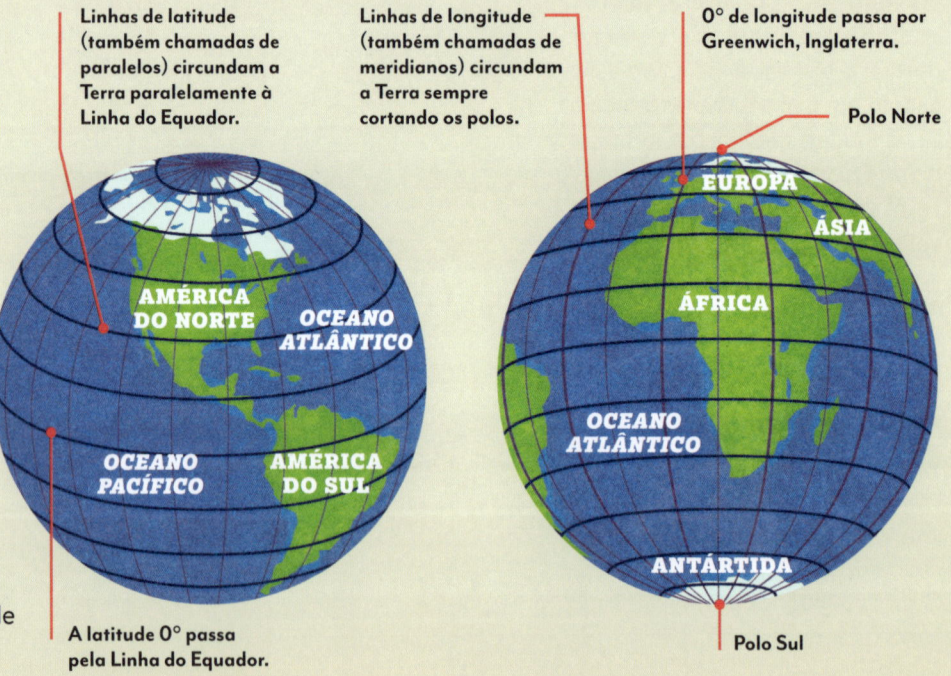

Linhas de latitude (também chamadas de paralelos) circundam a Terra paralelamente à Linha do Equador.

Linhas de longitude (também chamadas de meridianos) circundam a Terra sempre cortando os polos.

0° de longitude passa por Greenwich, Inglaterra.

Polo Norte

A latitude 0° passa pela Linha do Equador.

Polo Sul

Medição por satélite

Os satélites no espaço podem detectar pequenas diferenças de altura na superfície da Terra. Eles podem fazer até um mapa do fundo do mar detectando pequenas saliências e depressões na superfície dos oceanos (ajustado para desconsiderar as ondas). Elas refletem o fundo do mar de acordo com a força variável da gravidade. Neste mapa de satélite (à esquerda), o laranja e o vermelho indicam áreas do fundo do mar onde a gravidade é mais forte – picos e montanhas.

CONSULTOR ESPECIALISTA: Paolo Forti. **VEJA TAMBÉM:** Satélites artificiais, pp.40-41; A Terra no espaço, pp.54-55; Dentro da Terra, pp.58-59; A Terra, pp.60-61; Luz, pp.128-129; Gravidade, pp.134-135.

Você está aqui!

Atualmente, a tecnologia nos permite usar satélites para determinar nossa posição no planeta. Existem diversos sistemas desse tipo, como o Galileo (europeu), o BeiDou (chinês) e o GPS (americano). GPS é a sigla em inglês para Sistema de Posicionamento Global, que é uma rede de cerca de 30 satélites que orbitam a Terra, cujas medições permitem aos usuários identificar pontos com muita precisão. Qualquer pessoa com um GPS pode captar os sinais emitidos pelos satélites para determinar uma localização quase que instantaneamente.

Onde quer que você esteja na Terra, há pelo menos quatro satélites GPS que podem localizá-lo.

Os satélites estão sempre em contato com estações de rastreamento na Terra.

Os satélites transmitem dados sobre a sua posição e a hora.

Um sinal de satélite viaja à velocidade da luz.

O GPS compara a distância e o tempo de cada satélite e, em seguida, calcula sua posição usando a geometria e a relatividade do espaço-tempo estabelecida na teoria do cientista Albert Einstein (veja um pouco sobre isso na página 135).

REVOLUCIONÁRIO

ERATÓSTENES

Matemático, viveu de 276 a 194 a.C.

Grécia Antiga

Eratóstenes calculou a circunferência da Terra em 240 a.C. Ele percebeu que o Sol brilhava diretamente dentro de um poço ao meio-dia, indicando que estava bem acima de sua cabeça. Ele então andou 800 quilômetros ao norte e mediu o ângulo da sombra projetada por um poste ao meio-dia. Usando um ramo da matemática chamado geometria, Eratóstenes descobriu que a Terra tem cerca de 40 mil quilômetros em toda a sua volta.

Fatos Fantásticos!

A medida do metro é baseada na geometria da Terra. Os franceses inventaram o metro em 1791. Eles o estabeleceram como a décima milionésima parte da distância da Linha do Equador ao Polo Norte. É por isso que a Terra tem quase 40 milhões de metros (40 mil quilômetros) de circunferência. Todos os países, exceto os Estados Unidos, Mianmar e a Libéria, utilizam o sistema métrico.

DENTRO DA TERRA

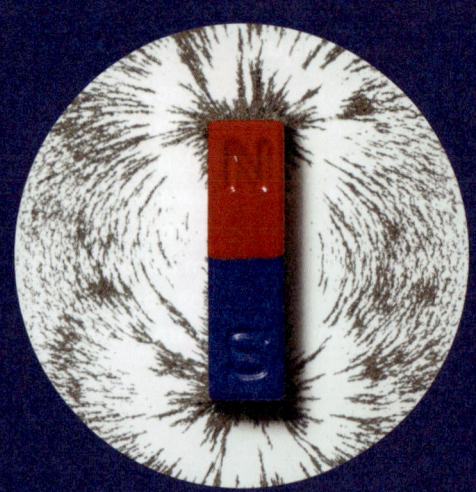

A Terra tem três camadas principais: crosta, manto e núcleo. Cada uma delas possui suas próprias camadas. Os cientistas descobriram isso "ouvindo" as vibrações dos terremotos. A crosta terrestre é a fina camada externa de rocha. O manto é um espesso cinturão de rocha parcialmente derretida. Já o núcleo, o centro da Terra, tem duas partes – interna e externa. O núcleo interno contém metais superdensos, tão quentes quanto a superfície do Sol!

As camadas do planeta

Apenas a crosta, a camada externa da Terra, é fria. Abaixo da superfície, as temperaturas vão aumentando de acordo com a profundidade. O calor intenso mantém a rocha do manto parcialmente derretida, agitando-se devagar, como uma sopa fervendo. O núcleo externo ainda mais quente é de metal líquido, mas o núcleo interno é sólido. O núcleo contém até 90% de todo o ferro da Terra.

Terra magnética

À medida que a Terra gira, o metal do núcleo externo cria o campo magnético do planeta. Uma bússola aponta sempre para um local próximo do Polo Norte, chamado norte magnético, porque a agulha magnetizada da bússola se alinha com o campo magnético da Terra.

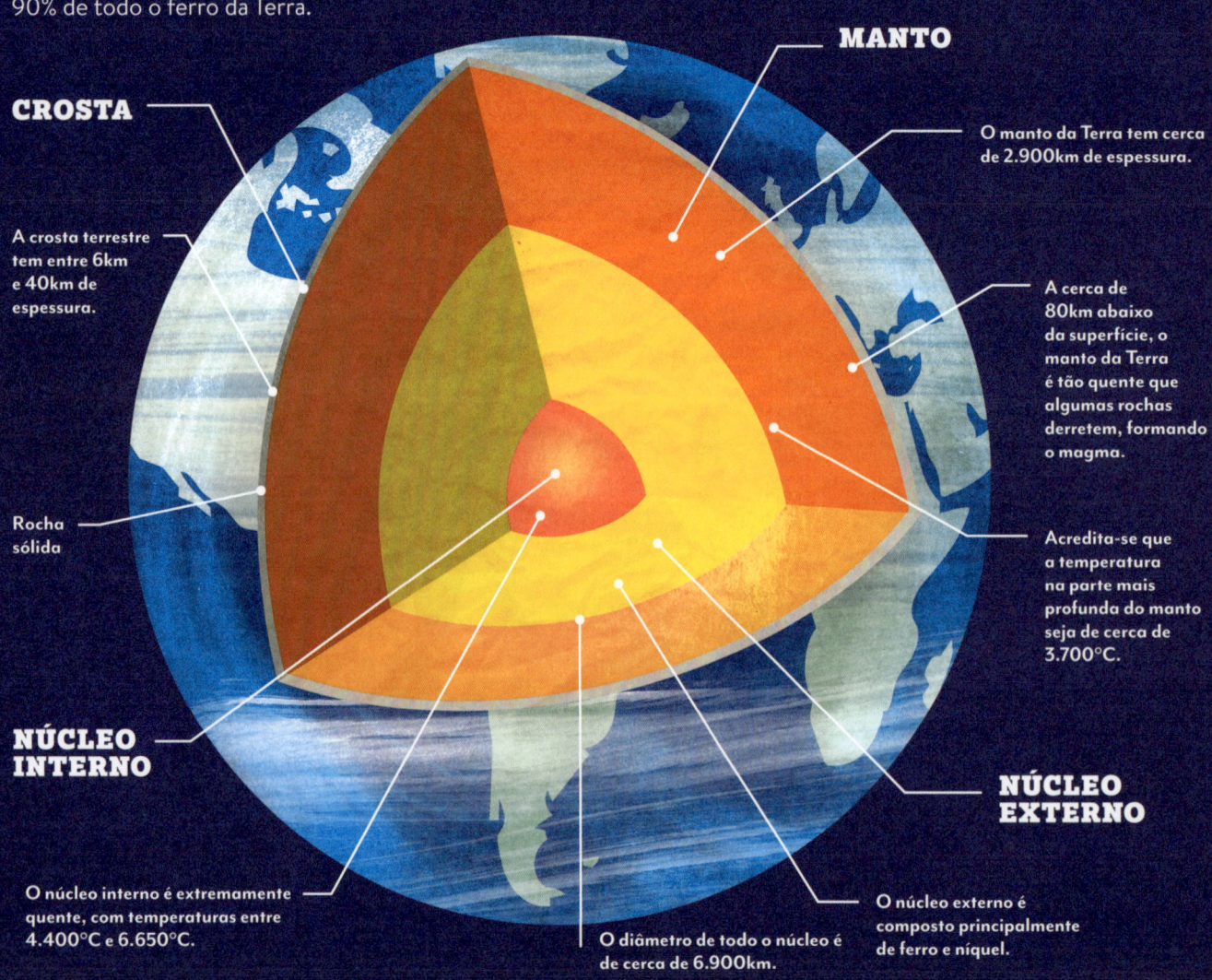

MANTO
O manto da Terra tem cerca de 2.900km de espessura.

CROSTA
A crosta terrestre tem entre 6km e 40km de espessura.

A cerca de 80km abaixo da superfície, o manto da Terra é tão quente que algumas rochas derretem, formando o magma.

Rocha sólida

Acredita-se que a temperatura na parte mais profunda do manto seja de cerca de 3.700°C.

NÚCLEO INTERNO
O núcleo interno é extremamente quente, com temperaturas entre 4.400°C e 6.650°C.

O diâmetro de todo o núcleo é de cerca de 6.900km.

NÚCLEO EXTERNO
O núcleo externo é composto principalmente de ferro e níquel.

CONSULTOR ESPECIALISTA: Lewis Dartnell. **VEJA TAMBÉM:** A Terra no espaço, pp.54-55; Placas tectônicas, pp.62-63; Vulcões, pp.64-65; Terremotos e tsunamis, pp.66-67; Montanhas, pp.68-69; Rochas e minerais, pp.70-71; Riquezas da Terra, pp.74-75; Elementos químicos, pp.102-103; Metais, pp.114-115; Eletricidade, pp.126-127.

Crosta e manto terrestre

Existem dois tipos de crosta: a camada externa do planeta, uma crosta "continental" espessa que forma a superfície terrestre, e uma crosta "oceânica" fina e mais recente, que forma o fundo dos mares. A camada superior do manto se funde à crosta, formando a litosfera, rígida. Abaixo dela, em profundidades de 100 a 700 quilômetros, está a astenosfera, mais fluida.

A crosta oceânica tem de 5km a 10km de espessura – é muito mais fina e densa do que a crosta continental.

A crosta continental tem 25km a 70km de profundidade. Ela flutua mais alto no manto porque suas rochas são menos densas do que as que compõem a crosta oceânica.

A crosta oceânica mais densa afunda sob a crosta continental e penetra no manto. Esta área é chamada de zona de subducção.

PROFUNDIDADE (KM): 10, 100, 200, 300, 400
OCEANO · LITOSFERA · rochas rígidas · rochas parcialmente derretidas · ASTENOSFERA · LITOSFERA · MANTO SUPERIOR

Montanhas subterrâneas

Usando dados de terremotos e uma técnica chamada tomografia sísmica (semelhante ao ultrassom que usamos para observar fetos durante a gestação), os cientistas fizeram descobertas surpreendentes. Eles descobriram que o manto tem camadas, com fendas perceptíveis a 410 e a 660 quilômetros de profundidade. Na marca dos 660 quilômetros, eles julgam que exista uma cordilheira com picos que podem ser mais altos do que o monte Everest.

Tesouro enterrado

Os diamantes são produzidos nas profundezas do manto da Terra, a 160 quilômetros da superfície. Eles se formam sob extrema pressão. Os diamantes que extraímos foram expelidos há muito tempo por erupções vulcânicas muito profundas que se solidificaram em cilindros de rocha chamados quimberlitos. Ainda pode haver mais de 1 quatrilhão de toneladas de diamantes no manto, totalmente fora de alcance.

DESBRAVANDO O DESCONHECIDO

O que mais existe no núcleo da Terra?

O coração do nosso planeta é um mistério. Os cientistas costumavam acreditar que o ferro e o níquel metálico constituíam toda a camada mais interna da Terra. Só que o núcleo é mais leve do que seria se fosse composto apenas de metal. Os cientistas acreditam que o principal ingrediente que falta pode ser o silício.

A TERRA

À distância, a Terra parece lisa como uma bola de gude. Mas sua superfície é bastante acidentada. Os oceanos cobrem quase 71% da superfície, mas mesmo no fundo do mar existem montanhas e vales. Há uma distância de cerca de 20 mil metros entre o ponto mais alto, o topo do monte Everest, e o mais baixo, o fundo da depressão Challenger, no Oceano Pacífico. No meio estão todos os altos e baixos que tornam a Terra tão diversa.

Círculo Ártico

OCEANO ÁRTICO

OCEANO ATLÂNTICO NORTE

O Círculo de Fogo do Pacífico é um cinturão de vulcões ativos e epicentro de terremotos.

Montanhas Rochosas

AMÉRICA DO NORTE

A Dorsal Mesoatlântica é uma das principais cordilheiras do enorme sistema de dorsais oceânicas que cobrem o globo.

Trópico de Câncer

OCEANO PACÍFICO

Linha do Equador

AMÉRICA DO SUL

Trópico de Capricórnio

Cordilheira dos Andes

OCEANO ATLÂNTICO SUL

Escala na Linha do Equador
0   1.000   2.000   3.000   4.000   5.000 quilômetros

Círculo Antártico

Extremos físicos
A LISTA

A Terra tem altos, baixos e extremos extraordinários.

1. O Saara é o maior deserto quente do mundo, com uma área de 8,6 milhões de quilômetros quadrados.

2. O sistema de dorsais oceânicas, uma série de montanhas vulcânicas submersas, é a cordilheira mais extensa da Terra. Com cerca de 80 mil quilômetros de extensão, circunda o planeta.

3. O Himalaia é a cordilheira mais alta do mundo. Mais de 110 picos têm mais de 7.300 metros de altura.

4. A Grande Barreira de Corais é a maior estrutura coletiva de seres vivos – corais, algas e minúsculos briozoários. Seus 2 mil recifes cobrem uma área de cerca de 350 mil quilômetros quadrados.

5. A depressão Challenger é o ponto mais fundo dos oceanos: 10.994 metros de profundidade.

CONSULTOR ESPECIALISTA: Lewis Dartnell. **VEJA TAMBÉM:** A Terra no espaço, pp.54-55; Vulcões, pp.64-65; Terremotos e tsunamis, pp.66-67; Montanhas, pp.68-69; Floresta tropical, pp.164-165; A taiga e as florestas temperadas, pp.166-167; Prados, pp.168-169; Monte Everest, pp.170-171; Confins da Terra, pp.184-185.

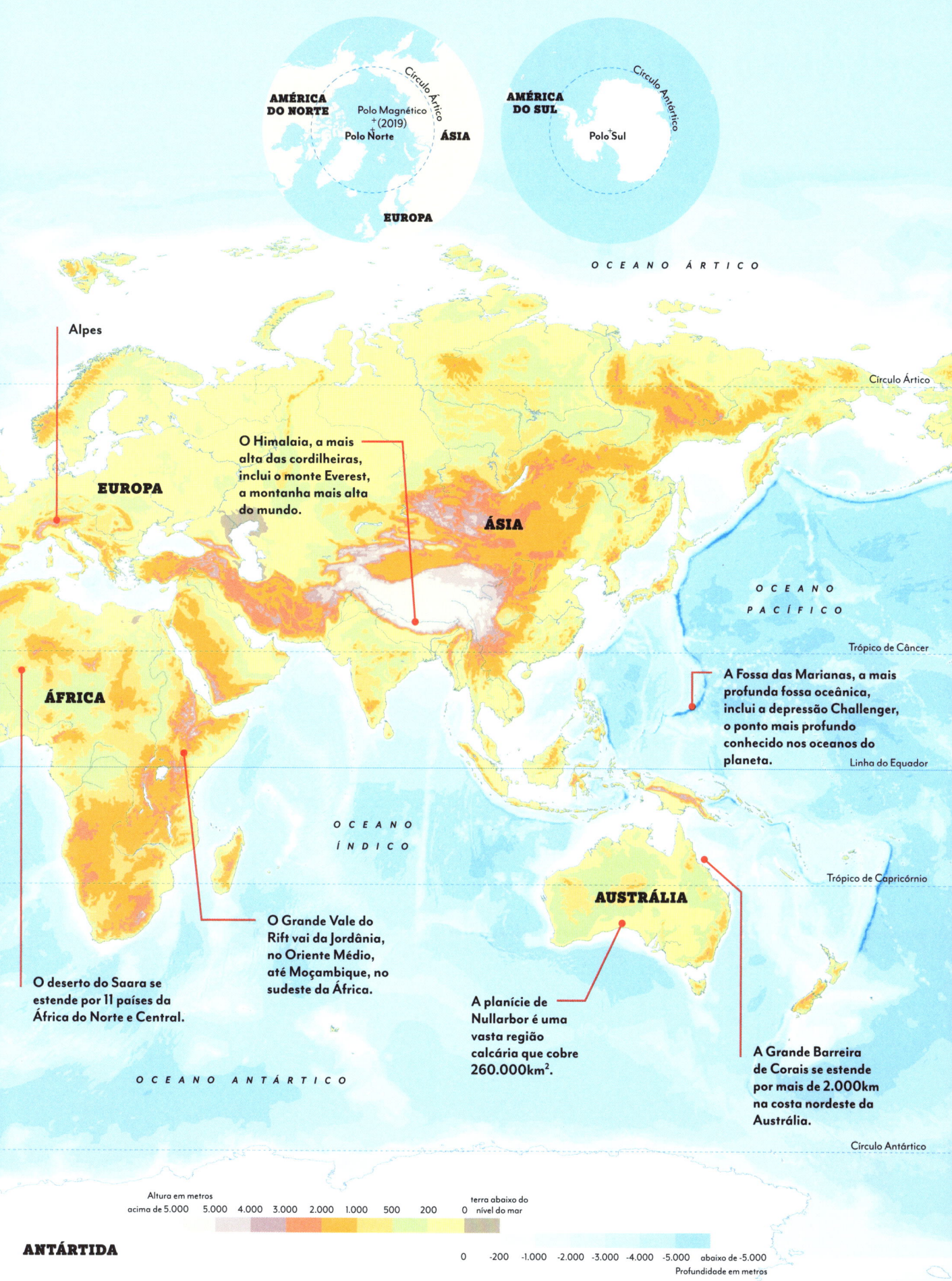

AMÉRICA DO NORTE
Círculo Ártico
Polo Magnético (2019)
Polo Norte
ÁSIA
EUROPA

AMÉRICA DO SUL
Círculo Antártico
Polo Sul

OCEANO ÁRTICO

Círculo Ártico

Alpes

EUROPA

O Himalaia, a mais alta das cordilheiras, inclui o monte Everest, a montanha mais alta do mundo.

ÁSIA

OCEANO PACÍFICO

Trópico de Câncer

ÁFRICA

A Fossa das Marianas, a mais profunda fossa oceânica, inclui a depressão Challenger, o ponto mais profundo conhecido nos oceanos do planeta.

Linha do Equador

OCEANO ÍNDICO

O Grande Vale do Rift vai da Jordânia, no Oriente Médio, até Moçambique, no sudeste da África.

AUSTRÁLIA

Trópico de Capricórnio

O deserto do Saara se estende por 11 países da África do Norte e Central.

A planície de Nullarbor é uma vasta região calcária que cobre 260.000km².

A Grande Barreira de Corais se estende por mais de 2.000km na costa nordeste da Austrália.

OCEANO ANTÁRTICO

Círculo Antártico

Altura em metros
acima de 5.000 | 5.000 | 4.000 | 3.000 | 2.000 | 1.000 | 500 | 200 | 0 | terra abaixo do nível do mar

ANTÁRTIDA

0 | -200 | -1.000 | -2.000 | -3.000 | -4.000 | -5.000 | abaixo de -5.000
Profundidade em metros

PLACAS TECTÔNICAS

A camada externa e rígida da Terra é composta por imensas porções de rocha chamadas placas tectônicas. Algumas são muito maiores do que os continentes e outras são muito menores. Essas placas flutuam sobre uma camada de rocha frágil e macia (como massinha de modelar) chamada astenosfera, normalmente de 100 a 700 quilômetros abaixo da superfície, e se chocam umas contra as outras, dando origem a terremotos e vulcões. O movimento das placas é bem lento – cerca de 2,5 centímetros por ano, em média. Ao longo de milhões de anos, ele provoca o alargamento dos oceanos e a formação de montanhas.

Fatos Fantásticos!

Os continentes da Terra já estiveram unidos num vasto supercontinente, rodeado por um oceano gigante. Isso foi há cerca de 335 milhões de anos. Os geólogos chamam esse supercontinente de Pangeia. Há aproximadamente 180 milhões de anos, a Pangeia começou a se desintegrar, dando origem ao Oceano Atlântico e, por fim, formando os continentes modernos.

Terra dinâmica

A maior parte dos vulcões e terremotos ocorre perto do encontro das placas tectônicas. Existem diferentes tipos de limite. Nos divergentes, as placas se separam, permitindo que a rocha derretida (magma) suba pela brecha. Nos convergentes, as placas colidem, forçando uma por cima da outra (subducção). Nos transformantes, as placas deslizam umas sobre as outras.

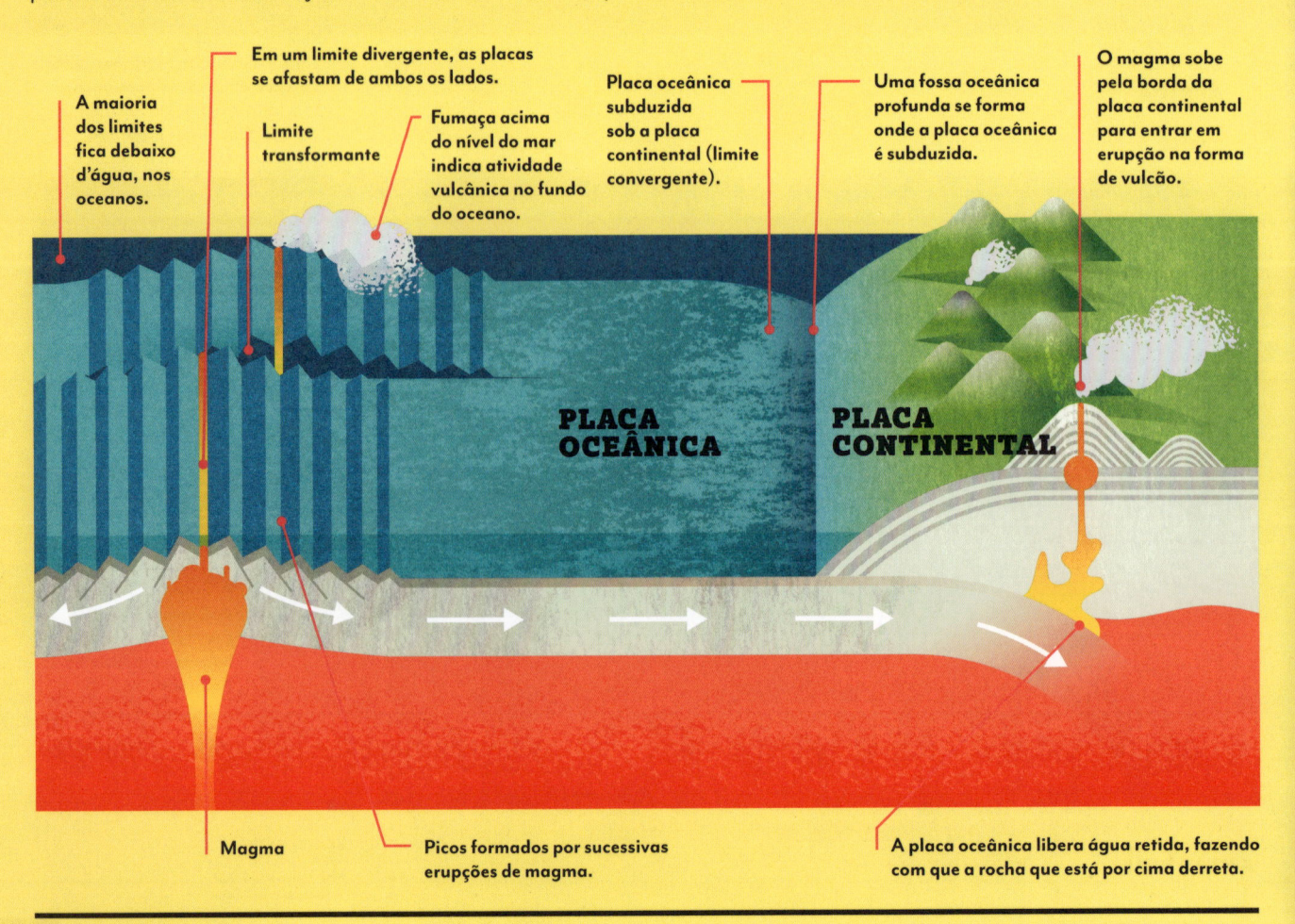

- A maioria dos limites fica debaixo d'água, nos oceanos.
- Em um limite divergente, as placas se afastam de ambos os lados.
- Limite transformante
- Fumaça acima do nível do mar indica atividade vulcânica no fundo do oceano.
- Placa oceânica subduzida sob a placa continental (limite convergente).
- Uma fossa oceânica profunda se forma onde a placa oceânica é subduzida.
- O magma sobe pela borda da placa continental para entrar em erupção na forma de vulcão.

PLACA OCEÂNICA

PLACA CONTINENTAL

- Magma
- Picos formados por sucessivas erupções de magma.
- A placa oceânica libera água retida, fazendo com que a rocha que está por cima derreta.

CONSULTOR ESPECIALISTA: Brendan Murphy. **VEJA TAMBÉM:** Nasce a Terra, pp.52-53; Dentro da Terra, pp.58-59; A Terra, pp.60-61; Vulcões, pp.64-65; Montanhas, pp.68-69; Rochas e minerais, pp.70-71; Sólidos, líquidos e gases, pp.110-111; Energia, pp.122-123; Pressão, pp.136-137.

Ilhas despontam

Em 1963, uma nova ilha começou a surgir no mar ao largo da Islândia. Chamada Surtsey, em homenagem ao deus nórdico do fogo Surtur, ela se formou durante uma erupção vulcânica no fundo do mar que durou quase quatro anos. Surtsey (abaixo) fica em uma fenda no fundo do mar, onde as placas sob o Oceano Atlântico estão se afastando. O material vulcânico que entra em erupção através dessas fendas formou a Dorsal Mesoatlântica, que corta o fundo do oceano.

Bolas de lava

Ao longo de toda a borda dos limites divergentes das placas, o magma quente (rocha derretida) irrompe continuamente do fundo do oceano (tornando-se lava). Assim que atinge as águas frias das profundezas, a lava se solidifica em bolas. O fundo do mar está repleto de bolas de lava, chamadas de lava em almofada, porque se parecem com pilhas de almofadas.

Placas tectônicas atuais

Existem sete placas principais – uma placa gigante sob o Oceano Pacífico e seis outras que ficam debaixo da terra e do oceano. Em meio às placas maiores existem também 15 placas menores. Microplacas, que são ainda menores, revestem os espaços entre as placas maiores e as menores. Algumas placas tectônicas podem ter até 200 quilômetros de espessura e são compostas por rocha sólida. Como a rocha é mais densa e pesada sob os oceanos, ela repousa abaixo dos continentes.

PLACA EURASIÁTICA
PLACA AMERICANA
PLACA EURASIÁTICA
PLACA DO PACÍFICO
PLACA AFRICANA
PLACA INDO-AUSTRALIANA
PLACA DE NAZCA
PLACA DA ANTÁRTIDA

Provas da existência das placas
A LISTA

Sabemos que as placas da Terra mudaram e ainda estão em movimento porque:

1. Fósseis terrestres semelhantes entre si foram encontrados em continentes diferentes, como grupos de seres vivos separados quando os continentes se dividiram.

2. Os depósitos de carvão no leste da América do Norte se formaram há 300 milhões de anos, quando a América do Norte ficava do outro lado da Linha do Equador.

3. Os glaciares deixaram vestígios na Índia, na África, na Austrália e na Antártida, indicando uma época em que a África ficava próxima ao Polo Sul.

4. Muitos terremotos e vulcões resultam de forças das placas tectônicas.

5. O Satellite Laser Ranging utiliza laser refletido por satélites para detectar movimento em receptores GPS, indicando o movimento dos continentes.

NOTA do especialista!

BRENDAN MURPHY
Geólogo

Especializado em ciências da Terra, Brendan Murphy tem curiosidade sobre o ciclo dos supercontinentes. Ele quer saber por que os continentes colidem para formar vastas montanhas e depois se separam, apenas para se reunirem novamente cerca de 400 milhões de anos depois.

❝*Gosto de imaginar o que veria se pudesse fazer uma viagem ao centro da Terra.*❞

VULCÕES

Sabemos onde está a maioria dos vulcões do mundo, mas não sabemos quando eles entrarão em erupção. Alguns ficam inativos por milhares de anos antes de entrar em erupção súbita e violentamente. Especialistas em vulcões – vulcanólogos – procuram por pistas, como movimento nas rochas e gases incomuns provenientes de sua cratera. Drones podem ser usados para medir esses gases e detectar outros sinais de atividade perigosa.

Erupções estrombolianas

Vulcões entram em erupção de diferentes maneiras. As erupções estrombolianas, assim batizadas em referência ao vulcão Stromboli, na Itália, lançam rocha quente derretida na forma das chamadas "fontes de lava". Outros derramam lava suavemente, ano após ano. Outros ainda entram em erupção de repente, lançando gases, cinzas vulcânicas e fragmentos de lava borbulhante solidificada chamada pedra-pomes.

Fontes de lava lançam lava quente a centenas de metros de altura.

Vapor d'água e uma mistura de gases, sobretudo dióxido de carbono e gases sulfurosos.

Crateras e rachaduras lançam espetaculares fontes de lava.

A ventilação, pela qual o magma flui.

As fontes de lava podem ser uma série de rajadas curtas ou um jato contínuo.

Nuvens de cinzas e detritos recobrem as encostas do vulcão.

CONSULTOR ESPECIALISTA: Erik Klemetti. **VEJA TAMBÉM:** Dentro da Terra, pp.58-59; Placas tectônicas, pp.62-63; Terremotos e tsunamis, pp.66-67;

Dentro de um vulcão

No subsolo da maioria dos vulcões montanhosos existe um reservatório de rocha derretida chamada magma. Os gases podem vazar da câmara magmática para a superfície através de fissuras chamadas fumarolas. Com o tempo, o magma emerge de baixo da câmara magmática e a pressão aumenta. Por fim, o magma é expelido pela abertura. Nesse ponto, ele se transforma em lava. A temperatura da lava pode chegar a 1.250°C.

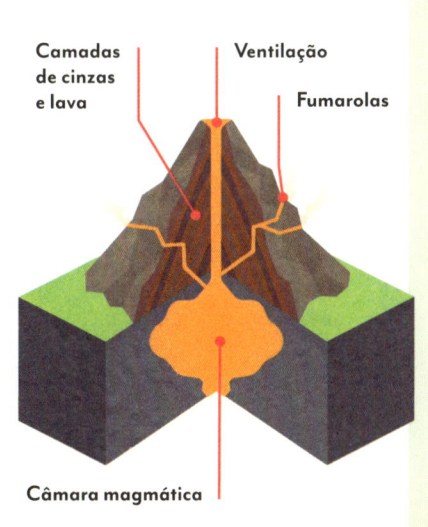

Camadas de cinzas e lava
Ventilação
Fumarolas
Câmara magmática

Fatos Fantásticos!

Cinzas e lava podem viajar a até 700km/h. Quando o monte Vesúvio, na Itália, entrou em erupção no ano 79 d.C., soterrou as cidades de Pompeia e Herculano sob 6 metros de cinzas, matando instantaneamente a população. Quando as cinzas esfriaram, tornaram-se sólidas, preservando as posições em que as pessoas estavam quando morreram.

DESBRAVANDO O DESCONHECIDO

Quando o Yellowstone vai explodir?

Os cientistas acreditam que há muito magma sob o Parque Nacional de Yellowstone, nos Estados Unidos, porque sai vapor das suas fendas (chamadas gêiseres). O vulcão Yellowstone entra em erupção a cada 600 mil anos, e a última vez que isso aconteceu foi há 640 mil anos. Daquela vez, ele produziu lava suficiente para encher o Grand Canyon. Uma nova erupção poderá fazer com que grande parte da porção ocidental dos Estados Unidos seja coberta por uma camada de cinzas de pelo menos 1 metro de altura.

Círculo de Fogo

Três quartos dos vulcões da Terra – mais de 450 – estão situados ao redor do Oceano Pacífico, no chamado Círculo de Fogo. É lá que vastas placas tectônicas sob o oceano se chocam, forçando a placa inferior a descer para o interior quente da Terra. À medida que a rocha derrete, bolhas de magma emergem como vulcões.

Os vulcões da Indonésia são os mais ativos do mundo. Japão e Estados Unidos também têm vários vulcões ativos.

Japão

Três quartos de todos os vulcões ativos do mundo estão no Círculo de Fogo.

Havaí (EUA)
Yellowstone (EUA)
Vesúvio (Itália)
Stromboli (Itália)

ÁSIA
AMÉRICA DO NORTE
OCEANO ATLÂNTICO
EUROPA
ÁSIA
ÁFRICA
OCEANO PACÍFICO
AMÉRICA DO SUL
AUSTRÁLIA
OCEANO ATLÂNTICO
ANTÁRTIDA

TERREMOTOS E TSUNAMIS

Se você sentir o chão tremer de verdade, pode ser um terremoto. Todo ano, ocorrem cerca de 50 mil terremotos. A maioria deles é tão pequena que só pode ser detectada com um instrumento especial chamado sismógrafo. Alguns, no entanto, são tão violentos que provocam danos graves, derrubando edifícios e matando muitas pessoas. Um terremoto no fundo do mar também pode causar um tsunami, uma onda poderosa que gera ainda mais destruição.

Uma vista aérea da falha de San Andreas, na Califórnia. São mais de 1.300km de extensão.

Quebrar e esmagar

Quase todos os grandes terremotos acontecem ao longo de fissuras gigantes conhecidas como falhas, como a mostrada acima. Uma falha pode se formar em qualquer lugar onde a tensão seja sentida por uma rocha muito fria ou difícil de se dobrar. Elas ocorrem entre as placas tectônicas, as gigantescas placas de rocha que formam a crosta terrestre. Quando as rochas se atritam, algumas podem ficar travadas. À medida que a pressão aumenta, elas estremecem, gerando ondas de choque e grandes terremotos.

Tsunami – onda monstruosa

Tsunamis são ondas gigantes que podem chegar a 30 metros de altura e surgem aparentemente do nada. Ocorrem quando um terremoto ou um vulcão em erupção desloca muita água nas profundezas do oceano. Pulsos d'água então surgem ao longo do fundo do mar, fora de vista, a até 800km/h – tão rápido quanto um avião a jato. Quando atinge águas rasas, o tsunami se transforma em uma grande parede d'água, arrastando tudo em seu caminho.

A mudança repentina no fundo do mar durante um terremoto submarino pode mover uma enorme quantidade de água.

O movimento envia poderosos pulsos d'água, com cerca de 100km a 200km de intervalo, ao longo do fundo do mar.

Os pulsos acelerados não ultrapassam os 60cm de altura – são quase imperceptíveis da superfície.

Os pulsos viajam pelo fundo do mar a até 800km/h.

CONSULTOR ESPECIALISTA: Erik Klemetti. **VEJA TAMBÉM:** Dentro da Terra, pp.58-59; Placas tectônicas, pp.62-63; Vulcões, pp. 64-65.

Ondas de choque

Os terremotos provocam ondas de choque enormes e velozes, chamadas de ondas sísmicas. As primeiras a chegar são as super-rápidas ondas P, ou primárias, que se esticam e se comprimem enquanto disparam a 6 quilômetros por segundo. As ondas S, ou secundárias, mais lentas, chegam segundos depois, sacudindo o chão de um lado para outro. Um terceiro tipo, chamado de ondas de superfície, é o que causa mais tremores e provoca mais danos. Essas ondas viajam pela superfície da Terra em vez de no subsolo.

DESBRAVANDO O DESCONHECIDO

Animais são capazes de prever terremotos?

Há relatos de peixes, pássaros, répteis e insetos agindo de forma estranha antes de um terremoto – às vezes semanas antes. Os cientistas estão tentando descobrir se podem usar esses animais para prever um terremoto a tempo de ajudar a manter as pessoas seguras. Até hoje, porém, não há qualquer evidência científica de que os animais possam funcionar como um sistema de alerta precoce.

Fatos Fantásticos!

Em 2011, um dos maiores terremotos que já atingiu o Japão empurrou Honshu, sua ilha principal, 2,4 metros para leste. Isso é praticamente o comprimento de um carro pequeno! O terremoto afundou 400 quilômetros da costa do Japão em 60 centímetros e matou milhares de pessoas. E durou apenas seis minutos. O solo está sempre se movendo, mas geralmente não tão rápido.

Por fim, os pulsos se transformam em uma montanha d'água que açoita a costa, carregando pessoas, carros e barcos para o interior.

À medida que os pulsos atingem águas rasas, perdem velocidade, agrupam-se e ficam cada vez maiores.

MONTANHAS

Existem montanhas em todos os continentes. Algumas são picos isolados formados por vulcões, como o monte Kilimanjaro, na Tanzânia, e o monte Fuji, no Japão. Mas a maioria faz parte de grandes cadeias, como os Andes, na América do Sul, e as Montanhas Rochosas, na América do Norte. Como a temperatura diminui à medida que subimos, as montanhas mais altas estão sempre cobertas de neve a partir de determinado nível; essa linha de neve fica mais baixa quanto maior a distância do local até a Linha do Equador.

Fatos Fantásticos!

Você pode calcular a altura de uma montanha fervendo água! O ponto de ebulição da água diminui 1°C a cada 304 metros que você sobe. Isso ocorre porque o ponto de ebulição da água depende da pressão, e a pressão cai de acordo com a altitude. No alto do Everest, por exemplo, a água ferve a 71°C.

Qual é o pico mais alto?

Medimos uma montanha desde o nível do mar até o pico, por isso o monte Everest, no Himalaia, é classificado como a montanha mais alta. O Mauna Kea, na ilha do Havaí, na verdade é mais alto quando medido da base ao pico, mas grande parte dele fica debaixo d'água. O pico mais distante do centro da Terra é o Chimborazo, no Equador. Isso ocorre porque a Terra, que não é uma esfera perfeita, é mais "gorda" nessa região.

O monte Everest, no Himalaia, é a montanha mais alta do mundo, com 8.850m.

MONTE EVEREST

Dois terços do Mauna Kea estão no fundo do mar.

O Mauna Kea tem apenas 4.207m, mas são impressionantes 10.203m se contarmos a parte sob o oceano.

MAUNA KEA

CONSULTOR ESPECIALISTA: Erik Klemetti. **VEJA TAMBÉM:** Dentro da Terra, pp.58-59; A Terra, pp.60-61; Placas tectônicas, pp.62-63; Vulcões, pp.64-65; Rochas e minerais, pp.70-71; Fósseis, pp.76-77; Pressão, pp.136-137; Monte Everest, pp.170-171.

Tipos de montanha

Algumas montanhas são empurradas para cima por vulcões ou terremotos, mas a maior parte das grandes cadeias montanhosas do mundo, como os Alpes, na Europa, e o Cáucaso, que corta a Europa e a Ásia, são montanhas de dobramento. Elas são forçadas gradualmente para cima por causa do lento deslocamento das placas tectônicas.

Montanhas vulcânicas
Formam-se quando a rocha derretida do interior da Terra irrompe pela crosta e vai se acumulando.

Montanhas de falhas
Tensões nas placas tectônicas provocam rachaduras e forçam blocos de rocha para cima.

Montanhas dômicas
Formam-se quando o magma dentro da Terra empurra a crosta, formando uma cúpula, e se solidifica.

Montanhas de dobramento
Os movimentos das placas tectônicas da Terra comprimem as camadas de rocha, fazendo com que emerjam e se dobrem.

Principais cadeias de montanhas

As maiores cadeias de montanhas, marcadas de marrom no mapa, formaram-se ao longo dos limites das placas tectônicas, as placas rochosas deslizantes que compõem a superfície terrestre. Entre elas, incluem-se as cadeias de montanhas e cadeias de vulcões que margeiam as costas ocidentais da América do Norte e do Sul (as Montanhas Rochosas e os Andes), as cordilheiras dos Alpes e do Cáucaso, na Europa, e o Himalaia, que se ergue ao norte da Índia.

Montanhas Rochosas — Andes — Alpes — Cáucaso — Himalaia

OCEANO ATLÂNTICO
OCEANO PACÍFICO
OCEANO ÍNDICO

O pico do monte Chimborazo tem 6.310m e é o mais distante do centro da Terra.

MONTE CHIMBORAZO

O monte Kilimanjaro tem 5.895m. É a montanha isolada mais alta do mundo.

MONTE KILIMANJARO

ROCHAS E MINERAIS

As rochas são os "tijolos" que compõem a superfície da Terra. A maioria delas é uma combinação de um ou mais minerais aglutinados ou fundidos. Embora existam milhares de minerais – desde diamantes duros e brilhantes até o gesso macio –, apenas 40 são comuns nas rocha. As centenas de variedades de rocha podem ser divididas em três grupos básicos: ígneas, sedimentares e metamórficas.

O ciclo das rochas

As rochas vão mudando aos poucos ao longo de milhões de anos. Na superfície, se desintegram e são depositadas para formar rochas sedimentares. No interior da Terra, são esmagadas e submetidas a altas temperaturas para formar rochas metamórficas. Ou derretem parcialmente e se solidificam para formar rochas ígneas, que sobem em direção à superfície. Quando expostas à superfície, as rochas se desintegram e o ciclo se repete.

Fatos Fantásticos!

O solo começa como rocha! Desintegrado em pó pelo clima e misturado com matéria vegetal e animal, ele é capaz de dar sustentação a plantas e às suas raízes.

Erupções vulcânicas expelem rocha ígnea na forma de lava e a expõem ao clima.

Solidificação

Pequenos pedaços de rocha partida e organismos mortos se depositam no fundo do mar. Ao longo de milhões de anos, os sedimentos se solidificam e se transformam em rocha.

O clima, a água corrente e as raízes das plantas desintegram as rochas.

ROCHAS ÍGNEAS (EXTRUSIVAS)

Ao longo do tempo, o sedimento é recoberto por novas camadas de sedimentos.

A orogênese (formação de montanhas por movimentos tectônicos) expõe as rochas sedimentares ao clima.

A orogênese expõe as rochas metamórficas e ígneas ao clima.

ROCHAS SEDIMENTARES

As camadas superiores pressionam o sedimento e formam rochas sedimentares.

ROCHAS ÍGNEAS (INTRUSIVAS)

Calor e pressão transformam rochas ígneas em rochas metamórficas.

O magma resfria e se cristaliza para se tornar rocha ígnea.

As rochas ígneas derretem e se transformam em magma.

ROCHAS METAMÓRFICAS

Calor e pressão transformam rochas sedimentares em rochas metamórficas.

A rocha metamórfica derrete e se transforma em magma.

MAGMA

CONSULTOR ESPECIALISTA: Brendan Murphy. **VEJA TAMBÉM:** Planetas rochosos, pp.28-29; Dentro da Terra, pp.58-59; Placas tectônicas, pp.62-63; Vulcões, pp.64-65; Montanhas, pp.68-69; Cristais gigantes!, pp.72-73; Riquezas da Terra, pp.74-75; Fósseis, pp.76-77; Combustíveis fósseis, pp.80-81; Elementos químicos, pp.102-103, Compostos químicos, pp.106-107.

Tipos de rocha

Classificamos as rochas em três tipos, de acordo com as forças e as substâncias que as formaram:

Rochas ígneas
O magma derretido e superaquecido emerge das profundezas da Terra e se resfria para formar rochas ígneas. Se o magma atinge a superfície na forma de lava, a rocha é denominada extrusiva. Se ele se solidifica antes de atingir a superfície, a rocha é denominada intrusiva.

Rochas sedimentares
Lama, areia ou restos de organismos mortos que se depositam no fundo de um mar ou lago formam rochas sedimentares. Mais tarde, novos sedimentos se acumulam por cima, como um bolo em camadas. Ao longo de milhões de anos, o sedimento endurece e forma camadas de rocha sólida.

Rochas metamórficas
Os minerais nas rochas se tornam instáveis quando são derretidos pelo magma quente ou comprimidos durante a colisão de placas tectônicas. Novos minerais estáveis se cristalizam e as rochas que se formam são chamadas de metamórficas.

Minerais

Cada mineral possui determinada composição química. Alguns, como o ouro (à esquerda), são feitos de apenas um elemento químico. A maioria são compostos – uma combinação química de dois ou mais elementos. Pequenos vestígios de outros elementos podem fazer com que os minerais tenham aparência muito distinta. Vestígios de cobre tornam os minerais azuis ou verdes, por exemplo.

Como os cristais se formam

Quando crescem com liberdade, os minerais produzem cristais com formatos perfeitos. Geodos são rochas ocas com espaço para o crescimento de cristais dentro delas. Quando abertas, geralmente revelam belos minerais, como esta ametista brilhante (à direita). Os cristais de geodo crescem a partir de fluidos ricos em minerais retidos em uma bolha dentro da rocha. A maioria é minúscula, mas há alguns bastante grandes, e outros raros são classificados como pedras preciosas.

Ametistas cintilantes dentro de um geodo.

Qual é a dureza disso?

A escala de Mohs foi desenvolvida em 1812 pelo geólogo alemão Friedrich Mohs. Ele escolheu 10 minerais de dureza crescente para usar como referência. A lista completa está abaixo. Para descobrir quão dura é uma rocha desconhecida, primeiro tente arranhá-la com talco, um mineral muito macio. Se não funcionar, tente com gesso, e assim por diante – até o diamante –, até conseguir riscar sua amostra. Por exemplo, se você conseguir usando topázio, mas não com quartzo, você sabe que a amostra de rocha é mais dura do que o quartzo, porém mais macia que o topázio.

1. Talco
2. Gipsita (gesso)
3. Calcita
4. Fluorita
5. Apatita
6. Ortoclásio
7. Quartzo
8. Topázio
9. Corindo (rubi e safira)
10. Diamante

CONSULTOR ESPECIALISTA: Paolo Forti. **VEJA TAMBÉM:** Placas tectônicas, pp.62-63; Vulcões, pp.64-65; Rochas e minerais, pp.70-71; Riquezas da Terra, pp.74-75; Compostos químicos, pp.106-107; Sólidos, líquidos e gases, pp.110-111.

CRISTAIS GIGANTES!

Em 2006, cientistas estudaram cristais gigantes em uma caverna quente e fumegante na Mina de Naica, em Chihuahua, no México. Com até 12 metros de comprimento e 1 metro de largura, os cristais são compostos de sulfetos químicos e da água que penetra o local. A caverna fica no topo de uma câmara de magma – um bolsão subterrâneo de rocha derretida. Por causa da temperatura constante de cerca de 55°C, os cristais se formaram muito devagar ao longo de 250 mil anos. Os mineiros drenaram a água da caverna para explorá-la e, depois, deixaram que fosse inundada novamente.

Os cristais são uma forma de gipsita chamada selenita.

A temperatura do ar na caverna drenada era de 50°C. Estava tão quente que os cientistas tiveram que usar trajes especiais e ninguém ficou lá dentro por mais de 90 minutos.

RIQUEZAS DA TERRA

As rochas da Terra são nosso verdadeiro tesouro enterrado. Elas proporcionam os materiais para fabricar aço para carros, minerais raros para computadores e celulares e até a maior parte do sal que colocamos na comida. Todos os elementos estão dispersos pela crosta terrestre, e isso inclui metais como ferro, alumínio, cobre e estanho. Por meio de processos naturais, metais se concentram em rochas especiais chamadas de minérios.

Que bafo quente!

Temos que aquecer e processar minérios para extrair metais da rocha. O ferro é um metal super-resistente. Ele é usado para fazer muitas coisas – de pontes a panelas. Para retirar o ferro, temos que aquecer o minério a uma temperatura elevada num alto-forno gigante que sopra ar para aumentar a temperatura. Esse processo é chamado de fundição.

Minas

Extrair minério de ferro do solo é difícil. Escavamos parte dele em enormes poços chamados minas a céu aberto (abaixo). Algumas das mais produtivas do mundo estão na Austrália, onde só as minas da mineradora Rio Tinto extraem mais de 300 milhões de toneladas todos os anos.

CONSULTOR ESPECIALISTA: Brendan Murphy. **VEJA TAMBÉM:** Dentro da Terra, pp.58-59; Rochas e minerais, pp.70-71; Cristais gigantes!, pp.72-73; Combustíveis fósseis, pp.80-81; Metais, pp.114-115; Plásticos, pp.118-119.

Materiais comumente minerados
A LISTA

Extraímos bilhões de toneladas de materiais do planeta todos os anos.

1. Carvão: 7,8 bilhões de toneladas. É o material mais extraído do mundo. A China é o maior produtor.

2. Minério de ferro: 1,5 bilhão de toneladas. É de longe o metal mais utilizado. Grande parte é transformada em aço.

3. Bauxita: 370 milhões de toneladas. É um minério terroso, não uma rocha sólida. Trata-se do principal minério utilizado na fabricação do alumínio.

4. Rocha fosfática: 240 milhões de toneladas. O fosfato é a fonte do fósforo usado em fertilizantes. Cerca de metade vem da China.

5. Gesso: 140 milhões de toneladas. O gesso é utilizado em materiais de construção, como *drywall* (placas de gesso) e cimento.

REVOLUCIONÁRIO
HENRY BESSEMER
Inventor, viveu de 1813 a 1898

Reino Unido

Em 1856, o inventor inglês Henry Bessemer criou uma fornalha capaz de transformar ferro em aço, um material forte que pode ser usado para fazer uma grande variedade de coisas, de arranha-céus a facas e garfos. Dentro do conversor de Bessemer, o ar é soprado no ferro fundido para remover as impurezas. O operador então acrescenta outros elementos, dependendo da finalidade do aço.

Pedras preciosas

Cristais coloridos e brilhantes são raros e valiosos. Se forem duros o suficiente para serem cortados e transformados em joias, são chamados de pedras preciosas ou gemas, como é o caso de diamantes, rubis, esmeraldas e safiras. Elas se formam apenas em condições incomuns, por isso são tão raras. A Terra tem cerca de 5 mil minerais diferentes, mas menos de 100 formam gemas e apenas 50 delas são usadas em joias.

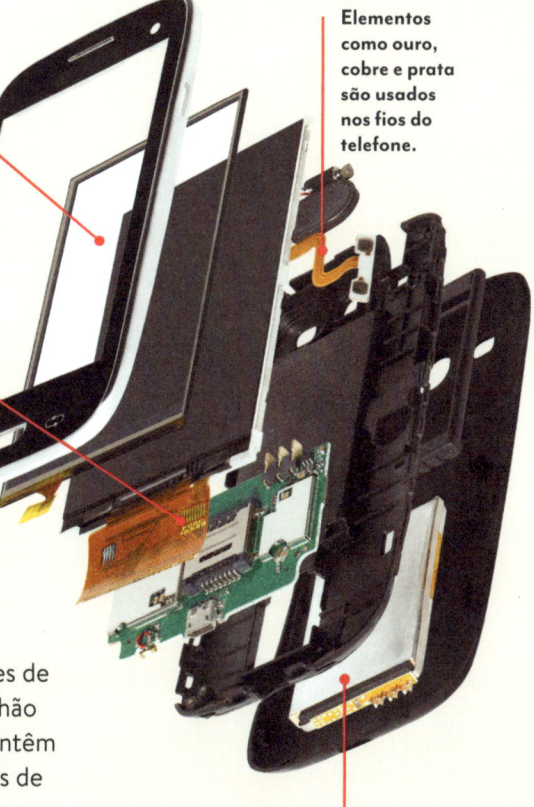

Do que é feito um celular?

Os celulares contêm materiais especiais e raros. No entanto, jogamos fora mais de 100 milhões de aparelhos todos os anos. Um milhão desses telefones descartados contêm 16 toneladas de cobre e 34 quilos de ouro, sem falar dos metais valiosos como o lítio e a platina. Quanto desperdício!

A tela é de vidro de óxido de alumínio e dióxido de silício, com uma camada ultrafina de óxido de índio e estanho.

O circuito contém os metais platina e tungstênio.

Elementos como ouro, cobre e prata são usados nos fios do telefone.

As baterias contêm o metal raro óxido de cobalto de lítio e também grafite.

95%
5%

Recicle as latas!
O alumínio é um metal útil porque é muito leve e não enferruja. É o material usado em latas de bebidas. A reciclagem do alumínio utiliza apenas 5% da energia de sua extração e emite apenas 5% dos gases do efeito estufa em comparação. Reciclar latas é vital!

FÓSSEIS

Fósseis são resíduos ou vestígios de vida antiga que foram preservados em rocha. Normalmente, apenas as partes duras dos animais – conchas, ossos e dentes – são preservadas ou decalcadas. Alguns dos fósseis mais comuns são de moluscos. São tão comuns que algumas rochas são compostas quase que inteiramente deles. Fósseis de animais de grande porte são muito mais raros.

Fatos Fantásticos!

Caçadores de fósseis encontraram cocô de dinossauro fossilizado! Eles chamam esses pedaços de cocô fossilizados de coprólitos. Observando sua forma e seu tamanho, bem como o local onde foram encontrados, os especialistas conseguem dizer de que tipo de animal vieram os excrementos. Os coprólitos também podem conter pistas sobre a dieta de um animal.

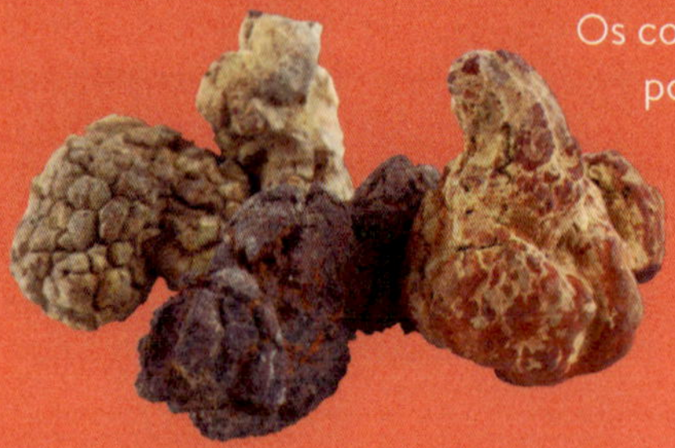

COMO UM FÓSSIL SE FORMA

A maioria dos animais nunca se torna fóssil. Seus corpos simplesmente apodrecem ou são comidos por outros animais. Eles só são fossilizados se os sedimentos cobrirem seus corpos logo depois de sua morte.

❶ Enterrado inteiro

Uma criatura como um dinossauro morre e é soterrada por sedimentos. Às vezes esses sedimentos são trazidos por um rio; em outras, o animal morre na lama e afunda nela.

- Um dinossauro morre na beira de um lago.
- Camadas de sedimentos lamacentos ficam no fundo do lago.

❷ Os ossos se transformam em pedra

Embora a carne do dinossauro se decomponha, a lama protege seus ossos. Com o passar do tempo, o esqueleto vai sendo enterrado mais fundo. Os minerais presentes nas águas subterrâneas preenchem os espaços vazios nos ossos e substituem seus minerais originais, transformando-os em rocha.

- A carne se decompõe, deixando apenas ossos e dentes.
- O esqueleto afunda na lama.

❸ Escondido por milhões de anos

Os minerais que preenchem e substituem os ossos mantêm as formas originais dos ossos. Ao longo de milhões de anos, a lama se transforma em rocha, revestindo o fóssil. Quando a rocha se quebra, o fóssil é revelado.

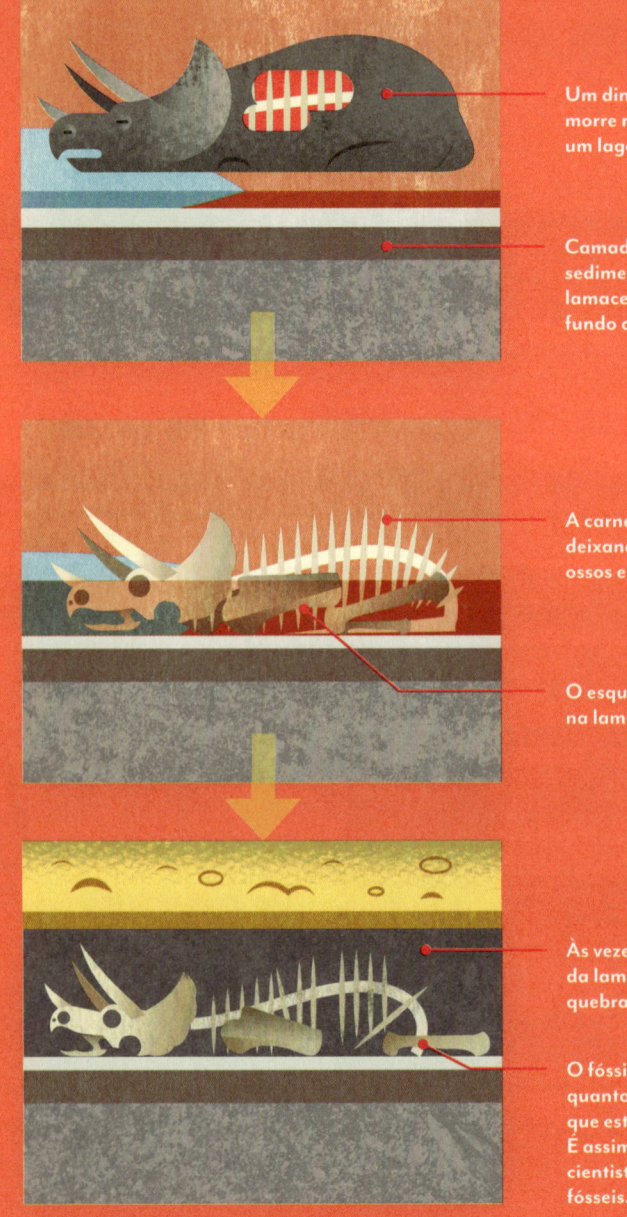

- Às vezes, o peso da lama achata ou quebra o esqueleto.
- O fóssil é tão antigo quanto a rocha em que está enterrado. É assim que os cientistas datam os fósseis.

CONSULTOR ESPECIALISTA: Nathan Smith. **VEJA TAMBÉM:** Planetas rochosos, pp.28-29; Asteroides, pp.34-35; Dentro da Terra, pp.58-59; Rochas e minerais, pp.70-71; Encontrando dinossauros, pp.78-79; Combustíveis fósseis, pp.80-81; O mundo microscópico, pp.154-155.

O poderoso triceratops

O triceratops foi um dinossauro herbívoro que viveu entre 68 milhões e 66 milhões de anos atrás. Tinha 9 metros de comprimento e um dos maiores crânios de animal que já existiram, com três chifres e um grande folho (sua crista óssea) de até 1 metro de diâmetro. O triceratops pode ter usado seus chifres para se defender de ataques de dinossauros predadores, como o tiranossauro, em combate ou para enviar sinais a outros da sua espécie.

Os tipos de fóssil mais antigos
A LISTA

Os fósseis nos ajudam a entender como a vida na Terra evoluiu. Estes são alguns dos tipos mais antigos de fóssil conhecidos:

1. Plantas Os fósseis vegetais mais antigos datam de 1 bilhão de anos. Foram encontrados na China em 2019.

2. Animais com concha Os braquiópodes estavam entre os primeiros animais com concha. Seus fósseis, que lembram mexilhões, datam de 550 milhões de anos atrás.

3. Peixes Rochas de cerca de 530 milhões de anos atrás contêm fósseis dos primeiros peixes conhecidos. Eles mostram criaturas compridas, finas e sem mandíbula, semelhantes a enguias.

4. Insetos O Cherte de Rhynie, de 400 milhões de anos, na Escócia, contém restos fossilizados de pequenas criaturas semelhantes a colêmbolos. São os insetos mais antigos já encontrados.

5. Dinossauros O *Nyasasaurus*, uma criatura pequena e de pescoço comprido, pode ter sido o mais antigo de todos os dinossauros. Paleontólogos (pessoas que estudam fósseis) encontraram seus restos em rochas de 243 milhões de anos na Tanzânia. Até hoje, os caçadores de fósseis já encontraram cerca de mil tipos de dinossauros, mas pode haver muitos mais.

6. Mamíferos O fóssil mais antigo de um mamífero é de uma pequena criatura parecida com um musaranho chamada *Ambondro mahabo*. Foi descoberto em rochas na bacia de Mahajanga, no noroeste de Madagascar. O fóssil tem cerca de 167 milhões de anos.

Patas grandes

Os dinossauros deixaram pegadas em todo o mundo, como estas no Parque Nacional Torotoro, na Bolívia. Elas foram feitas na lama fofa, que depois cozinhou ao sol antes de se transformar em pedra. As pegadas dos saurópodes, alguns dos maiores dinossauros, podem ter 1,7 metro de diâmetro. Os especialistas não conseguem determinar a espécie de um dinossauro apenas por sua pegada, mas podem dizer a que grupo ele pertence – e, por vezes, até a que velocidade se movia. Pegadas de dinossauro foram encontradas também no município de Sousa (PB), no Brasil.

NOTA do especialista!

NATHAN SMITH
Paleontólogo

O Dr. Nathan Smith é curador do Museu de História Natural do Condado de Los Angeles. Ele usa muitas ferramentas e técnicas para responder perguntas sobre a história da vida. Tem interesse especial no que tornou os dinossauros tão bem-sucedidos.

"Há menos tempo separando você do tiranossauro (66 milhões de anos) do que separando o tiranossauro do alossauro (84 milhões de anos)!"

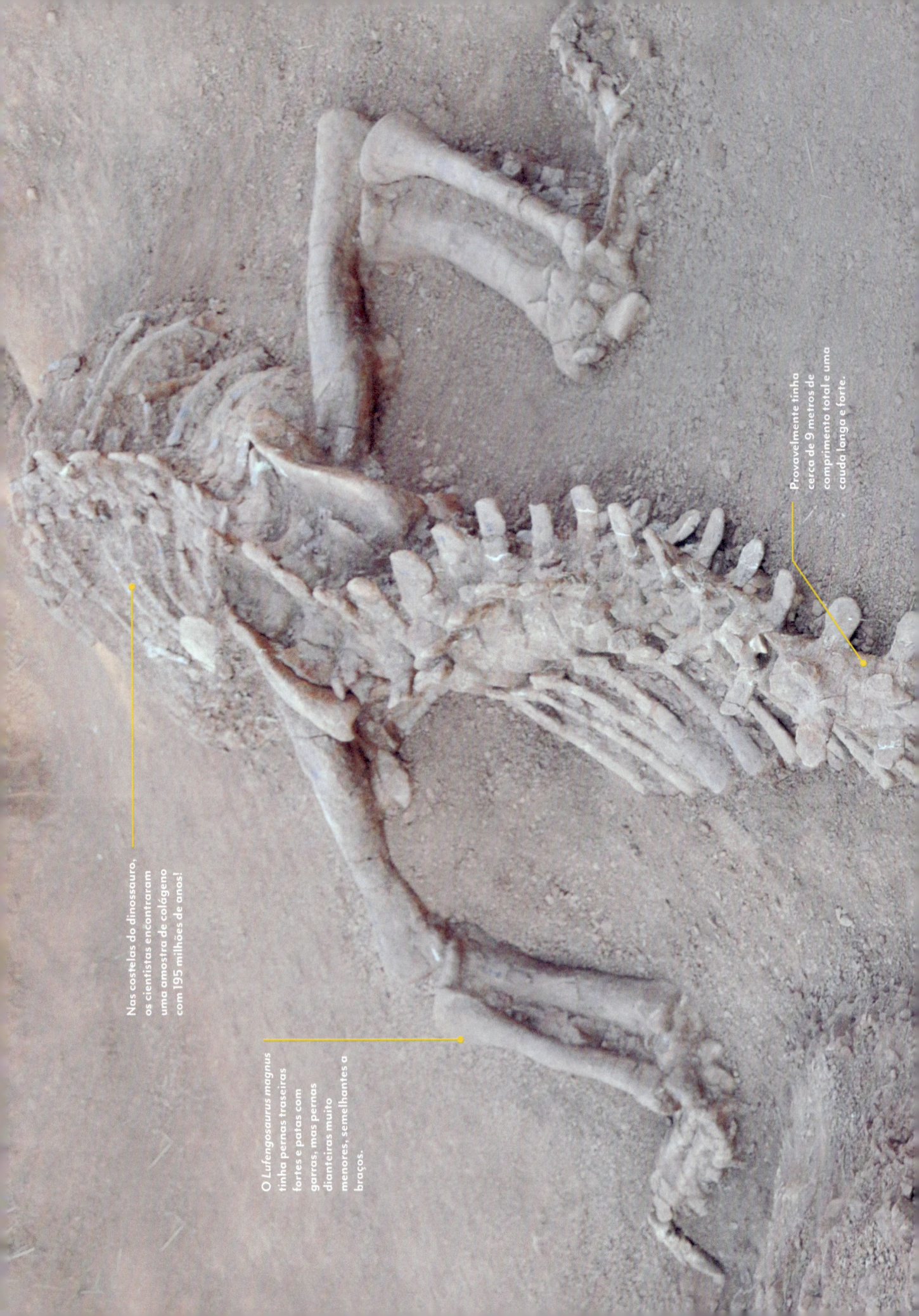

Provavelmente tinha cerca de 9 metros de comprimento total e uma cauda longa e forte.

Nas costelas do dinossauro, os cientistas encontraram uma amostra de colágeno com 195 milhões de anos!

O *Lufengosaurus magnus* tinha pernas traseiras fortes e patas com garras, mas pernas dianteiras muito menores, semelhantes a braços.

ENCONTRANDO DINOSSAUROS

Trabalhadores que construíam uma estrada na China toparam com este enorme fóssil de um dinossauro herbívoro em 2015. Ele representa um novo espécime de *Lufengosaurus magnus* (grande lagarto de Lufeng), batizado em referência ao condado de Lufeng, na província de Yunnan, onde foi encontrado. Os minerais nas águas subterrâneas transformam ossos de dinossauros em fósseis como estes ao longo de milhões de anos. Hoje encontramos mais dinossauros do que nunca – cerca de 50 novas espécies por ano. Isso ocorre porque novos locais estão sendo escavados.

O *Lufengosaurus magnus* provavelmente era herbívoro. Como uma girafa, devia usar seu longo pescoço para alcançar as folhas mais altas nas árvores.

Lufengosaurus magnus

Ao observar os fósseis desse dinossauro, os paleontólogos podem descobrir como ele era, quanto devia pesar e o que comia. Eles sabem que o *Lufengosaurus* tinha uma cauda longa e também um pescoço comprido, e acreditam que pesava cerca de 1,7 tonelada.

CONSULTOR ESPECIALISTA: Nathan Smith. **VEJA TAMBÉM:** Montanhas, pp.68-69; Fósseis, pp.76-77; Animais, pp.158-159; Ecologia, pp.162-163; A taiga e as florestas temperadas, pp.166-167.

COMBUSTÍVEIS FÓSSEIS

Combustíveis como o carvão e o petróleo são derivados de fósseis – os restos esmagados de plantas ou animais unicelulares, ricos em carbono, que viveram há milhões de anos. A maior parte da energia que utilizamos provém da queima desses combustíveis extraídos da crosta terrestre. Eles movimentam o mundo há centenas de anos, mas seu uso provoca danos ao meio ambiente e, um dia, vão se esgotar.

Como os combustíveis fósseis se formaram

O carvão se formou a partir de restos de árvores que cresceram em pântanos tropicais entre cerca de 360 milhões e 300 milhões de anos atrás, muito antes da era dos dinossauros. Ao mesmo tempo, pequenos organismos aquáticos foram soterrados e transformados por bactérias em uma substância chamada querogênio, que o calor da Terra transformou em petróleo ou gás natural. A época em que os combustíveis fósseis se formaram é chamada de Período Carbonífero.

Uma das plantas mais comuns no Período Carbonífero foi o lepidodendro.

As plantas retiram carbono do ar.

Tipos de combustível fóssil

Existem três tipos principais de combustível fóssil: carvão, petróleo e gás natural.

Carvão
Uma grande quantidade de carvão está no subsolo. O carvão mais próximo da superfície pode ser extraído de enormes minas a céu aberto. Sólido e muito volumoso, é transportado por trens ou navios para onde for necessário.

Petróleo
O petróleo é líquido. Os operários cavam poços usando brocas gigantes e depois os bombeiam, mas parte do petróleo brota por conta própria. Dutos o levam para onde for necessário; navios petroleiros o transportam pelo mundo todo.

Gás natural
Às vezes encontrado em depósitos de carvão ou petróleo e às vezes isolado, o gás natural é armazenado em tanques e transportado pelo mundo por gasodutos.

CONSULTOR ESPECIALISTA: John P. Rafferty. **VEJA TAMBÉM:** Placas tectônicas, pp.62-63; Rochas e minerais, pp.70-71; Riquezas da Terra, pp.74-75; Fósseis, pp.76-77; A química da vida, pp.120-121; Pressão, pp.136-137; A origem da vida, pp.148-149.

Debaixo da terra ou do mar!

O petróleo se forma em regiões chamadas de bacias sedimentares, onde a matéria orgânica pôde se acumular e passar pelo processo geológico de formação ao longo de milhões de anos. Essas áreas podem estar tanto sob a terra quanto sob o mar. Por isso, a exploração desse recurso ocorre de maneira *onshore* (em terra firme) e *offshore* (em alto-mar). Curiosamente, muitas vezes o petróleo não está concentrado em bolsões líquidos, mas incrustado em rochas semelhantes a esponjas rígidas, como o xisto. Nesses casos, pode ser necessária a injeção de materiais (como água ou gases) nos reservatórios para aumentar a pressão e facilitar a extração.

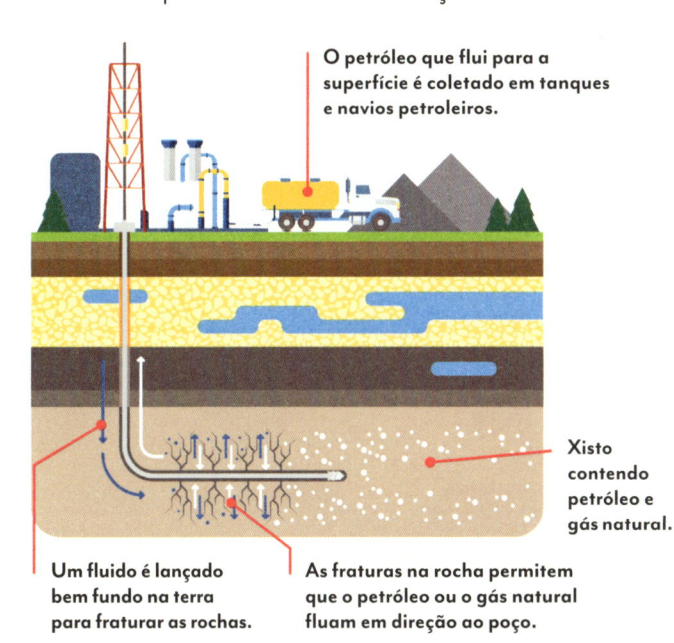

O petróleo que flui para a superfície é coletado em tanques e navios petroleiros.

Xisto contendo petróleo e gás natural.

Um fluido é lançado bem fundo na terra para fraturar as rochas.

As fraturas na rocha permitem que o petróleo ou o gás natural fluam em direção ao poço.

Fatos Fantásticos!

Uma gota de petróleo é como uma bateria carregada pela luz solar. Essa carga ocorreu há milhões de anos, quando o Sol brilhou sobre as plantas terrestres e sobre minúsculos organismos marinhos chamados fitoplânctons. Essas formas de vida usaram a energia do Sol para transformar substâncias químicas em alimento – um processo chamado fotossíntese. Quando morreram e se transformaram em petróleo, a energia retida ficou superconcentrada, fazendo do petróleo uma fonte de energia.

Consequências do uso de combustíveis fósseis
A LISTA

Os combustíveis fósseis são uma importante fonte de energia, mas podem causar danos ao meio ambiente de várias maneiras:

1. Paisagens afetadas A mineração, a extração, o processamento e o transporte de depósitos de petróleo, gás natural e carvão afetam a superfície das áreas e perturbam a vida selvagem.

2. Menos água limpa A extração de combustíveis fósseis pode contaminar fontes de água doce potável, como os lençóis freáticos (águas subterrâneas), que representam 30% da água doce do mundo.

3. Riscos para a saúde A extração de combustíveis fósseis com frequência libera na atmosfera produtos químicos tóxicos, que podem causar doenças e morte.

4. Aquecimento global A queima de combustíveis fósseis libera enormes quantidades de dióxido de carbono. Isso aumenta o aquecimento global e contribui para a crise climática.

5. Emissões tóxicas As centrais elétricas que queimam carvão liberam produtos químicos venenosos, incluindo mercúrio e enxofre.

6. Smog Carros, caminhões e barcos movidos a gasolina e a diesel expelem monóxido de carbono e óxido de nitrogênio, que são tóxicos, criando uma combinação de fumaça e neblina (chamada *smog*) em dias quentes.

7. Oceanos ácidos A queima de combustíveis fósseis altera a química dos mares, tornando-os muito mais ácidos e destruindo corais e outras formas de vida marinha.

DESBRAVANDO O DESCONHECIDO

Quando os combustíveis fósseis vão se esgotar?

Depois que todos os combustíveis fósseis subterrâneos tiverem sido extraídos ou drenados, não haverá mais. E não sabemos quanto nos resta. Alguns especialistas acreditam que já consumimos quase metade da reserva do planeta. Se continuarmos a utilizá-los no ritmo atual, poderemos ficar sem petróleo e gás natural no final do século XXI e sem carvão no início do século XXII.

50%?

81

MUNDO AQUÁTICO

Oceanos, lagos e rios cobrem três quartos da superfície da Terra. Mas não podemos beber boa parte dela. Aproximadamente 97% são água salgada dos oceanos, cerca de 2% são geleiras e mantos de gelo e 0,5% está no subsolo. Apenas uma pequena fração é água doce superficial que podemos consumir, mas as atividades humanas, como a construção civil, a indústria e a agricultura, estão afetando essas reservas.

O ciclo da água

A minúscula fração de água doce no mundo é constantemente reciclada pela natureza. A evaporação dos oceanos, dos lagos e da água nas folhas das plantas aumenta a quantidade de vapor d'água. O vapor esfria e se condensa em pequenas gotículas, que se unem e formam nuvens. Depois, a água cai de volta no solo na forma de chuva ou neve.

Fatos Fantásticos!

A água que você bebe hoje pode já ter sido bebida por dinossauros e outras criaturas pré-históricas! A água está na Terra desde o início do planeta – há 4,6 bilhões de anos. Grande parte da nossa água é antiga, tendo sido usada inúmeras vezes.

- À medida que o vapor d'água sobe, o ar se resfria e o vapor se condensa em nuvens de gotículas.

- As nuvens são feitas de gotas d'água e cristais de gelo tão pequenos que flutuam no ar.

- Quando as gotas d'água e os cristais de gelo ficam grandes demais, caem na forma de chuva ou neve.

- A água da chuva e a neve derretida escorrem pela terra em rios e riachos, que as levam de volta ao mar.

- A água congelada pode ser armazenada na forma de neve e de geleiras.

- Nas cidades, onde a superfície está coberta por edifícios e estradas, o solo absorve menos água da chuva. Em suas casas e locais de trabalho, as pessoas geram águas residuais (água usada, misturada com resíduos).

- A água evapora da superfície das folhas num processo chamado de evapotranspiração.

- Parte da água da chuva penetra no solo. As plantas absorvem parte dela por suas raízes.

- Alguns lençóis freáticos – a água da chuva ou da neve que fica retida no solo ou nas fendas das rochas – infiltram-se nos riachos.

CONSULTOR ESPECIALISTA: David M. Hannah. **VEJA TAMBÉM:** Asteroides, pp.34-35; Nasce a Terra, pp.52-53; O gelo da Terra, pp.84-85; A atmosfera, pp.86-87; Condições atmosféricas, pp.88-89; Megatempestades, pp.90-91; Clima, pp.92-93; Mudanças climáticas naturais, pp.94-95.

DESBRAVANDO O DESCONHECIDO

De onde veio a água da Terra?

A Terra é única entre os planetas rochosos do Sistema Solar porque possui oceanos de água líquida em sua superfície. Muitos cientistas acreditam que essa água superficial tenha vindo de núcleos de cometas, como este da imagem, que colidiram com nosso planeta nos seus primórdios. Isso porque a água nos oceanos da Terra e nos asteroides tem a mesma proporção de um tipo de hidrogênio chamado deutério. Mas também existe água nas profundezas da Terra, que ficou retida quando o planeta se formou, então talvez grande parte da nossa água já estivesse aqui desde o início.

Os rios mais extensos do mundo
A LISTA

Medir rios é complicado, pois os especialistas podem discordar sobre onde eles começam e onde terminam. Esta lista inclui sistemas fluviais.

1. O Nilo tem cerca de 6.650 quilômetros de extensão e dois braços, o Nilo Branco e o Nilo Azul. Cruza o nordeste da África até o Mar Mediterrâneo.

2. O Amazonas flui por 6.400 quilômetros, cortando a América do Sul, e deságua no Atlântico. Tem uma vazão de água maior do que qualquer outro rio. Dependendo da medição, pode chegar a 6.992 quilômetros, tornando-se o mais longo do mundo.

3. O Yangtzé tem 6.300 quilômetros e é o rio mais extenso que flui todo dentro de um único país, a China. Deságua no mar da China Oriental.

4. O sistema Mississippi-Missouri tem 5.971 quilômetros de extensão e atravessa 31 estados americanos e duas províncias canadenses. Deságua no golfo do México.

5. O sistema Ienissei-Angara-Selenga tem 5.540 quilômetros de extensão. Nasce como o Selenga, na Mongólia, flui para o Angara, para o Ienissei e para o norte, cruzando a Rússia rumo ao Oceano Ártico.

6. O rio Huang, ou Amarelo, tem 5.464 quilômetros de extensão. Ele flui pela China e deságua no mar da China Oriental, perto de Pequim.

7. O sistema fluvial Ob-Irtixe tem 5.410 quilômetros de extensão. Nasce no noroeste da China e flui pelo Cazaquistão e pela Rússia até o mar de Kara, no Oceano Ártico.

Por que os rios fazem curvas?

Todos os rios serpenteiam. À medida que se aproximam do mar, eles fluem sobre amplas planícies macias, feitas de silte (solo e rocha granulada). Eles fazem curvas em forma de S chamadas meandros, pois desgastam as margens na parte externa das curvas, onde o fluxo da água é mais rápido, e depositam silte na parte interna das curvas, onde o fluxo é mais lento.

NOTA do especialista!

DAVID M. HANNAH
Hidrólogo

O professor David M. Hannah é fascinado pelo ciclo da água: de onde vem, para onde vai e o que acontece com ela ao longo do caminho. Ele acredita que o maior desafio do futuro será a segurança hídrica – ter água suficiente para todas as pessoas do planeta.

"Precisamos compreender como as pessoas interagem com o ciclo da água para gerir a sustentabilidade desse recurso precioso."

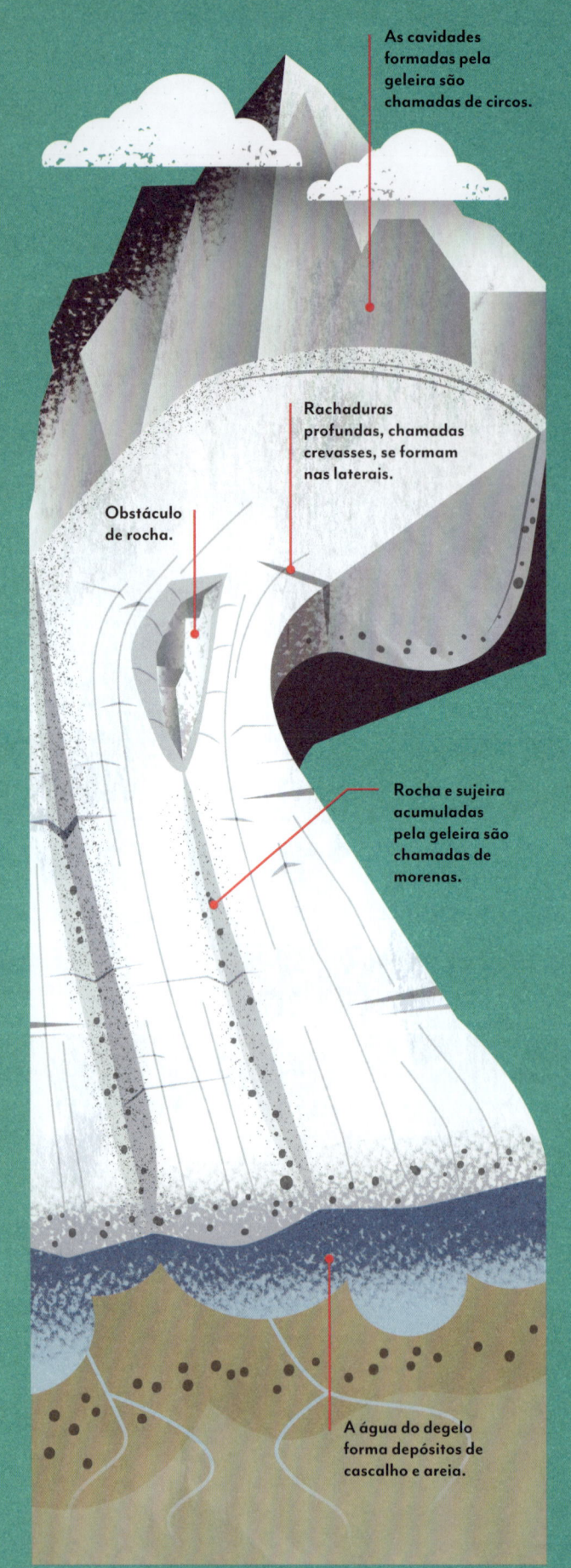

O GELO DA TERRA

Dois terços da água doce do mundo estão congelados, ou como neve ou retidos nas geleiras. A maior parte da água congelada da Terra encontra-se em dois vastos mantos de gelo perto dos polos. Nem sempre foi assim. Em vários momentos da História, o planeta quase não tinha gelo. Em outros, a Terra pode ter sido uma "bola de neve" totalmente congelada. Durante longos períodos de clima muito frio, chamados eras glaciais, os mantos de gelo cobriram um terço da superfície terrestre por milhares de anos. Neste exato momento, os mantos de gelo da Terra estão diminuindo.

Vales glaciares

As geleiras se formam quando a neve se acumula nos vales das montanhas e se compacta em gelo sólido, que em algum momento começa a deslizar pelas montanhas, como uma geleira – um lento rio de gelo, que se move cerca de 25 centímetros por dia. O imenso peso do gelo nas geleiras lhes dá o poder de esculpir vales profundos em forma de U.

- As cavidades formadas pela geleira são chamadas de circos.
- Rachaduras profundas, chamadas crevasses, se formam nas laterais.
- Obstáculo de rocha.
- Rocha e sujeira acumuladas pela geleira são chamadas de morenas.
- A água do degelo forma depósitos de cascalho e areia.

DESBRAVANDO O DESCONHECIDO

Por que alguns icebergs são verdes?

A maioria dos icebergs é de cor azulada, mas alguns na Antártida são verdes (chamados de icebergs de jade, por lembrar essa pedra). Os cientistas não sabem por quê, mas uma teoria é que os minerais de óxido de ferro vermelho-amarelados arrastados pelas geleiras se misturam à cor azul normal dos icebergs e os tornam verdes.

CONSULTOR ESPECIALISTA: Mark C. Serreze. **VEJA TAMBÉM:** A Terra, pp.60-61; Mundo aquático, pp.82-83; Condições atmosféricas, pp.88-89; Clima, pp.92-93; Mudanças climáticas naturais, pp.94-95; Os confins da Terra, pp.184-185; Encolhimento do gelo, pp.186-187.

Mantos de gelo

Áreas de gelo que se espalham por 50 mil quilômetros quadrados ou mais são chamadas de mantos de gelo. Eles se formam onde cai neve pesada no inverno que não derrete no verão. Os dois mantos de gelo que cobrem a Groenlândia e a Antártida retêm grande parte da água doce do mundo. Se a camada de gelo da Antártida derretesse, os oceanos se elevariam cerca de 60 metros, transformando o planeta completamente.

Vastos pedaços de gelo podem se soltar das bordas dos mantos, formando icebergs; esse processo é chamado de descola.

Os mantos de gelo são azuis quando o gelo é denso. Quando são brancos, estão cheios de bolhas de ar.

Gelo marinho

O Polo Norte fica no meio do Oceano Ártico, e não em terra firme, como o Polo Sul. O Oceano Ártico é coberto por gelo flutuante, cujas bordas externas crescem no inverno e derretem no verão. O aquecimento global fez com que o gelo marinho diminuísse drasticamente, e 95% do gelo velho – que dura mais de quatro anos – já derreteu. O gelo velho é espesso e agrega o resto do gelo. Sem ele, o gelo se quebra e derrete ainda mais.

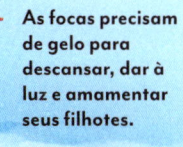

As focas precisam de gelo para descansar, dar à luz e amamentar seus filhotes.

85

A ATMOSFERA

A Terra está envolta em um espesso manto de gases invisíveis chamado atmosfera. Sem ela, a vida não seria possível. A atmosfera fornece o ar que respiramos e a água que bebemos. Retém o calor do Sol e protege a Terra de seus raios nocivos e também de meteoroides. A atmosfera tem cinco camadas, cada uma com a própria densidade de gases e temperatura. É composta por 78% de nitrogênio e 21% de oxigênio. Todos os outros gases representam apenas 1%.

EXOSFERA 600-10.000KM ACIMA DA SUPERFÍCIE DA TERRA

TERMOSFERA 85-600KM ACIMA DA SUPERFÍCIE DA TERRA

MESOSFERA 50-85KM ACIMA DA SUPERFÍCIE DA TERRA

ESTRATOSFERA 14,5-50KM ACIMA DA SUPERFÍCIE DA TERRA

TROPOSFERA 8-14,5KM ACIMA DA SUPERFÍCIE DA TERRA

Meteoros
São pedaços de rocha ou de lixo espacial que começam a se incendiar assim que atingem a atmosfera terrestre; a maioria se consome na mesosfera.

Aurora polar
Quando partículas de alta energia do Sol colidem com os gases da termosfera, os céus polares se enchem de luzes coloridas.

Condições atmosféricas
As condições atmosféricas se formam na troposfera, com as nuvens de tempestade tropical mais extremas atingindo o limite da estratosfera.

Nuvens noctilucentes
Essas nuvens de gelo que brilham à noite às vezes podem ser vistas na mesosfera logo após o Sol se pôr no verão.

CONSULTOR ESPECIALISTA: Paul Ullrich. **VEJA TAMBÉM:** O nosso sistema solar, pp.22-23; Foguetes, pp.38-39; Satélites artificiais, pp.40-41; Espaçonaves tripuladas, pp.42-43; Mundo aquático, pp.82-83; Condições atmosféricas, pp.88-89; Clima, pp.92-93; Mudanças climáticas naturais, pp.94-95.

Satélites geossíncronos
Para sinais de TV e previsão do tempo. Eles permanecem na mesma posição acima da Terra, orbitando a uma altura de 36.000km.

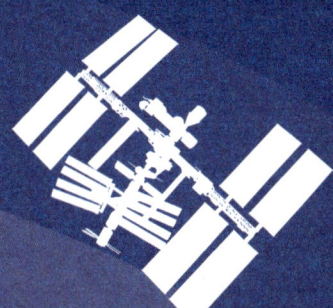

ISS
A Estação Espacial Internacional, onde vivem e trabalham astronautas, orbita a Terra na termosfera, a uma altura de 400km.

Espaçonaves
Podem orbitar a Terra em uma Órbita Terrestre Baixa (LEO, na sigla em inglês), que está entre 160 e 1.600km acima da superfície.

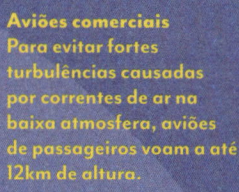

Queda livre
Nos Estados Unidos, Alan Eustace estabeleceu o recorde mundial do mais longo salto em queda livre em 2014, ao pular de 41,4km.

Aviões comerciais
Para evitar fortes turbulências causadas por correntes de ar na baixa atmosfera, aviões de passageiros voam a até 12km de altura.

Balões de grande altitude
Monitoram as condições atmosféricas a partir de alturas de 37km. Em 2002, o BU60-1 atingiu uma altitude recorde de 53km.

Caças aéreos
Em 1977, um MIG-25M soviético, pilotado por Aleksandr Fedotov, atingiu 37,7km de altura.

CONDIÇÕES ATMOSFÉRICAS

O calor do Sol faz a água congelada e líquida da Terra evaporar, fornecendo umidade à camada mais baixa da atmosfera terrestre. A umidade nos dá nuvens e chuva, e o movimento do ar produz ventos. Juntas, as mudanças diárias de temperatura, pressão, vento e umidade na baixa atmosfera geram todo tipo de fenômeno atmosférico.

Ventos globais

O vento sopra principalmente numa direção típica, ou "predominante". Existem três amplas zonas de vento predominantes em ambos os hemisférios: alísios (vindos do leste) nas regiões polares, contra-alísios (vindos do oeste) nas zonas temperadas e alísios novamente nos trópicos.

- alta polar
- ventos do oeste
- alta subtropical
- ventos alísios do nordeste
- zona de convergência intertropical (ZCIT)
- ventos alísios do sudeste
- alta subtropical
- ventos do oeste

Cirrus
Nuvens altas e finas feitas de cristais de gelo.

Cirrocumulus
As rajadas de ar misturam água superfria com cristais de gelo e formam nuvens cirrus onduladas, semelhantes a escamas de peixe.

Cirrostratus
O ar ascendente se espalha em um vasto e fino véu de cristais de gelo, que pode formar um halo ao redor do Sol.

Cumulonimbus
Essas enormes nuvens de tempestade sobem tão alto que são cobertas por nuvens cirrus geladas e provocam trovões, relâmpagos e chuvas fortes.

8KM ACIMA DA SUPERFÍCIE

Altocumulus
Essas pequenas nuvens se formam como ondas onde o vento agita o ar perto das montanhas.

Altostratus
Formam-se quando nuvens cirrostratus baixam e o gelo se mistura com gotas d'água.

Stratocumulus
Esses aglomerados brancos às vezes se formam quando nuvens stratus se desfazem.

Cumulus
Essas nuvens fofas se acumulam onde a luz do Sol aquece o solo e faz com que lufadas de ar quente subam em direção aos céus.

Nimbostratus
Essas nuvens escuras de chuva se formam quando as nuvens altostratus ficam mais espessas.

Stratus
Essas nuvens baixas se formam quando a brisa eleva o ar úmido sobre terras mais frias.

Do que são feitas as nuvens?

Embora a maioria das nuvens seja feita de minúsculas gotículas de água líquida, algumas são formadas por cristais de gelo e outras são uma mistura dos dois. Existem três tipos principais. Cirrus são nuvens finas de cristais de gelo. Cumulus são nuvens fofas e cheias que se acumulam à medida que o ar quente sobe. Podem ser feitas de cristais de gelo, água ou uma mistura dos dois. Stratus – nuvens planas e baixas que cobrem o céu como um manto branco ou cinza – também podem ser formadas por água e gelo.

4,8KM ACIMA DA SUPERFÍCIE

1,6KM ACIMA DA SUPERFÍCIE

CONSULTOR ESPECIALISTA: Paul Ullrich. **VEJA TAMBÉM:** A Terra no espaço, pp.54-55; Mundo aquático, pp.82-83; A atmosfera, pp.86-87; Megatempestades, pp.90-91; Sólidos, líquidos e gases, 110-111; Ecologia, pp.162-163; Mar aberto, 180-181.

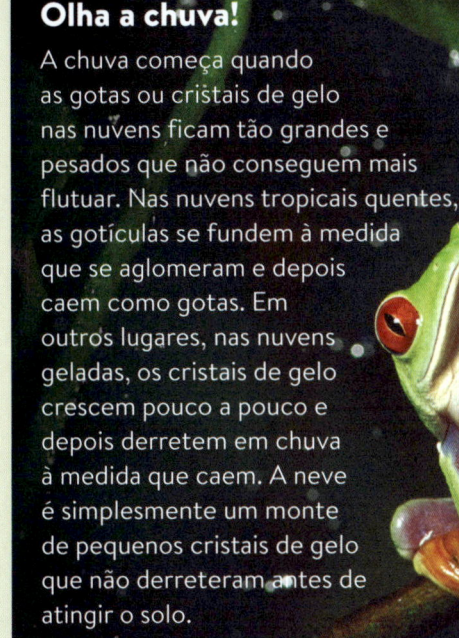

Fatos Fantásticos!

Uma nuvem cumulus de tamanho médio pesa o mesmo que 100 elefantes! Os cientistas descobriram que existe 0,5 grama de água em cada metro cúbico de nuvem. O tamanho médio de uma nuvem é de cerca de 1 bilhão de metros cúbicos. Isso significa então que ela pesa 500 toneladas!

Olha a chuva!

A chuva começa quando as gotas ou cristais de gelo nas nuvens ficam tão grandes e pesados que não conseguem mais flutuar. Nas nuvens tropicais quentes, as gotículas se fundem à medida que se aglomeram e depois caem como gotas. Em outros lugares, nas nuvens geladas, os cristais de gelo crescem pouco a pouco e depois derretem em chuva à medida que caem. A neve é simplesmente um monte de pequenos cristais de gelo que não derreteram antes de atingir o solo.

Flocos de neve

Cada floco de neve tem um formato único, que podemos ver no microscópio. Mas a maioria dos flocos tem seis pontas ou seis lados e segue uma das sete formas básicas: placa, coluna, coluna com placas, estrela, agulha, dendrito (com ramificações) e irregular (normalmente são flocos de neve danificados). A forma que um floco de neve assume depende da temperatura e do nível de umidade na nuvem.

Placa • Coluna • Coluna com placas • Estrela • Agulha • Dendrito • Irregular

Como ler um mapa meteorológico

Os meteorologistas preveem o tempo monitorando condições como temperatura, vento, pressão, umidade e precipitação. Comparando essas informações com padrões anteriores e utilizando computadores para simular a atmosfera, podem dizer como será o tempo. Eles usam linhas e símbolos em mapas meteorológicos para indicar o tipo de precipitação (como chuva ou neve), a quantidade de nuvens e a força e a direção do vento.

Frente fria
O ar frio está substituindo o ar quente.

Frente quente
O ar quente está substituindo o ar frio.

Frente oclusa
Uma frente fria está ultrapassando uma frente quente.

Frente estacionária
Uma frente quente e uma frente fria estão se chocando.

A Centro de alta pressão
Uma área de ar fresco e seco, que leva a um céu limpo.

B Centro de baixa pressão
Uma área de ar quente e úmido, que leva a um céu nublado.

Isóbaras
Quanto mais próximas essas áreas estiverem uma da outra, mais fortes serão os ventos.

Nuvem supercélula onde o tornado se desenvolve.

A nuvem de funil desce da supercélula, girando em círculos cada vez mais estreitos à medida que se aproxima do solo.

Um tornado ataca

Tornados surgem a partir de nuvens de tempestade gigantes. Rugindo como um trem, atravessam a paisagem a velocidades entre 48 e 113km/h, derrubando edifícios, arrancando árvores e lançando carros para o alto. Os ventos do tornado giram de 105 a 482km/h ou mais, criando um centro de baixa pressão que pode sugar objetos como um aspirador de pó.

Detritos e poeira são revirados onde o tornado toca.

MEGATEMPESTADES

Furacões são enormes tempestades circulares com centenas de quilômetros de largura que sopram do Atlântico para o golfo do México, trazendo ventos fortes, chuvas pesadas e mar agitado. Tufão é o nome do furacão no noroeste do Oceano Pacífico. Se ocorrer no Índico, é ciclone. Tornados são diferentes, cruzando alguns quilômetros de faixa de terra antes de morrer.

Espirais de nuvens trovejantes trazem chuvas torrenciais.

O centro, ou olho, de um furacão é estático e não tem nuvens. No entanto, a parede ao redor do olho tem os ventos mais violentos.

Furacão a caminho

Os meteorologistas usam satélites para rastrear furacões. Eles começam sobre o oceano, perto da Linha do Equador, avançam para oeste e depois seguem para nordeste. No Hemisfério Norte, giram no sentido anti-horário. No Hemisfério Sul, giram no sentido horário.

CONSULTOR ESPECIALISTA: Paul Ullrich. **VEJA TAMBÉM:** Condições atmosféricas, pp.88-89; Clima, pp.92-93.

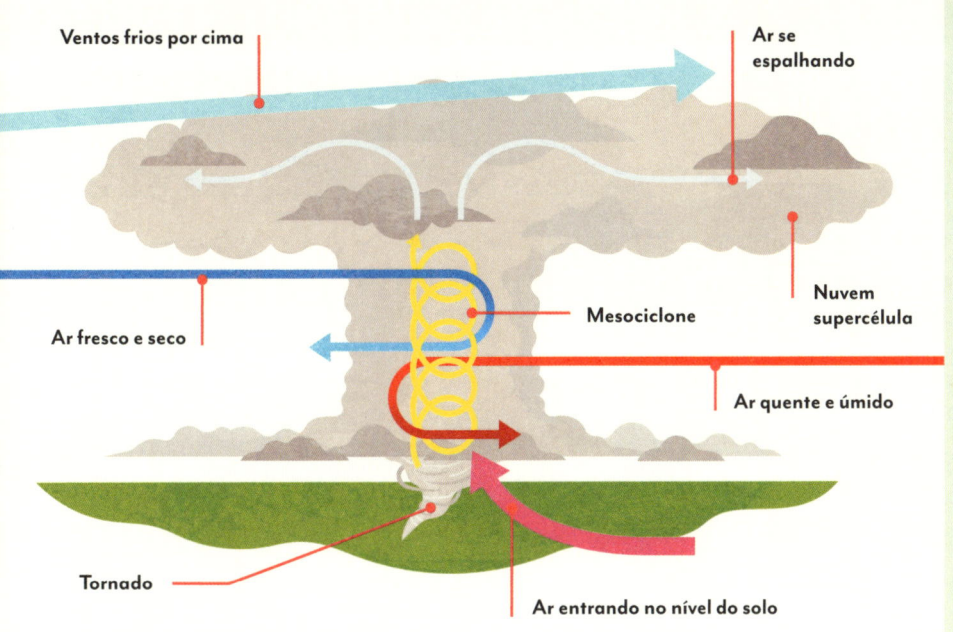

Como surge um tornado

- Ventos frios por cima
- Ar se espalhando
- Nuvem supercélula
- Mesociclone
- Ar quente e úmido
- Ar fresco e seco
- Tornado
- Ar entrando no nível do solo

A maioria dos tornados se forma quando uma forte corrente ascendente se concentra em uma coluna rodopiante de ar com 10 a 20 quilômetros de diâmetro. Essa coluna, chamada mesociclone, gira bem devagar no início, mas fica mais forte à medida que o ar que entra a estica para cima. Ela vira um tornado quando seu núcleo giratório atinge o solo.

Caçador de tempestades

Algumas pessoas são tão fascinadas por tornados que arriscam a vida para vê-los de perto. O caçador de tempestades americano Sean Casey construiu dois Tornado Intercept Vehicles (TIVs), carros blindados para filmar dentro de um tornado em formato IMAX. O TIV possui uma torre de câmera, sensores meteorológicos, janelas à prova de balas e saias de metal para proteger a parte inferior do veículo contra detritos voadores.

Fatos Fantásticos!

Um tornado em Dallas, Texas, em 2012, lançou ao ar caminhões de 18 rodas. O poderoso tornado arremessou os veículos, que pesam de 30 a 40 toneladas, como se fossem de brinquedo.

Medindo a força de um furacão

A força de um furacão é graduada de 1 a 5 na escala Saffir-Simpson, com base na velocidade durante um minuto de vento contínuo. A escala estima danos a construções e árvores. Como os furacões obtêm energia do vapor d'água que sobe do mar, começam a perder força quando atingem a terra.

1. 119-153km/h
Danos leves: casas móveis deslocadas, placas derrubadas, galhos quebrados.

2. 154-177km/h
Danos moderados: casas móveis viradas, telhados levantados.

3. 178-208km/h
Danos extensos: pequenos edifícios destruídos, árvores arrancadas.

4. 209-251km/h
Danos extremos: a maioria das árvores derrubada, danos estruturais generalizados em todos os edifícios.

5. Acima de 252km/h
Danos catastróficos: a maioria dos edifícios destruída, estradas destruídas.

Os piores ciclones tropicais do mundo
A LISTA

Tempestades tropicais podem ser extremamente poderosas. Algumas provocam chuvas e ventos mortais.

O MAIS LETAL
Ciclone de Bhola
Localização: Paquistão Oriental, hoje Bangladesh
Data: novembro de 1970
Número de vítimas fatais: matou até 500 mil pessoas

MAIORES RAJADAS DE VENTO
Ciclone Olivia
Localização: Ilha de Barrow, Austrália Ocidental
Data: abril de 1996
Velocidade do vento: 408km/h

O MAIS ÚMIDO
Ciclone Hyacinthe
Localização: Ilha da Reunião, Oceano Índico
Data: janeiro de 1980
Volume total de chuva: 6.083mm

CLIMA

Cada parte do mundo tem o próprio clima, embora muitos lugares tenham climas semelhantes. Clima não é o mesmo que tempo. O tempo pode mudar de um dia para outro, e dias de condições atmosféricas extremas acontecem em todos os lugares. O clima é a média do tempo durante longos períodos – quão quente ou frio, úmido ou seco é na maior parte dos dias. Também descreve a frequência com que um local experimenta condições climáticas anormais ou extremas.

Zonas climáticas da Terra

Os cinco principais tipos de clima são mostrados neste mapa. Os climas tropicais mais quentes estão na Linha do Equador, onde o sol é mais forte. Ao norte e ao sul dessa região se encontram os climas subtropicais (quentes e úmidos). Os climas mais frios estão nos polos, onde o sol é mais fraco, e em regiões de tundra, que vivem congeladas e não têm árvores. Zonas temperadas são áreas que apresentam temperaturas moderadas em vez de extremas. Os climas de terras altas apresentam uma grande variação de temperatura entre o dia e a noite.

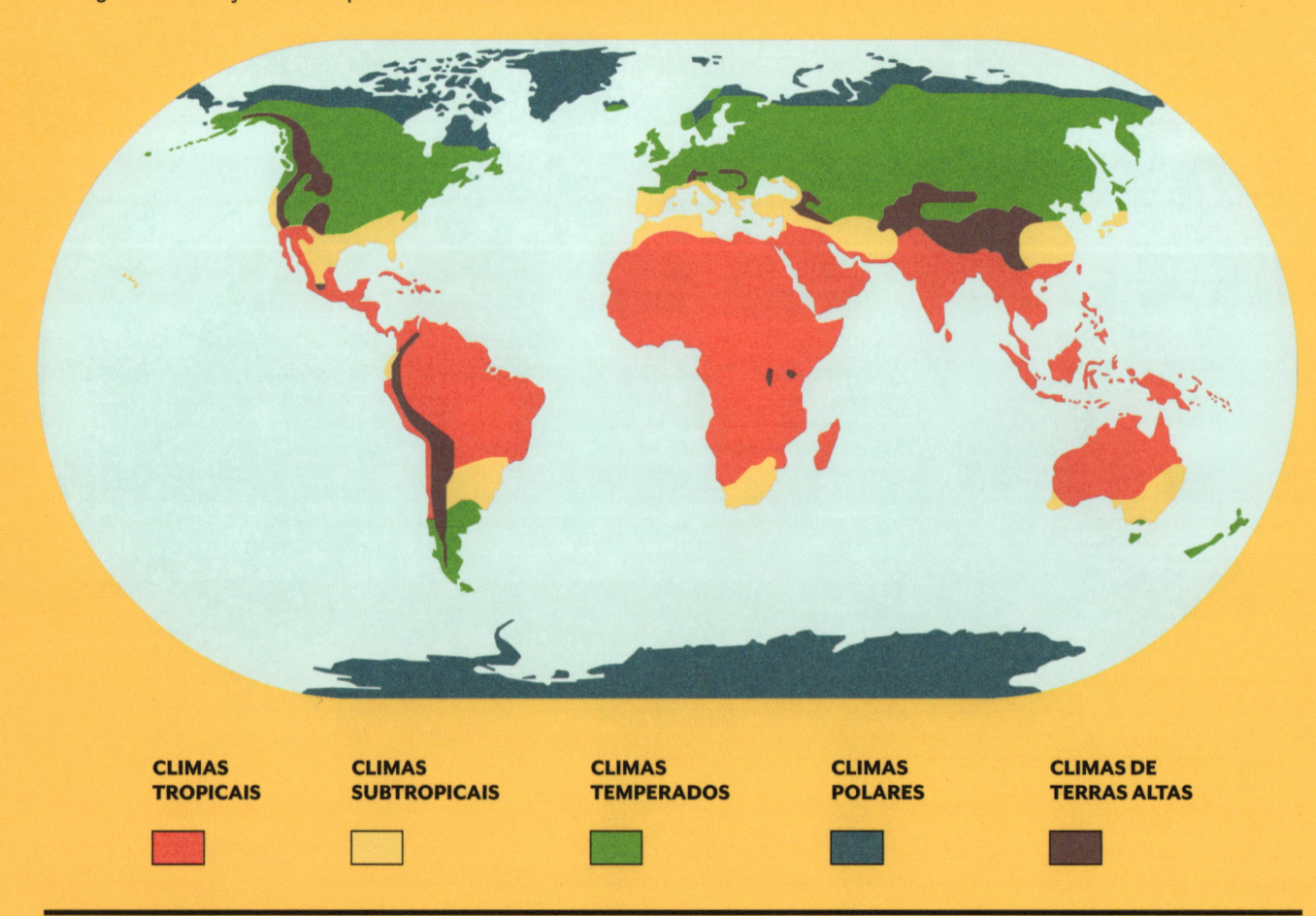

O papel dos oceanos

Os oceanos fornecem a umidade que determina o clima. Também evitam as alterações climáticas, absorvendo calor e dióxido de carbono da atmosfera. Mas os oceanos estão ficando sem espaço para armazenar calor; isso significa que a atmosfera vai armazenar mais calor e que os climas ao redor do mundo poderão se tornar mais extremos e tempestuosos.

CLIMAS TROPICAIS **CLIMAS SUBTROPICAIS** **CLIMAS TEMPERADOS** **CLIMAS POLARES** **CLIMAS DE TERRAS ALTAS**

CONSULTOR ESPECIALISTA: Paul Ullrich. **VEJA TAMBÉM:** O Sol, pp.24-25; Satélites artificiais, pp.40-41; A atmosfera, pp.86-87; Condições atmosféricas, pp.88-89; Megatempestades, pp.90-91; Mudanças climáticas naturais, pp.94-95; Ecologia, pp.162-163; Encolhimento do gelo, pp.186-187.

O efeito estufa

No ar, o dióxido de carbono e outros gases se acumulam numa camada que funciona como o vidro em uma estufa: deixam passar a luz e retardam a fuga do calor de volta para o espaço. Isso mantém o planeta aquecido. O efeito estufa acontece naturalmente, mas o ser humano o aumentou a níveis danosos por meio da queima de carvão e petróleo e da criação de animais, como bois e vacas, que produzem um gás chamado metano.

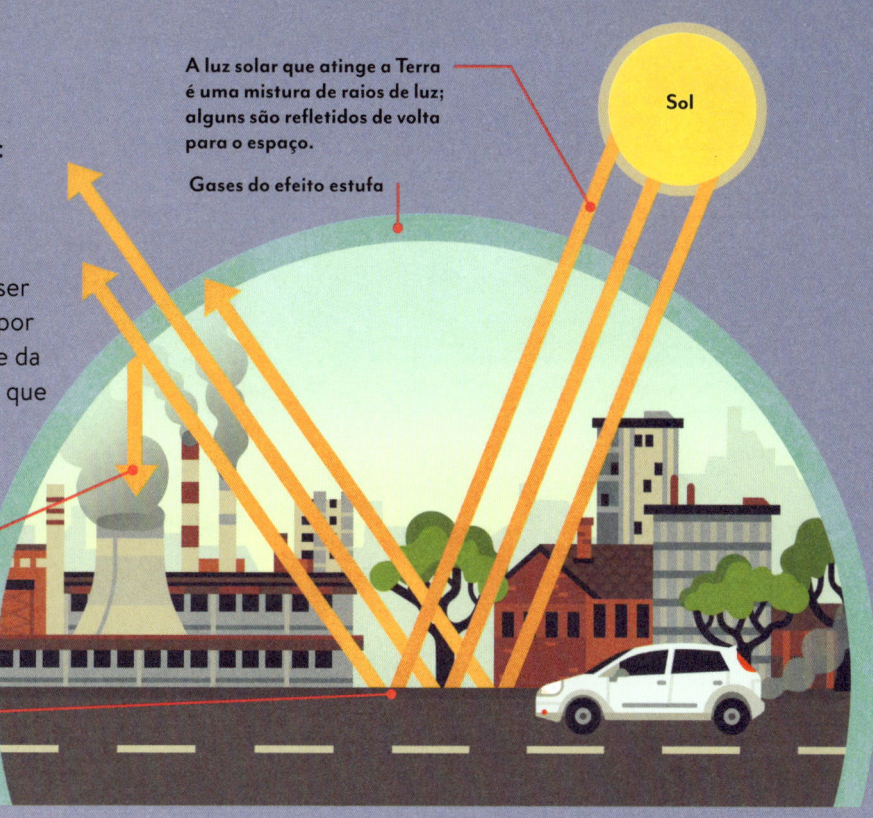

A luz solar que atinge a Terra é uma mistura de raios de luz; alguns são refletidos de volta para o espaço.

Gases do efeito estufa

Sol

Os gases do efeito estufa retardam a radiação do calor de volta ao espaço, retendo grande parte do calor que geram na atmosfera.

O solo absorve parte da energia do Sol e depois a libera novamente na forma de calor.

Fatores que influenciam o clima

Classificamos os climas de acordo com a temperatura média mensal e a precipitação de uma região. Mas, como os climas são muito variados, os especialistas discordam com frequência sobre onde começa e onde termina determinado clima. Às vezes, áreas que estão a uma curta distância experimentam climas diferentes. Chamamos isso de microclimas. Muitos fatores podem produzir microclimas: colinas que bloqueiam os ventos chuvosos ou construções que retêm o calor.

Fatos Fantásticos!

Sem a estufa natural da Terra, todo o nosso planeta teria paisagens como as da Antártida – o lugar mais frio do planeta. As temperaturas cairiam cerca de 33°C e o mundo ficaria coberto de gelo. A vida como a conhecemos não resistiria.

Quando a luz solar atinge a Terra em um ângulo baixo, se espalha por uma área mais ampla e, portanto, é mais fraca do que nos pontos em que o Sol está diretamente acima, como na Linha do Equador.

As nuvens bloqueiam e refletem a luz do Sol, deixando-a mais fria. Mas também impedem o resfriamento da Terra, diminuindo as variações de temperatura.

Nas regiões temperadas, os ventos contra-alísios chuvosos podem provocar um pouco mais de chuva nas porções ocidentais dos continentes.

As cadeias de montanhas podem provocar precipitações porque atrapalham as nuvens de chuva, forçando-as a perder umidade para subir as encostas e atravessar o pico.

Os oceanos fornecem umidade, tornando os climas costeiros mais úmidos. Eles também demoram mais para se aquecer e resfriar do que o solo. Isso ajuda a deixar os climas menos extremos.

As árvores deixam o ar mais úmido e dão sombra, ajudando a moderar o clima. Elas absorvem dióxido de carbono, reduzindo a intensidade do efeito estufa.

MUDANÇAS CLIMÁTICAS NATURAIS

O clima do mundo nunca permanece o mesmo por muito tempo. Ao longo da história da Terra, houve períodos em que ele foi muito mais frio, mais quente, mais úmido ou mais seco do que é agora. A longos intervalos, essas mudanças se devem a pequenas oscilações na inclinação da Terra ou alterações na sua órbita. Tais alterações podem levar a Terra para mais perto ou mais longe do Sol. Mas o lento movimento das massas terrestres, a redução dos mantos de gelo e a atividade dos seres vivos também afetaram o clima.

Terra Bola de Neve
Há cerca de 650 milhões de anos, a Terra era tão fria que pode ter estado totalmente envolta por gelo. Chamamos esse período de "Terra Bola de Neve". Foi uma catástrofe para a vida, mas o seu fim pode ter levado à evolução dos animais que respiram oxigênio e à expansão da vida conhecida como Explosão Cambriana.

Megadeserto
Há cerca de 250 milhões de anos, todos os continentes do mundo estavam unidos em uma gigantesca massa de terra. O clima era superaquecido e o coração da massa terrestre se tornou um vasto deserto arenoso. Muitas espécies de animais desapareceram por completo nesse mundo escaldante. Remanescentes do megadeserto ainda podem ser vistos nas enormes rochas de arenito de Monument Valley, nos estados do Arizona e Utah, nos Estados Unidos.

CONSULTOR ESPECIALISTA: Paul Ullrich. **VEJA TAMBÉM:** O nosso sistema solar, pp.22-23; O Sol, pp.24-25; Placas tectônicas, pp.62-63; Mundo aquático, pp.82-83; O gelo da Terra, pp.84-85; A atmosfera, pp.86-87; Condições atmosféricas, pp.88-89; Clima, pp.92-93

ÁSIA

AMÉRICA DO NORTE

A Ponte Terrestre de Bering permitia que animais e seres humanos cruzassem da Ásia para a América do Norte.

Oscilações nos níveis dos mares

Os oceanos sobem e descem de acordo com as mudanças climáticas. A Ásia e a América do Norte já foram conectadas pela chamada Ponte Terrestre de Bering. Essa área foi inundada quando gigantescos mantos de gelo da Europa e da América do Norte derreteram após a última Era do Gelo, há 11.700 anos, cortando a ligação terrestre entre os continentes.

Pistas sobre os climas do passado

Os especialistas que procuram pistas sobre os climas anteriores da Terra são chamados de paleoclimatologistas. Eles examinam vales marcados pelas geleiras da Era do Gelo, por exemplo. Também analisam núcleos de gelo, anéis de árvores e corais antigos. É por meio dessas pistas que podemos compreender como era o clima centenas de milhares – até milhões – de anos atrás.

Núcleos de gelo extraídos através da perfuração do gelo polar que se formou ao longo do tempo revelam mudanças nas condições climáticas passadas.

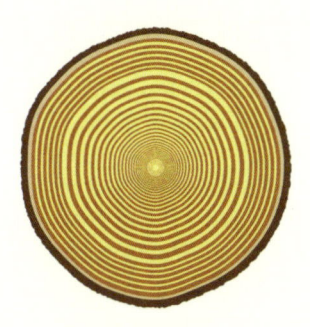

As diferenças na largura e no padrão dos anéis das árvores mostram as mudanças nas condições climáticas durante a vida de uma árvore.

Padrões em esqueletos de corais antigos podem revelar chuvas e temperaturas durante uma única estação de crescimento muitos anos atrás.

DESBRAVANDO O DESCONHECIDO

As mudanças climáticas provocaram a extinção da megafauna?

Dezenas de milhares de anos atrás, muitos outros animais de grande porte, ou megafauna, vagavam pela Terra. Havia lontras do tamanho de lobos, animais parecidos com rinocerontes que eram duas vezes maiores do que os elefantes e um robusto parente da girafa chamado *Sivatherium giganteum* (acima). Mas o que aconteceu com eles? Os seres humanos podem ter matado alguns. No entanto, eles também podem ter sido vítimas das alterações climáticas, porque não teriam conseguido se adaptar às rápidas mudanças em seus habitats.

NOTA do especialista!

PAUL ULLRICH
Cientista climático

O professor Paul Ullrich se interessou pela ciência climática depois de projetar um videogame de aventura espacial. Isso o levou a estudar atmosferas planetárias e, em particular, a da Terra.

"O grande problema ainda não resolvido na ciência climática é como podemos garantir a sobrevivência da nossa espécie a longo prazo."

Terra
PERGUNTE AOS ESPECIALISTAS!

PAOLO FORTI
Geomorfólogo

O que despertou seu interesse pela ciência?
Desde cedo me interessei por todos os tipos de fenômenos naturais. Do bater de asas de uma borboleta ao barulho das ondas do mar – sempre quis entender cada um deles.

Qual foi a sua experiência mais surpreendente no trabalho?
O evento mais inesperado que vivenciei foi na Caverna dos Cristais em Naica, no México. Naquela época, eu tinha certeza de que era impossível que cristais gigantes como aqueles surgissem na natureza. Quando entrei na caverna, fiquei surpreso com o que vi. Eu me sentei no meio dela, sem pensar na temperatura quente e mortal, e fiquei apenas olhando para os cristais gigantes e perfeitamente transparentes. Fiquei lá até os meus colegas me arrastarem para fora.

O que você acha mais interessante na sua área?
As cavernas são a única parte da Terra em que há mais por explorar do que já foi explorado. Minha vida como espeleólogo (especialista em cavernas) foi fantástica porque tive o privilégio de fazer explorações surpreendentes em lugares onde nenhum outro ser humano havia estado antes.

ERIK KLEMETTI
Vulcanólogo

O que você mais quer descobrir?
Quero saber sobre todos os eventos que acontecem debaixo de um vulcão antes de uma erupção e com que rapidez as coisas podem mudar. Entender isso pode nos ajudar a fazer um trabalho melhor para levar as pessoas para um local seguro antes de uma erupção. Não podemos ir até lá embaixo e ver o que acontece, por isso precisamos deduzir observando as pistas dos cristais que irromperam na lava.

O que você ama no seu trabalho?
A pesquisa que os geocientistas fazem pode nos ajudar a estar mais bem preparados para lidar com questões como as alterações climáticas ou catástrofes naturais. O estudo da Terra nos faz admirar há quanto tempo o nosso planeta existe e entender que é preciso ter cuidado com a forma como utilizamos os recursos naturais dele.

MARK C. SERREZE
Cientista climático

Qual é a sua área específica de pesquisa?
Eu estudo as alterações climáticas – esse é um dos maiores desafios que nossa sociedade enfrenta hoje.

Que desventuras você viveu em sua pesquisa?
Já vivi muitas. A maioria aconteceu quando eu trabalhava no Ártico. Pilotei motoneves sobre água gelada batendo no meu peito, tive queimaduras nas orelhas e no nariz e me perdi em nevascas.

Do que você mais gosta na ciência?
Quando você começa a entender a ciência, passa a ver o mundo de novas maneiras que nunca imaginou serem possíveis. Sua mente se expande e você toma consciência de como nosso planeta funciona, e entende que todos nós temos a responsabilidade de ajudar a tornar o mundo um lugar melhor.

Terra
QUIZ

1) **Qual é a idade do planeta Terra?**
   a. 13,8 bilhões de anos
   b. 4,6 bilhões de anos
   c. 4.004 anos
   d. 2.024 anos

2) **Que nome os cientistas deram ao planeta que colidiu com a Terra primitiva e que pode ter provocado a inclinação do planeta?**
   a. Gaia
   b. Pangeia
   c. Titã
   d. Theia

3) **Que nome os cientistas usam para descrever o primeiro micróbio da Terra?**
   a. ADÃO
   b. EVA
   c. LUCA
   d. BÓRIS

4) **O campo magnético da Terra protege o planeta de:**
   a. Cometas
   b. Meteoritos
   c. Chuvas ácidas
   d. Ventos solares

5) **Qual é o elemento mais comum no núcleo da Terra?**
   a. Oxigênio
   b. Ferro
   c. Silício
   d. Prata

6) **Três quartos dos vulcões da Terra estão em uma cadeia que circunda qual oceano?**
   a. Pacífico
   b. Atlântico
   c. Índico
   d. Ártico

7) **Quantos terremotos ocorrem aproximadamente na Terra a cada ano?**
   a. 500
   b. 5 mil
   c. 50 mil
   d. 500 mil

8) **O *Nyasasaurus* é famoso por ter sido:**
   a. O maior dinossauro
   b. O menor dinossauro
   c. O dinossauro mais antigo
   d. O dinossauro mais recente

9) **Quem detém o recorde mundial de maior salto em queda livre na atmosfera?**
   a. Felix Baumgartner
   b. Alan Eustace
   c. Eddie "The Eagle"
   d. Evel Knievel

10) **Se o manto de gelo da Antártida derretesse completamente, o mar subiria quanto?**
    a. 5 metros
    b. 10 metros
    c. 20 metros
    d. 60 metros

11) **Qual é o nome científico das nuvens brancas e fofas?**
    a. Cumulus
    b. Cirrus
    c. Stratus
    d. Fofus

12) **Qual destas NÃO é um tipo de montanha?**
    a. Montanha de dobramento
    b. Montanha de falha
    c. Montanha dômica
    d. Montanha de bolha

13) **A velocidade do vento de um furacão de Categoria 5 é superior a:**
    a. 142km/h
    b. 200km/h
    c. 217km/h
    d. 252km/h

14) **Há cerca de 650 milhões de anos, a Terra estava coberta de gelo. Esse período da história do planeta é conhecido como:**
    a. Terra Bola de Neve
    b. Terra Boneco de Neve
    c. Terra Criogênica
    d. Terra do Gelo Profundo

RESPOSTAS: 1) b, 2) d, 3) c, 4) d, 5) b, 6) a, 7) c, 8) c, 9) b, 10) d, 11) a, 12) d, 13) d, 14) a

Este pedaço de pirita também é conhecido como "ouro dos tolos", porque às vezes é confundido com ouro legítimo. Na verdade, ele é formado por sulfeto de ferro – que, embora brilhe e se pareça com ouro, não vale quase nada. Em 1577, um pirata chamado Martin Frobisher carregou seu navio com 200 toneladas do que achava ser um tesouro e viajou do Canadá para a Inglaterra. Infelizmente, era apenas pirita!

CAPÍTULO 3
MATÉRIA

É incrível pensar que os metais que usamos em nosso planeta, como ouro, ferro e tantos outros, foram forjados em processos estelares antes mesmo de o Sol começar a brilhar ou da formação da Terra. Ou seja, algumas das coisas que nos rodeiam têm bilhões de anos. Enquanto isso, os plásticos foram inventados há apenas 150 anos, por alguém que procurava uma forma mais barata de jogar bilhar. Aprender sobre a matéria é assim: as histórias não acabam nunca.

O mundo ao nosso redor e nós mesmos somos uma mistura em constante movimento de sólidos, líquidos e gases. Toda matéria é feita de moléculas, que são formadas por átomos, que por sua vez são constituídos de partículas subatômicas. Algumas das menores são os quarks, que têm tipos com nomes estranhos como *strange* e *charm*. Nos últimos 200 anos, foram descritos mais de 14 milhões de compostos químicos – com milhões de novas descobertas sendo feitas todos os anos. E cada composto, do sal ao cimento, tem características próprias, muitas das quais definiram e mudaram o mundo em que vivemos. Todas essas coisas podem se transformar também. Podem queimar, congelar, decair radioativamente, ser esticadas ou esmagadas ou... bem, você vai ver. Bem-vindo ao mundo da matéria.

O ÁTOMO

Todas as substâncias no Universo – desde o ar e a água até as plantas e os animais – são compostas de muitos átomos, que são a menor forma possível de um elemento químico. Existem cerca de 7 milhões de bilhões de trilhões de átomos no corpo humano, que são formados por partículas subatômicas chamadas prótons, nêutrons e elétrons. Os prótons e os nêutrons, por sua vez, são feitos de quarks e glúons.

Carga elétrica

Os prótons têm carga elétrica positiva (+) e os elétrons têm carga elétrica negativa (-). Essa é uma das propriedades que contribuem para a estabilidade da estrutura atômica.

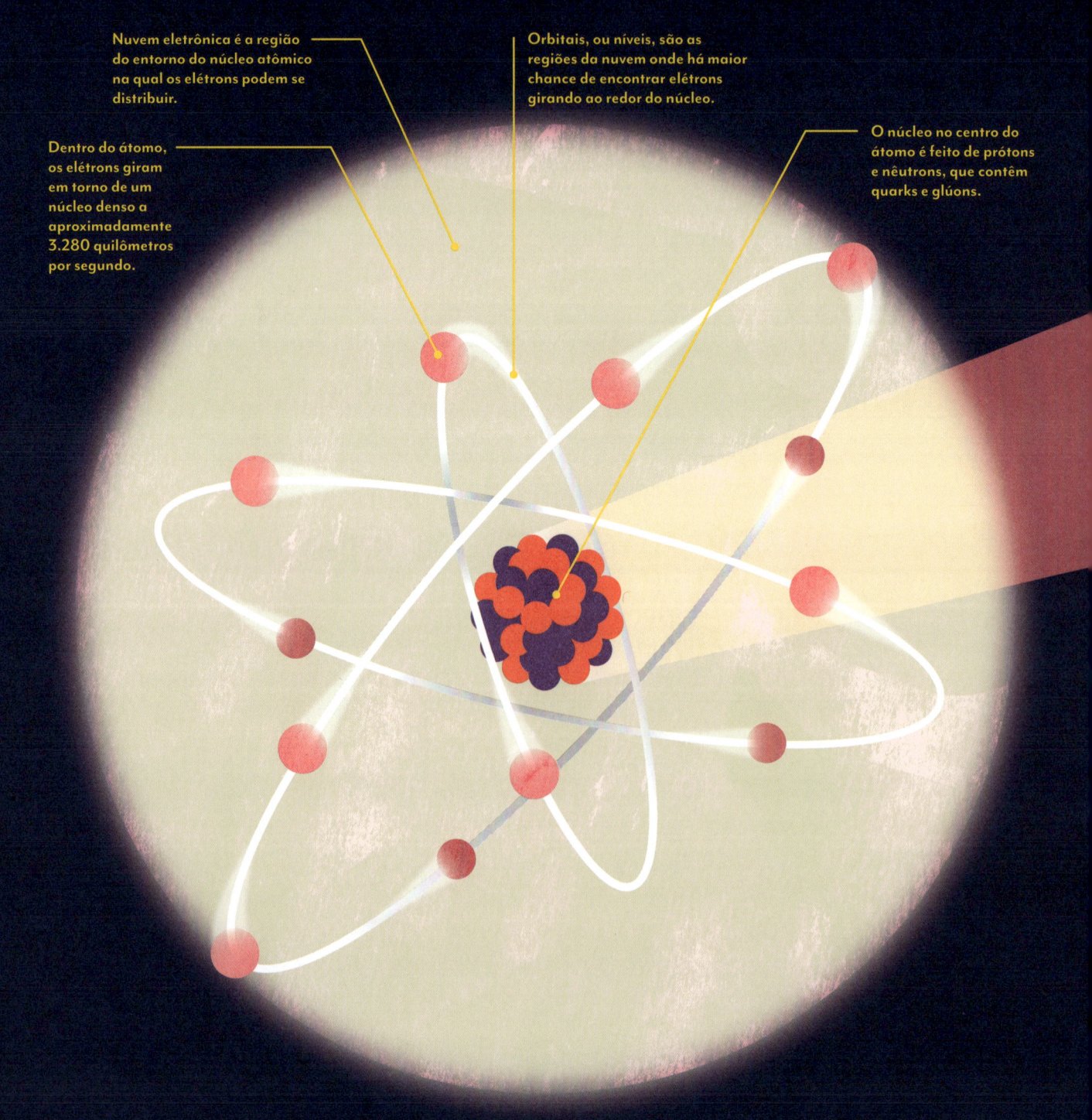

Nuvem eletrônica é a região do entorno do núcleo atômico na qual os elétrons podem se distribuir.

Orbitais, ou níveis, são as regiões da nuvem onde há maior chance de encontrar elétrons girando ao redor do núcleo.

Dentro do átomo, os elétrons giram em torno de um núcleo denso a aproximadamente 3.280 quilômetros por segundo.

O núcleo no centro do átomo é feito de prótons e nêutrons, que contêm quarks e glúons.

CONSULTORA ESPECIALISTA: Cristina Lazzeroni. **VEJA TAMBÉM:** O Big Bang, pp.4-5; O Sol, pp.24-25; Elementos químicos, pp.102-103; Radioatividade, pp.104-105; Sólidos, líquidos e gases, pp.110-111; A química da vida, pp.120-121; Forças, pp.132-133; Estica e puxa, pp.140-141; A origem da vida, pp.148-149.

Quark up

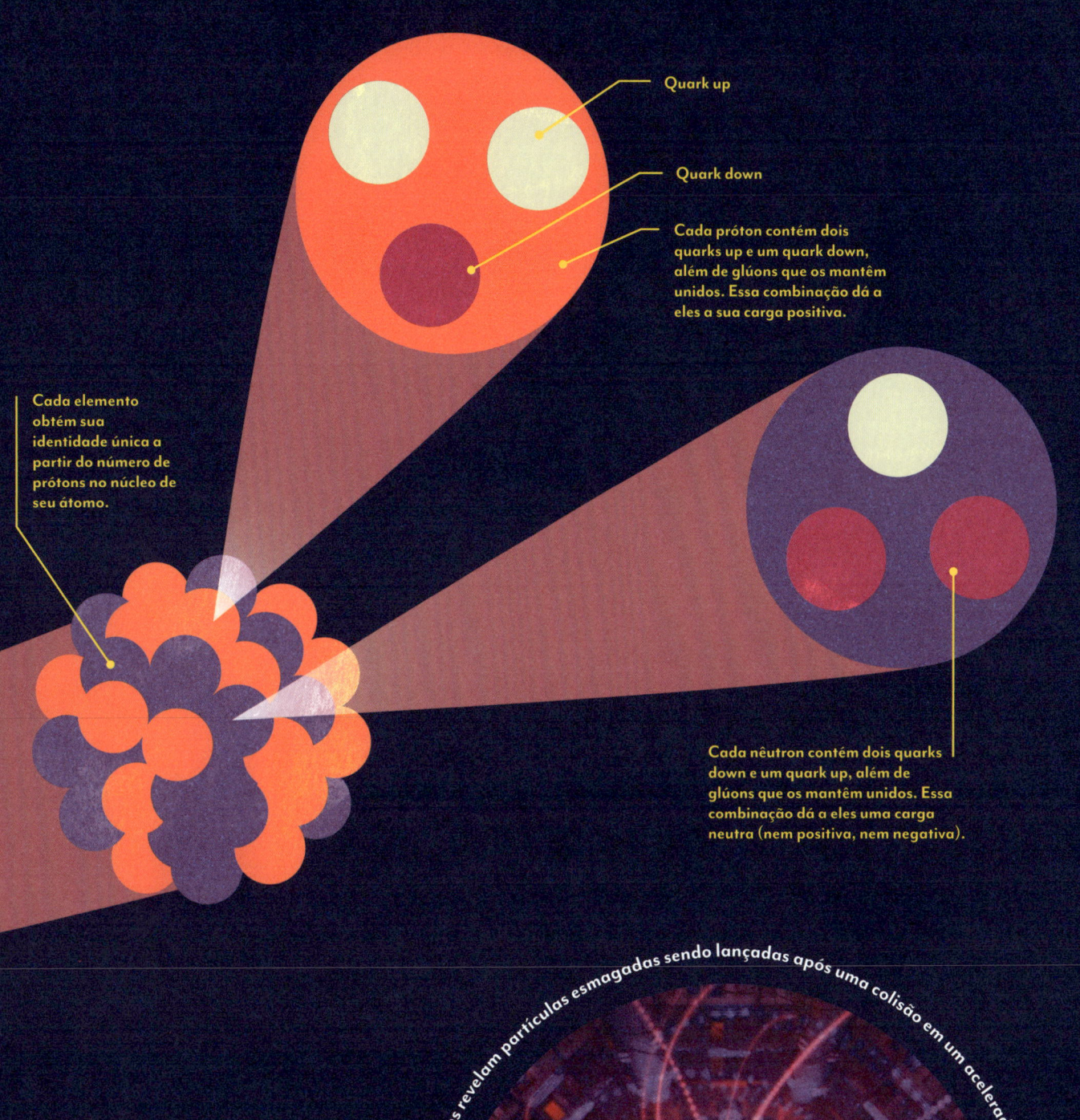

Quark down

Cada próton contém dois quarks up e um quark down, além de glúons que os mantêm unidos. Essa combinação dá a eles a sua carga positiva.

Cada elemento obtém sua identidade única a partir do número de prótons no núcleo de seu átomo.

Cada nêutron contém dois quarks down e um quark up, além de glúons que os mantêm unidos. Essa combinação dá a eles uma carga neutra (nem positiva, nem negativa).

Rastros brilhantes revelam partículas esmagadas sendo lançadas após uma colisão em um acelerador de partículas.

Fatos Fantásticos!

Quarks possuem "sabores", mas calma! Eles não são doces ou salgados. "Sabor" é o nome dado pelos físicos para diferenciar as categorias dessas partículas subatômicas. Os físicos descobriram os quarks quando esmagaram prótons em um acelerador de partículas (à direita). Os sabores dos quarks são *up*, *down*, *top*, *bottom*, *strange* e *charm*.

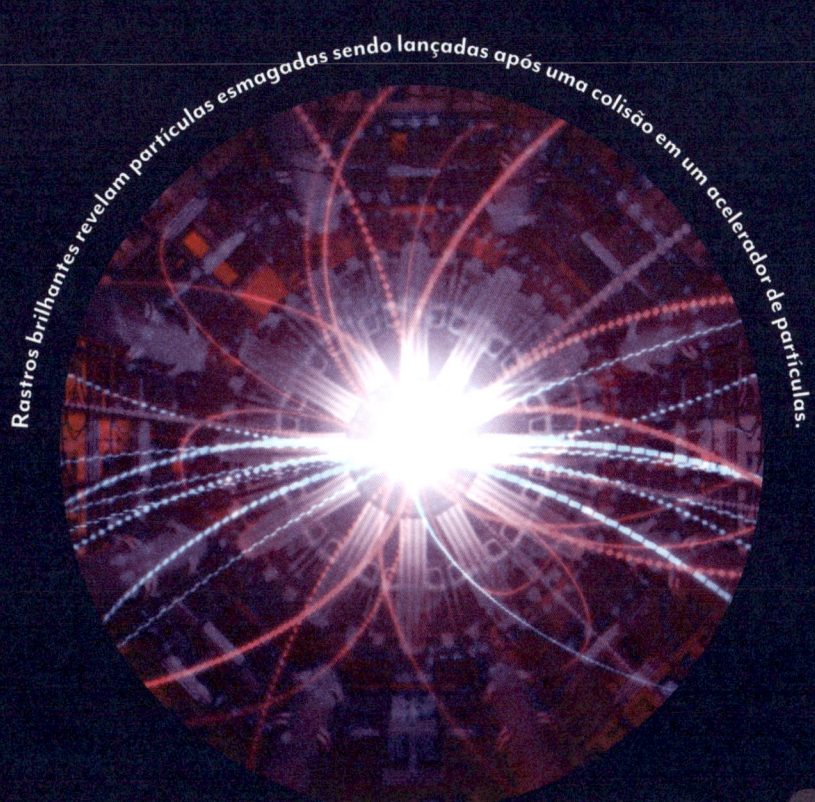

O que é a matéria?

A matéria é composta de átomos, que são as menores partículas de elementos. No início do Universo, os únicos elementos químicos eram o hidrogênio e o hélio, além de uma pequena quantidade de lítio. Os outros elementos surgiram ao longo do tempo por meio da fusão nuclear ou atômica. A pressão e a temperatura dentro de uma estrela foram altas o suficiente para criar o nitrogênio (o principal elemento do ar). Mas, para forjar metais pesados, como o ouro e o urânio, foi necessária a incrível força da colisão de estrelas e supernovas – a explosão de estrelas gigantes (na foto) que resultaram em nuvens de gás enriquecido por elementos químicos mais pesados que o hidrogênio e o hélio.

ELEMENTOS QUÍMICOS

Os elementos são as substâncias mais básicas do Universo – é a partir delas que todas as coisas são feitas. Eles não podem ser decompostos em nenhuma outra substância. Incrivelmente, só existem 118 elementos químicos. Apenas 94 deles ocorrem naturalmente na Terra, incluindo o ouro, o hidrogênio e o oxigênio. Os cientistas criaram os outros 24 por meio da fusão nuclear em laboratórios. A tabela periódica lista e agrupa todos os elementos conhecidos.

Fatos Fantásticos!

Certa vez, um químico estimou que a quantidade do elemento fósforo no corpo humano, armazenado principalmente em nossos ossos, equivaleria a 2.200 palitos de fósforo. O Dr. Charles Henry Maye também calculou que em nós havia ferro suficiente para fazer uma "unha metálica" de tamanho médio.

CONSULTOR ESPECIALISTA: A. Jean-Luc Ayitou. **VEJA TAMBÉM:** O átomo, pp.100-101; Compostos químicos, pp.106-107; Combustão, pp.108-109; Sólidos, líquidos e gases, pp.110-111; Plasma, pp.112-113; Metais, pp.114-115; Não metais, pp.116-117; Plásticos, pp.118-119; A química da vida, pp.120-121.

Período	Grupo 1	2											13	14	15	16	17	18
1	1 H																	2 He
2	3 Li	4 Be											5 B	6 C	7 N	8 O	9 F	10 Ne
3	11 Na	12 Mg	3	4	5	6	7	8	9	10	11	12	13 Al	14 Si	15 P	16 S	17 Cl	18 Ar
4	19 K	20 Ca	21 Sc	22 Ti	23 V	24 Cr	25 Mn	26 Fe	27 Co	28 Ni	29 Cu	30 Zn	31 Ga	32 Ge	33 As	34 Se	35 Br	36 Kr
5	37 Rb	38 Sr	39 Y	40 Zr	41 Nb	42 Mo	43 Tc	44 Ru	45 Rh	46 Pd	47 Ag	48 Cd	49 In	50 Sn	51 Sb	52 Te	53 I	54 Xe
6	55 Cs	56 Ba		72 Hf	73 Ta	74 W	75 Re	76 Os	77 Ir	78 Pt	79 Au	80 Hg	81 Tl	82 Pb	83 Bi	84 Po	85 At	86 Rn
7	87 Fr	88 Ra		104 Rf	105 Db	106 Sg	107 Bh	108 Hs	109 Mt	110 Ds	111 Rg	112 Cn	113 Nh	114 Fl	115 Mc	116 Lv	117 Ts	118 Og

6	57 La	58 Ce	59 Pr	60 Nd	61 Pm	62 Sm	63 Eu	64 Gd	65 Tb	66 Dy	67 Ho	68 Er	69 Tm	70 Yb	71 Lu
7	89 Ac	90 Th	91 Pa	92 U	93 Np	94 Pu	95 Am	96 Cm	97 Bk	98 Cf	99 Es	100 Fm	101 Md	102 No	103 Lr

Legenda:
- Metais alcalinos
- Metais alcalino-terrosos
- Metais de transição
- Propriedades desconhecidas
- Metais pós-transição
- Semimetais
- Outros não metais
- Halogênios
- Gases nobres
- Lantanídeos
- Actinídeos

20 Ca
- 20: Número atômico
- Ca: Símbolo do cálcio

A tabela periódica

Os 118 elementos estão bem organizados na tabela periódica. Eles estão dispostos em linhas, chamadas períodos, ordenados pelo número atômico (o número de prótons no átomo). O número atômico 1, hidrogênio (H), está no canto superior esquerdo; o número 118, oganessônio (Og), está no canto inferior direito. As colunas da tabela são chamadas de grupos. Cada elemento tem o próprio nome e abreviatura (ou símbolo) – de uma ou duas letras. Por exemplo, C significa carbono, e Ni, níquel. Alguns símbolos são abreviaturas do latim, como Au, que vem de *aurum* (ouro).

REVOLUCIONÁRIO

DMITRI MENDELEIEV

Químico, viveu de 1834 a 1907

Rússia

Foi o químico russo Dmitri Mendeleiev quem, em 1869, criou a tabela periódica. Ele organizou os elementos em sete linhas, ou períodos, de acordo com seu número atômico. Foi um golpe de gênio, pois a tabela revelou um padrão oculto: descobriu-se que os elementos ao longo das linhas horizontais e das colunas verticais compartilham propriedades semelhantes. Sabemos agora que isso se deve à estrutura dos seus átomos.

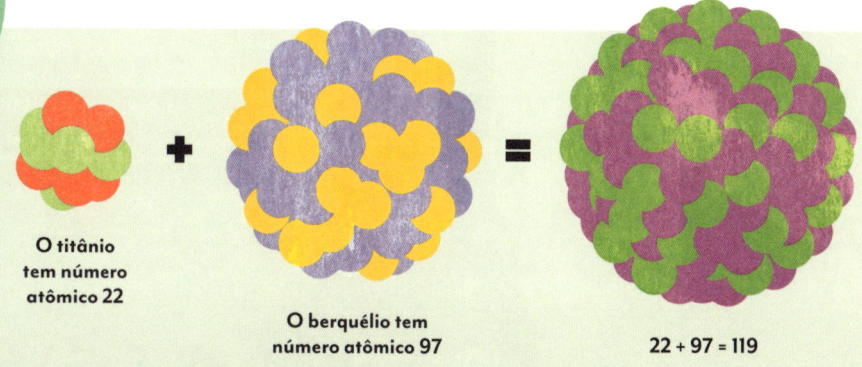

O titânio tem número atômico 22

O berquélio tem número atômico 97

22 + 97 = 119

Criando novos elementos

Para criar novos elementos, os cientistas esmagam átomos a velocidades incríveis numa máquina chamada acelerador de partículas. Eles estão tentando produzir o elemento 119 lançando titânio e berquélio um contra o outro (acima). Mesmo que consigam criar o elemento 119, ele vai durar apenas uma fração de segundo antes de se desintegrar. Novos elementos ainda não têm utilidade prática fora do laboratório, mas ampliam o nosso conhecimento sobre o Universo.

RADIOATIVIDADE

Radioatividade é a emissão de partículas subatômicas e/ou radiação eletromagnética que ocorre em certos núcleos atômicos instáveis enquanto se transformam em núcleos mais estáveis. Em átomos instáveis, como o urânio, isso acontece naturalmente – é o que os cientistas chamam de decaimento radioativo. A maior parte da radiação de partículas naturais é de baixo nível e não causa nenhum mal, mas a exposição prolongada ou as explosões de reações nucleares descontroladas podem matar ou provocar câncer.

Fatos Fantásticos!

Até as bananas são radioativas. Elas contêm potássio suficiente para fazer disparar alguns alarmes de radiação. Assim, os cientistas medem a radioatividade de baixo nível nos alimentos em "doses equivalentes a uma banana" (ou BEDs, na sigla em inglês). Felizmente, uma BED é fraca demais para fazer mal, mesmo que você coma milhões de bananas!

O brinquedo mais perigoso do mundo?

Quando os materiais radioativos foram descobertos, as pessoas usavam relógios com mostradores de rádio (elemento radioativo) que brilhavam no escuro. As crianças ganhavam kits de energia atômica contendo urânio para brincar – embora não o suficiente para causar malefícios. Mesmo assim, hoje essa ideia parece loucura.

- Este Kit Laboratório de Energia Atômica Gilbert U-238, dos anos 1950, permitiu que crianças provocassem reações nucleares.

- O kit vinha com quatro frascos de amostras de urânio radioativo.

- Tinha o próprio contador Geiger de brinquedo, um dispositivo para medir a radiação de baixo nível.

CONSULTORA ESPECIALISTA: Cristina Lazzeroni. **VEJA TAMBÉM:** O átomo, pp.100-101; Elementos químicos, pp.102-103; Eletricidade, pp.126-127.

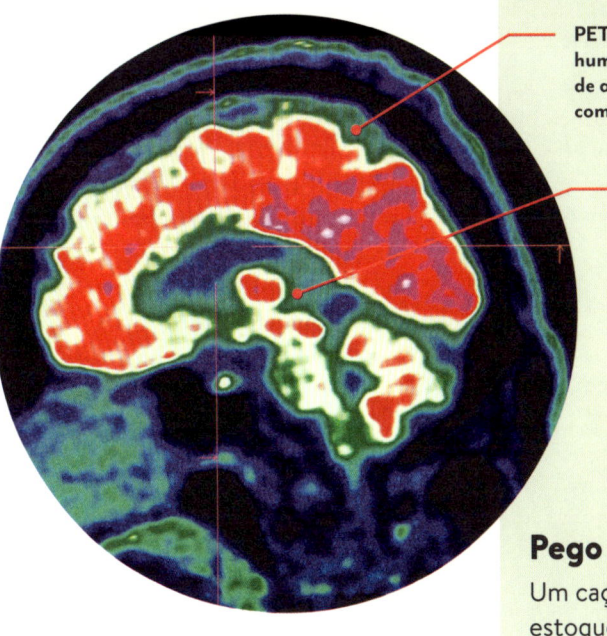

PET scan de um cérebro humano, na qual altos níveis de atividade química aparecem como pontos brilhantes.

Altos níveis de atividade química podem indicar uma doença, como câncer.

Varredura radioativa

Se você estiver doente, talvez os médicos usem a radioatividade para descobrir o motivo. Quando passam por uma PET scan (tomografia por emissão de pósitrons), os pacientes recebem injeção de uma substância com átomos que emitem partículas radioativas inofensivas. Esses átomos se acumulam onde ocorrem determinadas atividades químicas no corpo. O tomógrafo detecta o padrão das partículas e dá aos médicos uma imagem do que está acontecendo.

Pego pela presa

Um caçador encontrado com um estoque de presas de elefante afirmou que as havia obtido antes da proibição da caça. Mas a ciência o pegou! Depois que um ser vivo morre, um tipo de átomo chamado carbono-14 se decompõe radioativamente bem devagar. A datação por carbono mostrou que as presas continham uma quantidade tão alta de carbono-14 que os elefantes só poderiam ter morrido havia pouco tempo.

Cerca de 100 elefantes são mortos ilegalmente por dia por causa de suas presas de marfim.

O marfim é valorizado na fabricação de itens de luxo ou como suvenires.

REVOLUCIONÁRIA

MARIE CURIE

Cientista, viveu de 1867 a 1934

Polônia

Marie Curie e seu marido, Pierre, eram fascinados pela radioatividade. Eles descobriram novos elementos radioativos, que batizaram de rádio e polônio. Em 1903, receberam o Prêmio Nobel de Física por seu trabalho. De maneira trágica, Marie morreu de câncer, provocado por anos de exposição a elementos radioativos.

❝ *A humanidade vai extrair mais bem do que mal das novas descobertas.* ❞

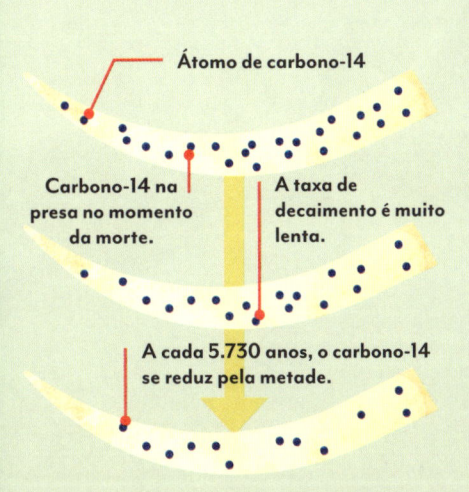

Átomo de carbono-14

Carbono-14 na presa no momento da morte.

A taxa de decaimento é muito lenta.

A cada 5.730 anos, o carbono-14 se reduz pela metade.

Datação por carbono

O radioisótopo carbono-14 é formado na atmosfera terrestre pela ação de raios cósmicos. Ele está presente em todos os seres vivos, que absorvem esse elemento durante toda a vida. Quando plantas e animais morrem, partículas do carbono-14 vão se soltando, fazendo com que ele lentamente se desintegre. Ao medir a proporção de isótopos restantes dele num fragmento bem preservado, os cientistas podem dizer há quanto tempo a planta ou o animal em questão morreram.

COMPOSTOS QUÍMICOS

Apenas alguns poucos elementos, como o ouro, existem em forma pura na superfície da Terra. A água, minerais como o sal e as substâncias que compõem os seres vivos são quase todos compostos químicos. Cada composto é feito de átomos de dois ou mais elementos que se unem de uma forma específica e são chamados de moléculas. A água é feita de dois átomos de hidrogênio e um de oxigênio.

Fabricando explosivos

Quando combinados em um composto, elementos se tornam algo totalmente diferente. Misturados no ar, nitrogênio e oxigênio formam pares para dar origem ao gás nitrogênio (N_2) e ao gás oxigênio (O_2). Eles são inofensivos, mas, quando reunidos em um composto chamado nitroglicerina, formam a base da dinamite – um poderoso explosivo.

A dinamite é usada principalmente nas indústrias de mineração, em pedreiras, na construção civil e em demolições.

CONSULTOR ESPECIALISTA: Duncan Davis. **VEJA TAMBÉM:** O átomo, pp.100-101; Elementos químicos, pp.102-103; Combustão, pp.108-109; Sólidos, líquidos e gases, pp.110-111; Plasma, pp.112-113; Metais, pp.114-115; Não metais, pp.116-117; Plásticos, pp.118-119; A química da vida, pp.120-121.

Ligando moléculas

Para formar moléculas, um átomo precisa se unir a outros. Para isso, eles podem compartilhar ou trocar seus elétrons, fazendo ligações químicas. O compartilhamento de elétrons é chamado de ligação covalente. A troca de elétrons é conhecida como ligação iônica. Mas existem outros tipos de união, até mesmo entre moléculas diferentes. Na água (H_2O), por exemplo, diferentes moléculas podem se atrair através de uma interação especial chamada ligação de hidrogênio.

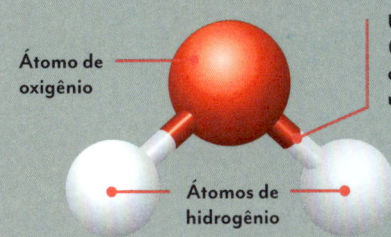

Átomo de oxigênio

Uma molécula de água (H_2O) consiste em dois átomos de hidrogênio e um de oxigênio.

Átomos de hidrogênio

Reações químicas

Quando elementos ou compostos químicos se combinam de determinada forma, ocorre uma reação química. As reações podem ser rápidas ou lentas. O ferro, por exemplo, reage muito gradualmente com o oxigênio do ar para produzir ferrugem – processo que se acelera se houver umidade.

Desenvolvendo novos compostos químicos

Cientistas descobriram dezenas de milhões de compostos nos últimos dois séculos. Eles continuam a descobrir dezenas de milhares todos os anos. Cada composto tem as próprias características singulares, e alguns pesquisadores procuram por aqueles que executem melhor determinada tarefa. Por exemplo, os bombeiros precisam apagar incêndios rapidamente, e compostos à base de gás bromo provaram ser eficazes nessa tarefa.

REVOLUCIONÁRIO

ANTOINE-LAURENT DE LAVOISIER

Químico, viveu de 1743 a 1794

França

Nos anos 1700, quando a maioria dos cientistas não entendia bem a combustão (como as coisas queimam), o cientista francês Lavoisier fez uma grande descoberta. Usando um experimento simples, ele mostrou que os combustíveis retiram oxigênio do ar à medida que queimam. Lavoisier batizou o oxigênio e o hidrogênio e inventou os símbolos dos elementos químicos. Ele é chamado de Pai da Química.

Fazendo vitrais

Uma minúscula quantidade de uma substância (chamada pelos cientistas de traços) pode alterar completamente a aparência ou o efeito de um composto químico. Traços de elementos, entre eles o ferro e o zinco, mantêm o corpo humano saudável. Traços de cromo fazem os rubis serem vermelhos. Traços de compostos de outros metais são usados para dar cores vivas aos vitrais.

Traços de óxido de cromo tornam o vidro verde.

O óxido de cádmio torna o vidro laranja.

COMBUSTÃO

Quando os primeiros seres humanos dominaram o fogo, há 1,7 milhão de anos, foi uma grande revolução. Agora eles podiam controlar a combustão – a combinação de oxigênio, calor e combustível no que é chamado de oxidação. Uma oxidação tanto pode gerar uma queima lenta como um incêndio descomunal. Ela esteve no centro de momentos importantes da nossa história, como a Revolução Industrial. A invenção do motor de combustão em 1800 levou muitos anos para ser aperfeiçoada e hoje fornece energia para a maioria dos automóveis e muitas outras máquinas – de cortadores de grama a aviões.

Incinerador (1874)
O primeiro "destruidor" de alta temperatura a queimar por completo resíduos é construído em Nottingham, Reino Unido.

Caldeira a gás (1868)
No Reino Unido, Benjamin Maughan inventa a caldeira para aquecer água para uso doméstico.

Dinamite (1867)
O químico e inventor sueco Alfred Nobel inventa a dinamite, um poderoso explosivo.

Motor de foguete (1926)
O engenheiro americano Robert H. Goddard inventa o primeiro motor de foguete para mísseis e, posteriormente, para voos espaciais.

Motor a jato (1939)
O cientista alemão Hans Joachim Pabst von Ohain cria o primeiro avião a jato.

Caminhão a jato (1984)
Nos Estados Unidos, Les Shockley instala um motor a jato em um caminhão; um modelo posterior do veículo atinge a velocidade recorde de 605km/h.

Scramjet (2004)
O X-43A deve sua velocidade a um motor a jato sem peças móveis. Ele pode voar a quase 11.265km/h.

A combustão precisa de calor, combustível e oxigênio.

O pavio transporta cera derretida, que evapora.

Produzindo uma chama

Embora nem sempre possamos ver, a combustão acontece em etapas. Em uma vela, os vapores da cera são o combustível. Primeiro você acende o pavio, para que o calor desça pelo pavio até a cera. Depois, a cera derrete e sobe pelo pavio, evaporando. Por fim, os vapores ficam quentes o suficiente para "acender" – isto é, dar origem à chama.

Motor de combustão interna (1859)
O belga Étienne Lenoir fabrica um motor para queimar combustível (gasolina) dentro de um cilindro.

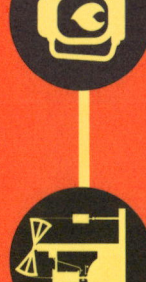

Queimador de Bunsen (1855)
Na Alemanha, Robert Bunsen projeta um queimador de gás com chama controlável para laboratórios.

Luz oxídrica (1826)
O engenheiro escocês Thomas Drummond usa cal viva para fazer uma luz brilhante para uso em teatros.

Palitos de fósforo (1805)
O químico francês Jean Chancel inventou os fósforos mergulhando palitos de madeira com clorato de potássio e açúcar em ácido sulfúrico.

Lampião a gás (1792)
O inventor escocês William Murdock cria lampiões para uso em casa e no escritório queimando gás obtido do carvão.

Motor a vapor (1712)
Na Inglaterra, Thomas Newcomen inventa o primeiro motor a vapor funcional, ideia que havia nascido ainda na Grécia Antiga.

Explosivos (1000 d.C.)
Os antigos chineses descobrem o poder explosivo da pólvora.

Ferro (1500 a.C.)
À medida que o ferro começa a ser trabalhado, são necessários fornos que alcançam temperaturas muito altas.

Fundição (5000 a.C.)
Uma rocha contendo cobre é fundida ao ser aquecida para derreter o cobre puro.

Cerâmica (28 mil anos atrás)
O ser humano molda argila úmida e depois a queima, para fazer estatuetas.

Cozinhar (1,7 a 1 milhão de anos atrás)
Ninguém sabe quando o ser humano começou a cozinhar. Pode ter sido há mais de 1 milhão de anos.

Fogo (1,7 a 1 milhão de anos atrás)
Nosso ancestral, o *Homo erectus*, provavelmente começou a controlar e a usar o fogo.

Primeiro forno (6000 a.C.)
O fogo fica mais quente e a cerâmica mais fina ao se fechar o fogo em uma fornalha.

SÓLIDOS, LÍQUIDOS E GASES

Qualquer coisa que tenha massa – que ocupe espaço – é chamada de matéria. Existem três estados principais da matéria: sólido, líquido e gasoso. A matéria no estado sólido, como um livro, tem tamanho e forma definidos que não mudam facilmente. No estado líquido, ela muda de forma dependendo do recipiente. Por exemplo, o leite ao passar de um copo para uma tigela. Os gases não têm tamanho nem forma definidos. Eles podem se expandir para preencher um recipiente grande ou ser comprimidos em um recipiente menor.

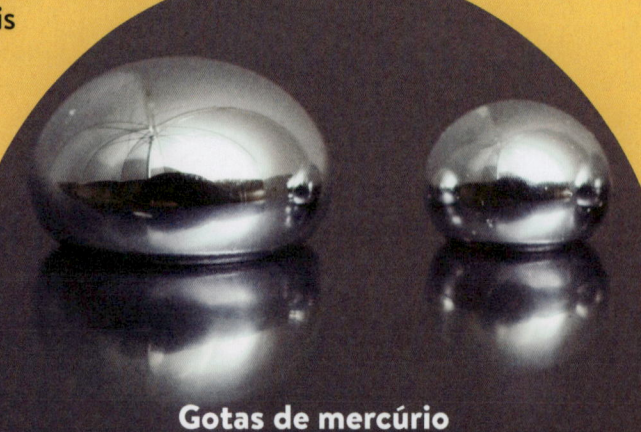

Gotas de mercúrio
O mercúrio derrete a uma temperatura muito baixa em comparação com outros metais. É o único metal líquido à temperatura ambiente. A atração entre suas moléculas faz com que ele se transforme em esferas líquidas.

Mudando os estados da matéria

O comportamento das partículas que constituem uma substância determina o seu estado, de modo que a matéria pode mudar de um estado para outro. O calor derrete um sólido ao dar energia a suas partículas e aumentar a velocidade delas, até que se forme um líquido. O calor transforma um líquido em um gás, acelerando as partículas ainda mais, de modo que uma partícula atinja a velocidade necessária para escapar para o meio ambiente. O frio condensa um gás ao desacelerar suas partículas, de modo que elas se unam e formem um líquido. O frio congela o líquido, desacelerando as partículas até que se unam com tanta força que permaneçam em um arranjo determinado, formando um sólido.

Sólido (gelo)

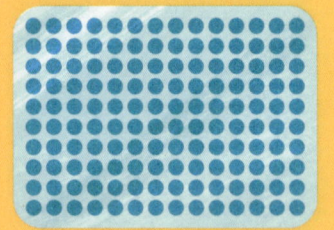

Líquido (água)

Gás (vapor)

Em um sólido, átomos e moléculas têm pouca movimentação, assim possuem forma e volume fixos.

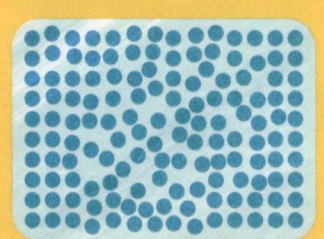

Em um líquido, as partículas não têm a mesma ordenação de um sólido e se movem umas em torno das outras com mais liberdade.

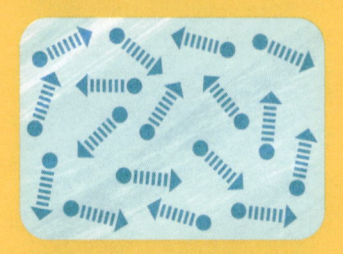

Em um gás, as partículas se movem aleatoriamente, e o gás pode se expandir ou se contrair de modo a ocupar qualquer volume.

CONSULTORA ESPECIALISTA: Kimberly M. Jackson. **VEJA TAMBÉM:** Montanhas, pp.68-69; Rochas e minerais, pp.70-71; Mundo aquático, pp.82-83; O gelo da Terra, pp.84-85; O átomo, pp.100-101; Elementos químicos, pp.102-103; Plasma, pp.112-113; Plásticos, pp.118-119; Pressão, pp.136-137; Mais leve do que o ar, pp.138-139.

Fica frio!

O nitrogênio é um dos principais gases do ar. Ele se transforma em líquido quando é resfriado abaixo de -196°C – seu ponto de ebulição. Isso é feito comprimindo o nitrogênio em frascos especiais (abaixo) e deixando-o se expandir devagar. O nitrogênio líquido é tão frio que congela tudo instantaneamente, sem causar danos, diferente de congelamentos tradicionais, que danificam os tecidos vivos. É útil para liofilizar alimentos e mantê-los frios quando transportados por longas distâncias.

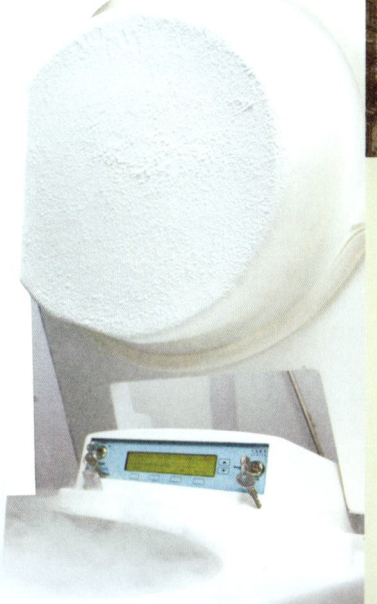

Um técnico retira amostras de células do corpo humano de um tanque de armazenamento de nitrogênio líquido.

Gases e pressão

Se os gases não têm forma, como balões como este (acima) mantêm seu formato quando são enchidos com hélio? A resposta é que, à medida que as moléculas de gás se agitam, elas se chocam com o interior do balão, criando pressão até torná-lo firme.

Fatos Fantásticos!

Nem tudo que parece sólido é sólido. Os seres vivos são compostos sobretudo de líquidos, mantidos em um invólucro um pouco mais sólido. Por exemplo, apenas 5% da maioria das águas-vivas são sólidas; o restante é água (à direita). Mas mesmo o corpo humano adulto, que parece sólido, é composto por 60% de água. As crianças são cerca de dois terços água e, surpreendentemente, 78% do corpo de recém-nascidos são água.

PLASMA

O plasma é às vezes chamado de quarto estado da matéria porque possui características que não são encontradas nos outros três estados – sólido, líquido e gasoso. É leve e disforme como um gás, mas composto de partículas com carga elétrica chamadas íons, além de elétrons que vibram ainda mais do que os dos gases. A maior parte da matéria comum do Universo é feita de plasma, incluindo o Sol e as estrelas. Na Terra, o plasma pode ser encontrado em relâmpagos, telas de TV de plasma e lâmpadas de plasma, como a da imagem ao lado.

Reatores de fusão nuclear

O Sol e as estrelas são alimentados pela fusão nuclear: em geral, combinam-se dois átomos de hidrogênio para formar o hélio. Se os cientistas pudessem replicar esse processo de forma eficaz, teríamos uma fonte de energia segura e renovável. O procedimento envolve aquecer os gases a tal ponto que eles criam um plasma no qual ocorre a fusão. Para se manter superaquecido, o plasma não deve entrar em contato com nenhuma outra substância. Uma maneira de fazer isso é prendê-lo em um dispositivo em formato circular chamado tokamak (abaixo), que usa um sistema de campos magnéticos para manter o plasma no devido lugar, como se criasse um campo de força invisível que prende o plasma em seu interior.

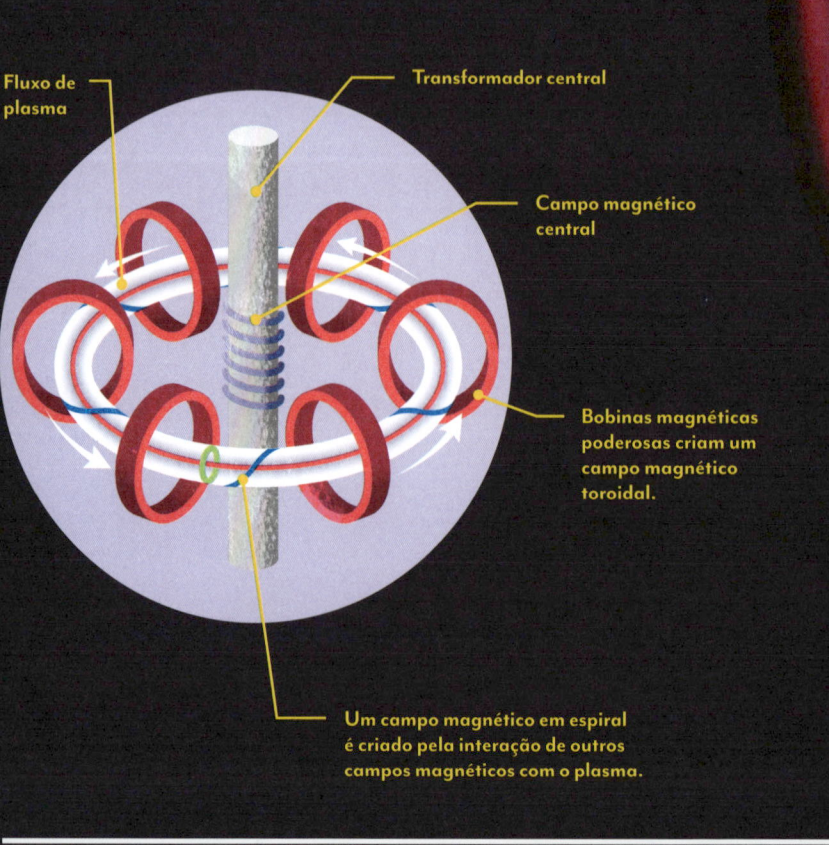

- Fluxo de plasma
- Transformador central
- Campo magnético central
- Bobinas magnéticas poderosas criam um campo magnético toroidal.
- Um campo magnético em espiral é criado pela interação de outros campos magnéticos com o plasma.

CONSULTOR ESPECIALISTA: Duncan Davis. **VEJA TAMBÉM:** Estrelas, pp.10-11; O Sol, pp.24-25; O átomo, pp.100-101; Elementos químicos, pp.102-103; Sólidos, líquidos e gases, pp.110-111; Eletricidade, pp.126-127; Luz, pp.128-129.

Lâmpada de plasma

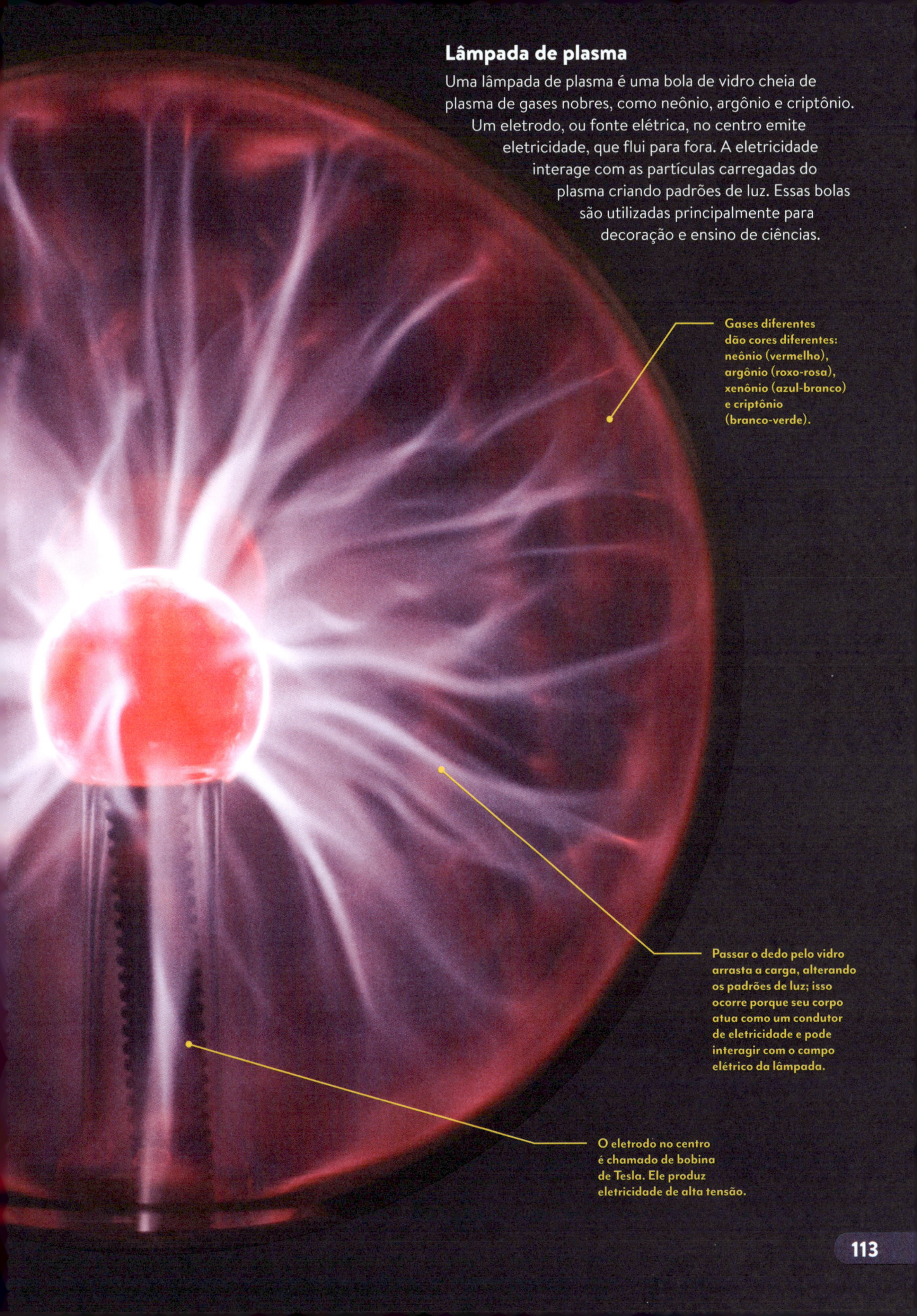

Uma lâmpada de plasma é uma bola de vidro cheia de plasma de gases nobres, como neônio, argônio e criptônio. Um eletrodo, ou fonte elétrica, no centro emite eletricidade, que flui para fora. A eletricidade interage com as partículas carregadas do plasma criando padrões de luz. Essas bolas são utilizadas principalmente para decoração e ensino de ciências.

Gases diferentes dão cores diferentes: neônio (vermelho), argônio (roxo-rosa), xenônio (azul-branco) e criptônio (branco-verde).

Passar o dedo pelo vidro arrasta a carga, alterando os padrões de luz; isso ocorre porque seu corpo atua como um condutor de eletricidade e pode interagir com o campo elétrico da lâmpada.

O eletrodo no centro é chamado de bobina de Tesla. Ele produz eletricidade de alta tensão.

O ouro não é um metal tão duro, portanto é ideal para ser modelado.

METAIS

Cerca de três quartos de todos os elementos químicos conhecidos no Universo são metais. Todos compartilham diversos fatores em comum, por exemplo: brilham quando são cortados, conduzem bem a eletricidade e o calor, podem ser moldados com facilidade em folhas finas e fios e se misturam facilmente com outros metais para formar ligas.

Reluzente como ouro

O ouro tem sido usado há muito tempo para fabricar itens preciosos, como esta placa chinesa, datada de cerca de 475-221 a.C. Objetos de ouro podem ficar enterrados ou expostos ao tempo por milhares de anos e, ainda assim, permanecer dourados e brilhantes. Isso porque o ouro não muda quando é exposto a outros elementos. Na escala de reatividade – uma tabela que classifica quanto diferentes metais reagem a elementos ou substâncias como oxigênio, água ou ácido –, o ouro está na parte inferior, junto com a platina.

O cobre e a Idade do Bronze

A descoberta do cobre mudou a história da humanidade. Na Idade da Pedra, os seres humanos fabricavam ferramentas de pedra. Então, 7 mil anos atrás, eles aprenderam a extrair o cobre das rochas aquecendo-as até o ponto de fusão. Depois, descobriram que poderiam transformar o cobre em um metal super-resistente ao acrescentar estanho, formando uma liga metálica. Os seres humanos da Idade do Bronze foram os primeiros a trabalhar e a usar metais de modo extensivo. Hoje, o cobre é vital para a fabricação de fios elétricos (à esquerda), porque conduz muito bem a eletricidade.

Fatos Fantásticos!

Um dólar de prata cunhado em 1794 vale agora fantásticos 10 milhões de dólares. Conhecida como "o dólar de prata dos cabelos esvoaçantes" (ilustração), foi a primeira moeda de dólar a ser cunhada nos Estados Unidos. Não se fazem mais moedas de prata nem de ouro, pois ambos se tornaram tão preciosos que o metal vale mais do que a moeda em si. Hoje são utilizados metais mais baratos, como o cobre, o níquel e o ferro.

CONSULTORA ESPECIALISTA: Cristina Lazzeroni. **VEJA TAMBÉM:** Elementos químicos, pp.102-103; Compostos químicos, pp.106-107; Sólidos, líquidos e gases, pp.110-111; Não metais, pp.116-117; Plásticos, pp.118-119; Eletricidade, pp.126-127; Pressão, pp.136-137.

Construindo com aço

Traços de carbono na proporção certa (menos de 2% do peso) transformam o ferro em aço, que pode ser o mais útil de todos os metais. Não só é incrivelmente resistente como também é barato de ser fabricado em grandes quantidades. Usamos o aço para fazer muitas coisas – de navios e pontes a ferramentas e armas. A mistura de minúsculas quantidades de outros metais pode alterar suas propriedades. A adição de 10% a 30% de cromo, por exemplo, transforma o ferro em aço inoxidável, que não enferruja nunca.

O aço pode ser moldado para produzir muitos componentes úteis e resistentes, como vigas para sustentar construções.

Metais explosivos

Fabricamos navios em aço. Mas certos metais podem explodir quando entram em contato com a água. Apenas uma ou duas gotas de água podem provocar a explosão de metais alcalinos, como o sódio, o potássio e o césio, ao passo que metais alcalino-terrosos, como o magnésio, podem se romper em chamas. Por essa razão, esses metais são internacionalmente classificados como substâncias perigosas.

Fadiga do metal

O enfraquecimento gradual do metal (fadiga) provoca pequenas rachaduras. No início da década de 1950, esse processo fragilizou a estrutura de três aviões, que acabaram se partindo no ar. A diferença na pressão do ar entre o interior e o exterior das aeronaves provocou uma tensão nos cantos das janelas quadradas. Por conta disso, as janelas passaram a ser arredondadas, a fim de distribuir a tensão. Atualmente as companhias áreas também fazem inspeções rigorosas, utilizando equipamentos ultrassônicos para detectar até as menores rachaduras no metal.

Algumas rachaduras surgiram ao redor das janelas.

NÃO METAIS

Os não metais da tabela periódica têm propriedades diferentes dos metais. Eles tendem a ser menos densos do que os metais e a derreter ou ferver em temperaturas mais baixas. Ao contrário dos metais, a maioria dos não metais não conduz eletricidade. Podem existir em diferentes estados físicos, mesmo em condições normais de temperatura e pressão. Por exemplo, o hidrogênio e o oxigênio são gases, enquanto o carbono e o enxofre são sólidos. Há também o bromo, que se apresenta no estado líquido. Em termos de massa, os não metais hidrogênio e hélio constituem pelo menos 98% da matéria do Universo.

Usando máquinas de alta tensão, o criptônio misturado com o argônio produz um feixe intenso de luz.

A potência dessas lâmpadas, combinadas com lentes que concentram os raios de luz, produzem linhas claras no ar, que podem ser vistas até por aviões no céu.

Flúor – o mais reativo dos não metais

O flúor é mais reativo do que outros não metais porque esse elemento precisa de mais um elétron para completar a camada externa de elétrons mais distante de seu núcleo. Para isso, o flúor pode facilmente formar ligações químicas com outros elementos, a fim de ganhar um elétron e alcançar a estabilidade. Costuma ser encontrado na forma de um composto de cálcio, como nesta pedra roxa de fluorita. À temperatura ambiente, o flúor é um gás venenoso amarelado.

Gases nobres

Os não metais, como argônio, criptônio e xenônio, são empregados em lâmpadas de alta potência, amplamente utilizadas em sinalização aeronáutica e em espetáculos de luzes, como os exibidos no arranha-céu Burj Khalifa, em Dubai. Não podemos ver, cheirar nem sentir o gosto desses não metais, que vêm de um grupo de elementos conhecidos como gases nobres. Eles tendem a permanecer em sua forma pura, pois não reagem facilmente com outros elementos, graças à organização dos seus elétrons.

CONSULTOR ESPECIALISTA: Duncan Davis. **VEJA TAMBÉM:** Elementos químicos, pp.102-103; Compostos químicos, pp.106-107; Metais, pp.114-115; A química da vida, pp.120-121; Luz, pp.128-129.

Silício

Há mais silício na crosta terrestre do que qualquer outro elemento além do oxigênio. Esse não metal costuma ser encontrado em rochas, na areia e no solo, geralmente na forma de um composto como a sílica (dióxido de silício). Ele tem sido usado há séculos na fabricação de vidro. Hoje, é utilizado na manufatura de microchips para computadores. Deu nome ao Vale do Silício, na Califórnia (EUA), o coração da indústria da tecnologia.

Os Estados Unidos são um grande produtor de areia de sílica. Ela é obtida através do processamento de rochas ricas em sílica, como o quartzo, e tem muitos usos industriais.

Fatos Fantásticos!

Os cientistas cultivam cristais para fazer chips de computador. O silício é o principal componente na fabricação de chips. Para garantir que ele não tenha quaisquer falhas, os cientistas cultivam enormes cristais, chamados lingotes, que são então fatiados em placas finas (*wafers*) e processados de centenas de formas antes de serem cortados para produzir chips minúsculos.

Ácidos

Alguns não metais se combinam com o oxigênio ou outros elementos e formam compostos altamente ácidos. Eles podem corroer metais, como o ácido desta pilha que vazou e deteriorou o invólucro de metal (abaixo). Muitos ácidos, como o ácido clorídrico, podem provocar queimaduras na pele. Gases ácidos, como o dióxido de enxofre, estão presentes no ar. Eles se dissolvem na chuva, tornando a água tão ácida que pode matar árvores.

pH		Substância
14	BASE	Limpador de ralos (pH = 14,0)
13		Água sanitária (pH = 13,5)
12		
11		Amônia (pH = 10,5-11,5)
10		
9		Bicarbonato de sódio (pH = 9,5)
8		Água do mar (pH = 8,0)
7	NEUTRO	Sangue (pH = 7,4)
6		Leite (pH = 6,3-6,6)
5		Café (pH = 5,0)
4		
3		Suco de toranja (pH = 2,5-3,5)
2		Suco de limão-siciliano (pH = 2,0)
1		
0	ÁCIDO	Ácido de pilha (pH = 0)

A escala de pH

Os cientistas precisam saber se as substâncias são ácidas ou básicas, porque elas se comportam de maneira diferente nas reações químicas. Substâncias com pH inferior a 7 são consideradas ácidas; aquelas com pH superior a 7 são consideradas básicas (o oposto de ácido). Os cientistas usam um papel especial que muda de cor para medir o pH de uma substância.

PLÁSTICOS

É difícil imaginar o mundo sem plásticos. Eles são um material fabricado pelo homem que pode assumir praticamente qualquer formato ou cor. A maioria dos plásticos é resistente, durável e leve. Eles resistem a danos causados por água, calor, produtos químicos e eletricidade. Muitas vezes são mais baratos do que os materiais naturais, sendo fabricados artificialmente, em geral a partir de matérias-primas como gás natural e petróleo. Podem ser usados para se produzir tudo, desde garrafas de bebidas e sacolas de supermercado até capacetes e pisos.

Fatos Fantásticos!

As patas de uma lagartixa podem se agarrar a quase qualquer superfície, mas escorregam no Teflon seco. Essa resina encerada, um plástico chamado politetrafluoroetileno (PTFE), é tão escorregadia que é usada na fabricação de panelas antiaderentes. As forças atrativas conhecidas como forças de Van der Waals são tão baixas no Teflon que outras moléculas não conseguem se ligar a ele.

LINHA DO TEMPO
da história dos plásticos

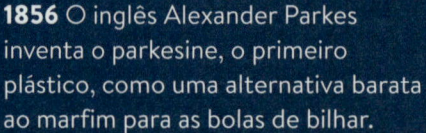

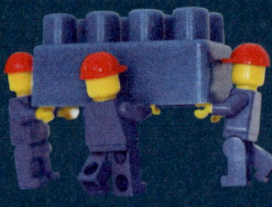

Blocos e bonecos de Lego

1856 O inglês Alexander Parkes inventa o parkesine, o primeiro plástico, como uma alternativa barata ao marfim para as bolas de bilhar.

1872 É inventada uma máquina que injeta plásticos em moldes.

1909 Leo Baekeland, um químico americano nascido na Bélgica, fabrica a baquelite, o primeiro polímero sintético do mundo.

1933 Químicos produzem o polietileno, hoje um dos plásticos mais comuns do mundo.

1935 O químico americano Wallace Carothers desenvolve o náilon, a primeira fibra inteiramente sintética.

1958 A Lego patenteia os blocos de brinquedo, originalmente feitos de acetato de celulose.

1965 A química americana Stephanie Kwolek inventa o Kevlar, uma fibra plástica tão resistente que é usada em coletes à prova de balas.

Garrafa plástica

1973 São fabricadas as primeiras garrafas plásticas para bebidas, feitas de tereftalato de polietileno (PET).

2009 Plásticos constituem quase metade do revestimento externo do novo Boeing 787.

2016 No Japão, os cientistas descobrem um minúsculo organismo que vive no solo e que é capaz de comer plástico.

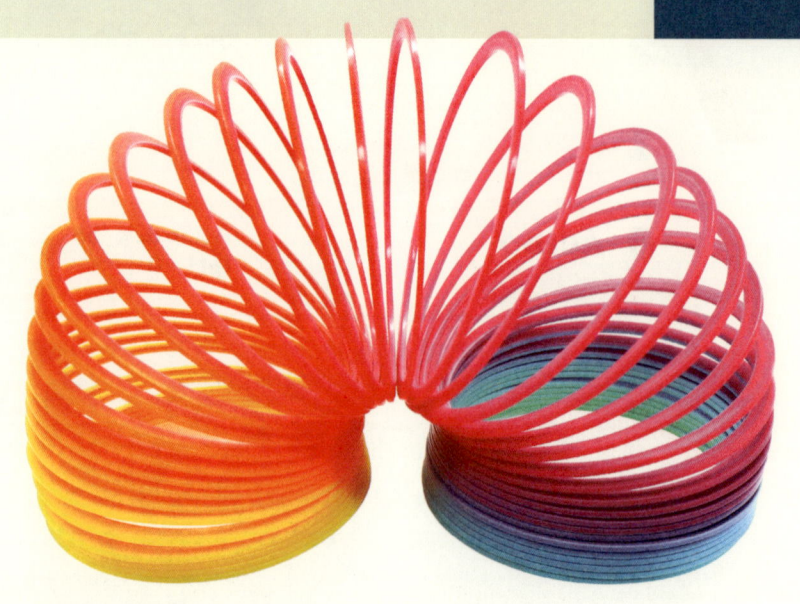

O poder dos polímeros

A maioria dos plásticos é um tipo de substância química chamada polímero. Em grego, *poly* significa "muitos" e *mer* significa "unidades". Cada polímero é composto por uma unidade que se repete centenas, milhares ou milhões de vezes, como um colar de contas. Bem atadas umas às outras, as unidades formam correntes fortes, porém flexíveis, que podem assumir diversos formatos. É a chamada plasticidade. É fácil moldar o plástico de diversas maneiras – até como uma mola de brinquedo (à esquerda).

CONSULTOR ESPECIALISTA: Duncan Davis. **VEJA TAMBÉM:** Combustíveis fósseis, pp.80-81; A química da vida, pp.120-21; Mar aberto, pp.180-81.

O problema dos plásticos

Os plásticos são uma das principais causas de poluição. Eles se decompõem muito lentamente – ou nem mesmo se decompõem. Além disso, perturbam os ecossistemas naturais e ameaçam a fauna. Parte do plástico descartado vai parar nos oceanos. Em 2019, um mergulhador encontrou um saco quando estava a 11 quilômetros de profundidade no oceano, na Fossa das Marianas.

Pássaros levam plástico para os ninhos, onde seus filhotes acabam comendo-o.

Aves marinhas e mamíferos ficam presos em redes de pesca de náilon todos os dias.

O plástico pode boiar e formar grandes "ilhas" de lixo, como a que existe no norte do Oceano Pacífico, com mais de 1,8 trilhão de pedaços de plástico.

Microplásticos

Muitas vezes o plástico se encontra em pedaços tão pequenos que são quase invisíveis. Os microplásticos têm menos de 5 milímetros de comprimento e existem milhares de toneladas deles no solo e nos oceanos. Alguns são pequenas microesferas usadas em maquiagem, mas outros são produzidos quando plásticos maiores vão se desgastando. Os microplásticos são nocivos para as criaturas que os ingerem, incluindo o ser humano.

Os bioplásticos fazem jus ao nome?

Os bioplásticos são formados por materiais vegetais, como a mandioca (abaixo). Hoje, os objetos mais populares feitos com esse material são pratos, copos, talheres e canudos. No entanto, outros tipos de objetos podem ser fabricados. O PLA, um tipo de bioplástico, é hoje um dos materiais mais utilizados em impressoras 3-D. Os fabricantes afirmam que eles vão se degradar ou se decompor com mais facilidade do que os plásticos produzidos a partir de combustíveis fósseis. Embora alguns se degradem razoavelmente rápido, isso não se aplica a todos os tipos.

A QUÍMICA DA VIDA

Toda a vida na Terra se baseia em um único elemento químico: o carbono. O carbono do ar se combina com o oxigênio para formar dióxido de carbono (CO_2). As plantas usam CO_2, água e luz solar para produzir carboidratos, os nutrientes necessários para que vivam e cresçam. Elas liberam oxigênio como subproduto. Os animais (incluindo o ser humano) comem plantas e respiram oxigênio para obter energia dos carboidratos. Na sequência, liberam CO_2 de volta ao ar por meio da respiração.

Torres de tufo

No lago Mono, na Califórnia (EUA), o carbono criou torres de calcário poroso (tufo) ao longo dos séculos. Elas crescem no leito do lago à medida que o carbono da água reage com o cálcio, provocando o acúmulo de carbonato de cálcio, um mineral formador de rochas. Os cientistas estudam as torres para compreender a história climática da região.

As manchas ajudam o leopardo a se misturar com as árvores e a grama enquanto caça. Isso se chama camuflagem.

Padrões na natureza

A química é responsável pelas marcas dos animais, como as manchas do leopardo e as listras da zebra. Antes de um animal nascer, diferentes substâncias químicas competem para controlar seu desenvolvimento biológico. As manchas do leopardo surgem quando um sinal químico cria cores pretas na pele, mas outra substância programa outras partes para criar um pigmento amarelo.

CONSULTORA ESPECIALISTA: Kimberly M. Jackson. **VEJA TAMBÉM:** Rochas e minerais, pp.70-71; Cristais gigantes!, pp.72-73; Riquezas da Terra, pp.74-75; A atmosfera, pp.86-87; Elementos químicos, pp.102-103; Compostos químicos, pp.106-107; Sólidos, líquidos e gases, pp.110-111; Plantas e fungos, pp.156-157; Animais, pp.158-159.

Torres de tufo de até 9 metros de altura se desenvolveram nas margens do lago.

Aminoácidos

Para crescer e se desenvolver, os seres vivos precisam de proteínas, que são formadas a partir de aminoácidos. Todos dependem dos mesmos 20 aminoácidos. Podemos produzir 11 deles em nosso organismo, mas é preciso obter os outros nove essenciais a partir de alimentos ricos em proteínas, como carne, peixe, ovos, feijão e oleaginosas como nozes e castanhas, que são decompostos em aminoácidos durante a digestão. Em muitos organismos, incluindo os humanos, as proteínas desempenham inúmeros papéis cruciais, como ajudar no transporte de nutrientes, na formação de massa muscular e no combate a doenças.

Enzimas

Reações químicas, como transformar alimentos em energia, possibilitam que plantas e animais vivam. Para controlar essas reações, as enzimas, uma família de proteínas, atuam como catalisadores químicos, acelerando o processo sem serem alteradas. Um exemplo disso ocorre na fabricação do pão, onde as enzimas presentes no fermento interagem com outros ingredientes, promovendo o crescimento da massa.

REVOLUCIONÁRIA

DOROTHY HODGKIN

Química, viveu de 1910 a 1994

Reino Unido

Dorothy Hodgkin estudou a estrutura das substâncias químicas disparando raios X contra os cristais para ver os padrões que eles formavam. Durante a Segunda Guerra Mundial, ela desvendou a estrutura da penicilina, que cura feridas e combate infecções. Seu trabalho ajudou os cientistas a criar medicamentos novos e mais eficazes. Mais tarde, descobriu a estrutura da vitamina B12 e também da insulina, hormônio que controla os níveis de glicose no organismo.

Fatos Fantásticos!

Pesquisadores fizeram diamantes usando manteiga de amendoim! A manteiga de amendoim é rica em carbono, que também compõe os diamantes. Cientistas alemães submeteram manteiga de amendoim a alta pressão para simular condições encontradas debaixo da superfície da Terra, e assim produziram diamantes! Claro que eles podiam ter escolhido outra fonte de carbono, mas a notícia deixaria de ser tão curiosa.

121

ENERGIA

A energia é uma propriedade fundamental contida em tudo no Universo. Sem ela, não é possível, por exemplo, mover nosso corpo nem fazer as máquinas funcionarem. A energia é essencial para que todos os seres vivos cresçam – de bactérias a sequoias, de tubarões a seres humanos.

Energia cinética e energia potencial

Existem dois tipos básicos de energia: a energia cinética existe quando algo se move. Quanto mais rápido algo se move, mais energia cinética possui. A energia potencial é energia armazenada. Ela pode depender da posição ou do estado das partes em um sistema. Uma bola erguida no alto tem um tipo de energia potencial conhecida como energia gravitacional. Quando é solta, ela cai e ganha velocidade. Sua energia potencial é transformada em energia cinética.

Calor

É a forma de transferência de energia térmica entre dois corpos. Quando dois corpos com temperaturas diferentes entram em contato, o calor flui do corpo com temperatura mais alta para o corpo com temperatura mais baixa.

ENERGIA

A energia é necessária para fazer a matéria se movimentar ou se transformar.

ENERGIA CINÉTICA

O movimento ou deslocamento de um objeto requer energia cinética.

ENERGIA POTENCIAL

É armazenada em um objeto até que seja transformada em outra forma de energia.

Energia térmica

É a energia total de um sistema que está associada à temperatura das partículas que o compõem. Quanto mais rápido essas partículas se movem, mais quente o objeto fica.

Energia radiante

Pode ser emitida, transmitida ou refletida por diferentes fontes, como o Sol, lâmpadas, estrelas e até mesmo objetos aquecidos. Conhecida como radiação eletromagnética.

Energia sonora

Esse tipo de energia aparece nas vibrações do ar ou da matéria. É percebida pelo ouvido humano e interpretada pelo cérebro como som.

Energia gravitacional

É a energia em um campo gravitacional – quanto mais alto se vai, maior é essa energia.

Energia nuclear

Armazenada no núcleo de um átomo, é liberada quando os átomos se dividem ou se unem.

Energia elétrica

Forma de energia associada ao movimento de elétrons através de um condutor elétrico, como um fio metálico. É o tipo de energia que usamos em nossas casas, nas indústrias e em dispositivos elétricos.

CONSULTOR ESPECIALISTA: David Tong. **VEJA TAMBÉM:** O Big Bang, pp.4-5; O fim do Universo, pp.46-47; Som, pp. 124-125; Eletricidade, pp.126-127; Luz, pp.128-129; Demônios da velocidade, pp.130-131; Gravidade, pp.134-135.

Transformando energia

Existe um princípio científico conhecido como lei da conservação de energia. Ela determina que a energia não pode ser criada nem destruída, apenas transformada em um tipo diferente de energia. Vejamos, por exemplo, uma roda-d'água. Um riacho que flui montanha abaixo converte energia gravitacional em energia cinética. A água empurra as pás, transferindo energia cinética para a roda. A roda gira em torno do eixo de modo a alimentar uma máquina, como um moinho.

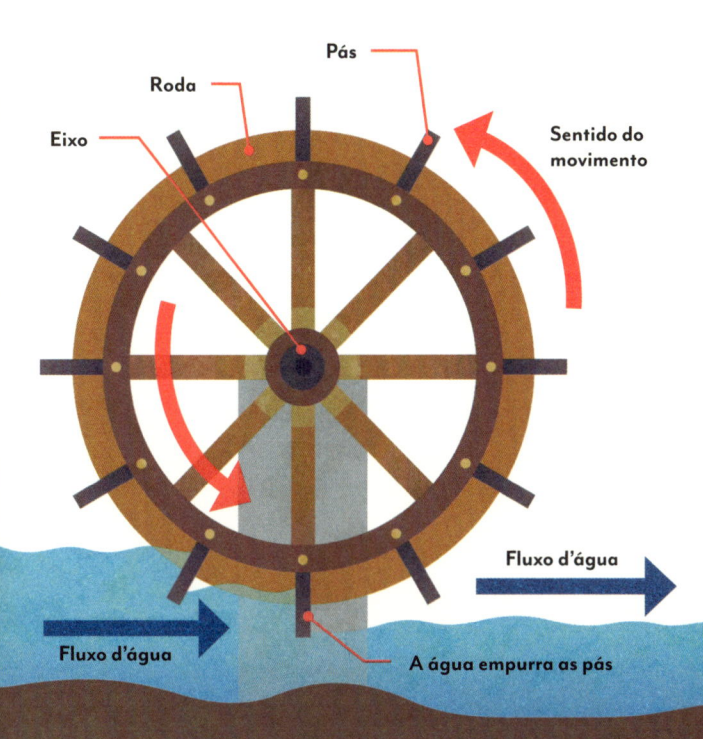

- Eixo
- Roda
- Pás
- Sentido do movimento
- Fluxo d'água
- A água empurra as pás
- Fluxo d'água

- As lâminas são inclinadas de modo a captar o vento.
- O eixo gira o gerador para produzir eletricidade.

Quando a energia é aproveitável?

Embora a quantidade total de energia no Universo permaneça a mesma, nem toda ela é aproveitável. À medida que as coisas ficam mais desordenadas e confusas, a quantidade de energia que pode ser usada diminui. O volume de desordem no Universo é medido pela entropia. Uma lei da física diz que a entropia sempre aumenta com o tempo, portanto a quantidade de energia aproveitável sempre diminui. Por exemplo, quando o milho é aquecido, ele estoura e vira pipoca. Mesmo depois de esfriar, a pipoca não volta ao estado de não estourada. Fazer pipoca aumenta a entropia do Universo.

Turbinas eólicas

A energia cinética do ar em movimento gira as lâminas do rotor nas turbinas eólicas, que a captam. Os rotores transferem a energia para os eixos, que movimentam um gerador. O gerador transforma a energia cinética em energia elétrica. A eletricidade pode ser transmitida e usada em lugares distantes.

Infrassom

Todas as ondas sonoras viajam praticamente à mesma velocidade, mas o tom que você ouve depende de sua frequência ou de quantas ondas chegam a cada segundo. As frequências mais baixas, chamadas infrassom, não podem ser escutadas pelo ouvido humano, mas alguns animais, como os elefantes e as baleias-de-barbatana, como esta jubarte, conseguem ouvi-las. Como as ondas infrassônicas viajam muito longe na água, as baleias podem se comunicar mesmo quando estão a 160 quilômetros de distância.

SOM

O som são as vibrações no ar que podemos ouvir. Quando um tambor toca, uma pessoa grita ou um trovão estrondeia, ocorrem vibrações que esticam e comprimem ritmicamente o ar. Elas entram no tímpano e o fazem vibrar. Os nervos então enviam mensagens ao cérebro, que as transforma em um som que podemos entender. As vibrações são chamadas de ondas sonoras e, como as ondas do mar, viajam pelo ar sem movê-lo muito. Podem viajar através de líquidos (água) e muitos sólidos (metal, pedra, madeira), bem como através do ar.

Fatos Fantásticos!

Nas profundezas vazias do espaço não existe som. Isso acontece porque o som precisa de moléculas para tremer e vibrar, e no vácuo não há moléculas. Até mesmo o som da explosão de estrelas gigantes não se propaga pelo espaço.

CONSULTOR ESPECIALISTA: David Tong. **VEJA TAMBÉM:** Luz, pp.128-129; Demônios da velocidade, pp.130-131.

Ultrassom

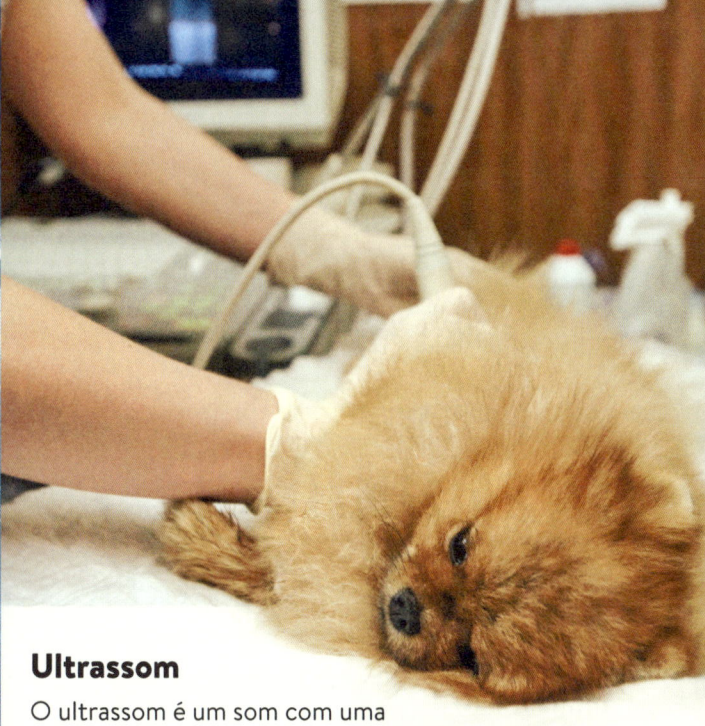

O ultrassom é um som com uma frequência alta demais para que nossos ouvidos escutem. Alguns animais podem emitir esses sons. Os morcegos, por exemplo, emitem e ouvem ondas ultrassônicas. Eles usam o ultrassom para localizar presas e se orientar. Os humanos o empregam para diagnosticar e tratar doenças dentro do corpo, como, por exemplo, em animais. Ele funciona mesmo através dos pelos grossos de um cachorro.

A velocidade do som

Quando um avião voa muito rápido, provoca ondas de pressão no ar à sua frente. Essas ondas viajam à velocidade do som. Se o avião voar ainda mais rápido do que o som, pode "quebrar a barreira do som". Isso significa que ele alcança as ondas e as transforma em uma onda de choque gigante. As pessoas no solo escutam isso como um "estrondo sônico" alto e trovejante.

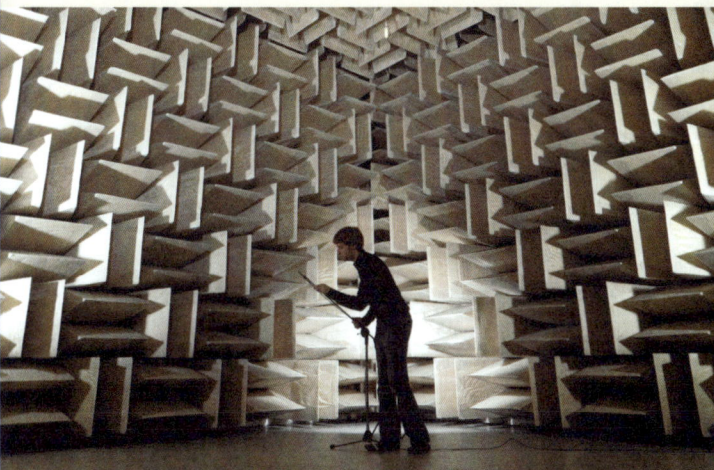

Câmaras anecoicas

Uma câmara anecoica (acima) é o lugar mais silencioso da Terra. É um espaço forrado com painéis de espuma especiais que absorvem as vibrações sonoras. É tão silenciosa que muitas pessoas conseguem ouvir o próprio coração, enquanto outras se sentem muito desconfortáveis, com tontura ou sensação de claustrofobia. Nela, é possível detectar ruídos que em outros locais passariam despercebidos. Ela é utilizada para testar a qualidade de microfones, fones de ouvido e outros dispositivos de áudio.

ELETRICIDADE

Além de ser uma forma de energia associada ao movimento ou interação de cargas elétricas, a eletricidade é uma área da física que estuda os fenômenos causados por essas cargas. Os principais campos de interesse são a eletrodinâmica, que se concentra no estudo da corrente elétrica em movimento, alimentando luzes e máquinas através de fios condutores, e a eletrostática, que investiga as interações de cargas elétricas em repouso. Na eletrostática, vários fenômenos são observados, como a atração de um balão para uma parede após ser esfregado no cabelo, a ocorrência de raios e até mesmo os choques sentidos ao tirarmos um suéter de lã.

Os raios ocorrem quando uma grande quantidade de cargas se acumula e consegue vencer a resistência elétrica do ar.

Os para-raios protegem edifícios altos, fornecendo um caminho seguro para que a energia escoe até o solo.

De onde vêm os raios

Em grandes altitudes, gotas d'água ou gelo dentro das nuvens entram em atrito, gerando eletricidade estática. Quando há muita eletricidade, ela é liberada na forma de um raio. Cerca de 8 milhões a 9 milhões de raios atingem a Terra todos os dias.

CONSULTORA ESPECIALISTA: Cristina Lazzeroni. **VEJA TAMBÉM:** Condições atmosféricas, pp.88-89; Megatempestades, pp.90-91; O átomo, pp.100-101.

Eletricidade estática

Os átomos da maioria dos objetos têm um equilíbrio entre as cargas positiva e negativa, portanto são neutros. Às vezes, porém, os elétrons, que têm carga negativa, podem se acumular. Isso é chamado de eletricidade estática. A garota da foto está tocando um gerador de Van de Graaff. Quando alguém toca a bola, os elétrons que estão acumulados ali saltam para o corpo da pessoa e se movem através dele até as pontas dos cabelos. Como todos os elétrons têm carga negativa, eles se repelem, deixando os cabelos em pé.

Condutores e isolantes

Os condutores permitem que a eletricidade flua facilmente através deles. Entre eles há muitos metais. Já os que não permitem a passagem fácil da eletricidade são chamados de isolantes. Os pássaros podem pousar sobre um único fio porque a eletricidade passa adiante. No entanto, se um pássaro pousasse em dois fios ao mesmo tempo, a eletricidade passaria por ele para chegar ao outro fio e o pássaro seria eletrocutado.

Fios de metal conduzem eletricidade.

Os pássaros não são eletrocutados porque a eletricidade não passa por eles.

NOTA da especialista!

CRISTINA LAZZERONI
Física de partículas

A professora Lazzeroni estuda a física das partículas subatômicas, os menores e mais simples objetos que existem. O grande problema não resolvido em sua área é compreender os blocos que compõem o Universo.

"Os cientistas são frequentemente retratados como pessoas que ficam enfurnadas em laboratórios. Mas eu trabalho com pessoas de muitos países que fazem coisas incríveis com sistemas computacionais, eletrônicos e mecânicos."

Fatos Fantásticos!

As enguias elétricas têm milhares de células que armazenam energia, como pequenas pilhas. As enguias atordoam suas presas com um choque que pode ser mais poderoso do que a eletricidade de uma tomada doméstica. Uma enguia encontrada na bacia Amazônica, no Brasil, provoca um impressionante choque de 850 volts.

LUZ

A luz é uma forma de energia que é transmitida por meio de ondas eletromagnéticas. A luz que vemos é chamada de visível, nome que sugere a existência de outros tipos que não podemos detectar. E é verdade! Isso ocorre porque as ondas eletromagnéticas podem ter comprimentos de onda (a distância entre dois picos de onda) mais curtos ou mais longos do que nossos olhos conseguem ver. Nada no Universo viaja tão rápido quanto a luz: cerca de 300 mil quilômetros por segundo. Rápido o suficiente para chegar na Terra só oito minutos depois de sair do Sol.

Câmeras são capazes de detectar cores da aurora boreal mais vivas do que os olhos humanos conseguem ver.

A aurora boreal aparece normalmente em tons de verde.

Aurora boreal

Perto do Círculo Polar Ártico, o céu noturno às vezes se enche de cortinas luminosas coloridas. Isso é chamado de aurora boreal. Elas ocorrem quando ondas de partículas energéticas emitidas pelo Sol encontram átomos no alto da atmosfera terrestre. Um fenômeno semelhante ocorre próximo ao Polo Sul e é chamado de aurora austral.

CONSULTOR ESPECIALISTA: David Tong. **VEJA TAMBÉM:** Estrelas, pp.10-11; Buracos negros, pp.18-19; O Sol, pp.24-25; Combustão, pp.108-109; Plasma, pp.112-113; Energia, pp.122-123; Eletricidade, pp.126-127.

Lasers
A LISTA

Um laser cria um feixe de luz estreito, porém intenso. Os raios laser não se espalham como a luz de uma lanterna, podendo viajar longas distâncias e manter uma intensa concentração de energia. Eles têm inúmeras aplicações:

1. Os leitores de código de barras nos caixas dos supermercados usam um raio laser vermelho. A luz do feixe é refletida nas listras pretas e brancas do código de barras. Essas informações são transformadas em um código que um computador central compara instantaneamente com um banco de dados para responder com o preço do produto.

2. Harpas laser são instrumentos musicais que projetam uma fileira de raios laser no ar. Quando a mão de um artista interrompe um feixe, o instrumento toca uma nota específica. Elas são usadas em espetáculos ao vivo.

3. Cortar diamantes para fazê-los brilhar não é fácil, porque eles são a substância natural mais dura do mundo. Em vez das serras de diamante antes usadas, os artesãos hoje usam lasers, que concentram o calor extremo na superfície de um diamante de modo a queimar a pedra, cortando-a com muita precisão.

4. Os cirurgiões usam raios laser para fazer cortes no tecido corporal e cauterizá-los de novo, de modo a evitar o sangramento. Cirurgias a laser são frequentemente usadas para melhorar a visão das pessoas.

5. Os telescópios usam lasers para nos dar uma visão mais nítida do Universo profundo. A turbulência – ventos que agitam a atmosfera – pode obstruir essa visão. Os lasers em telescópios avançados revelam a turbulência ao iluminar uma camada da atmosfera 96 quilômetros acima da Terra. Os telescópios utilizam essa informação visual para ajustar seu foco.

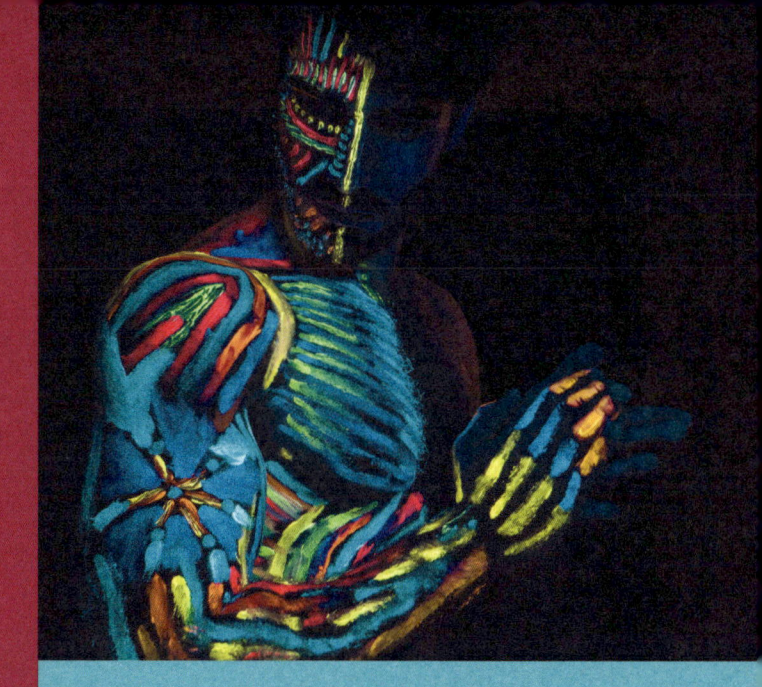

Luz UV
Apesar de ter um comprimento de onda fora do que podemos enxergar, a luz ultravioleta (UV) pode interagir com certos pigmentos presentes em tintas e fazê-los brilhar intensamente. Artistas usam tintas fluorescentes para criar arte corporal que brilha sob luz ultravioleta em boates ou festivais. A luz UV pode penetrar na pele humana, mas não tão fundo quanto os raios X.

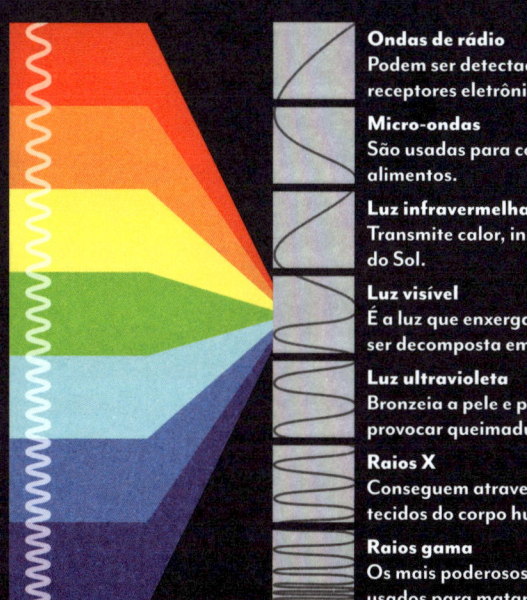

A curva da luz
A luz em geral viaja em linha reta a uma velocidade constante. No entanto, sua velocidade muda quando passa de um material transparente para outro, como ao atravessar um copo d'água. Como a água é mais densa do que o ar, a luz desacelera ligeiramente e, assim, sua trajetória muda de ângulo, parecendo criar uma curva onde o ar e a água se encontram. Essa curva é chamada de refração.

A luz do lápis é refratada.

Ondas de rádio
Podem ser detectadas por receptores eletrônicos.

Micro-ondas
São usadas para cozinhar alimentos.

Luz infravermelha
Transmite calor, incluindo o do Sol.

Luz visível
É a luz que enxergamos. Pode ser decomposta em cores.

Luz ultravioleta
Bronzeia a pele e pode provocar queimaduras solares.

Raios X
Conseguem atravessar os tecidos do corpo humano.

Raios gama
Os mais poderosos, podem ser usados para matar um câncer.

Espectro eletromagnético
A luz visível é apenas um tipo de energia emitida na forma de ondas eletromagnéticas. Outros tipos são, por exemplo, a luz infravermelha, as ondas de rádio e os raios X. Eles diferem da luz visível apenas no comprimento de onda. O intervalo completo de comprimentos é chamado de espectro eletromagnético.

Bloodhound LSR

O recorde mundial de velocidade terrestre é de incríveis 1.228km/h, estabelecido pelo carro supersônico britânico ThrustSSC, de Richard Noble, em 1997. Está em andamento uma disputa para tentar bater esse recorde. Os candidatos incluem o Jetblack, da Nova Zelândia, o Aussie Invader A5, da Austrália, e o britânico Bloodhound LSR, cujo modelo original é retratado abaixo. Ao contrário dos carros comuns, esses veículos são movidos por motores a jato. Suas equipes esperam atingir velocidades de até 1.600km/h.

O atrito das rodas não é suficiente para manter o Bloodhound LSR em linha reta a altas velocidades, por isso ele possui um enorme estabilizador na cauda para equilibrá-lo, como um avião.

O carro possui três sistemas de freios: primeiro, freios a ar; a seguir, os paraquedas entram em ação; por fim, freios convencionais nas rodas traseiras são acionados.

A energia principal vem de um motor a jato. O carro foi projetado para que um motor de foguete também possa ser adicionado.

CONSULTOR ESPECIALISTA: David Tong. **VEJA TAMBÉM:** Foguetes, pp.38-39; Combustão, pp.108-109; Energia, pp.122-123; Som, pp.124-125; Luz, pp.128-129; Forças, pp.132-133; Máquinas simples, pp.142-143.

DEMÔNIOS DA VELOCIDADE
A LISTA

OS VEÍCULOS MAIS RÁPIDOS DE TODOS OS TEMPOS

1. Apollo 10 Velocidade máxima: 39.897km/h. Essa velocidade – a mais rápida a que o ser humano já se moveu – foi alcançada pela tripulação da nave espacial *Apollo 10* quando ela voltou à Terra depois de visitar a Lua em 1969.

2. DARPA Falcon HTV-2 Velocidade máxima: 20.921km/h. Essa velocidade, alcançada em 11 de agosto de 2011, é a mais rápida de um avião. O HTV-2 é um planador não tripulado, lançado ao ar por um foguete. No HTV-2, o tempo de voo de São Paulo a Lima, no Peru, seria inferior a 12 minutos – um avião comercial leva cerca de cinco horas.

3. X-15 Velocidade máxima: 7.274km/h. Os aviões-foguete experimentais X-15 são os mais rápidos já pilotados. Foram lançados em grandes altitudes por um bombardeiro B-52 e depois impulsionados por um motor de foguete. Essa velocidade foi alcançada em 1967 pelo piloto Pete Knight.

4. Lockheed SR-71 Velocidade máxima: 3.530km/h. Apelidado de *Blackbird*, foi o avião a jato mais rápido de todos os tempos. Em 1974, um *Blackbird* SR-71 voou de Nova York a Londres em menos de duas horas.

5. ThrustSSC Velocidade máxima: 1.228km/h. Esse é o recorde mundial de velocidade terrestre alcançado pelo carro a jato ThrustSSC, de Richard Noble. Dirigido por Andy Green em 15 de outubro de 1997, ele quebrou a barreira do som!

6. Koenigsegg Agera Velocidade máxima: 447km/h. Essa é a velocidade mais rápida atingida por um carro comercial (projetado para venda ao grande público), alcançada em 2017.

7. Shanghai Maglev Velocidade média: 431km/h. O trem mais rápido do mundo funciona por levitação magnética.

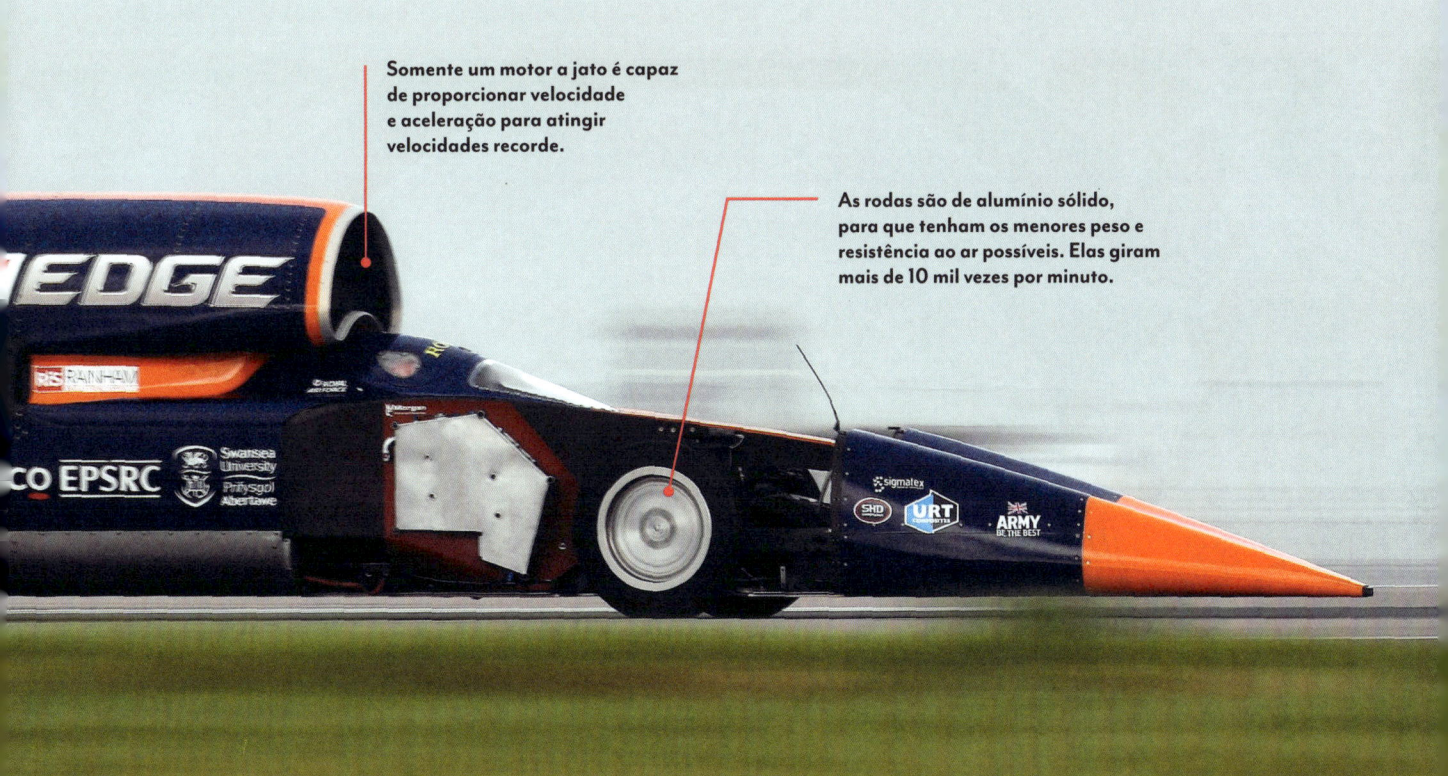

Somente um motor a jato é capaz de proporcionar velocidade e aceleração para atingir velocidades recorde.

As rodas são de alumínio sólido, para que tenham os menores peso e resistência ao ar possíveis. Elas giram mais de 10 mil vezes por minuto.

FORÇAS

Todos os objetos possuem uma propriedade chamada inércia. Isso significa que permanecem como estão até que uma força atue sobre eles. Uma bola parada fica parada até que uma força a empurre. E uma bola rolando continua a rolar na mesma direção até que uma força a faça voltar ou parar. Existem dois tipos principais: uma força de contato que toca o objeto, como sua mão quando empurra a bola, e uma força que atua à distância e não toca o objeto diretamente, como a gravidade e o magnetismo.

Aceleradores de partículas

As forças moldam as menores partículas dentro dos átomos. Os cientistas usam aceleradores de partículas, como o Grande Colisor de Hádrons, em Genebra (abaixo), para provocar a colisão de prótons a uma velocidade próxima à da luz. Eles estudam como os prótons se desintegram para aprender sobre as forças que os mantêm unidos. A expectativa é de que isso os ajude a compreender a natureza de toda a matéria.

Força centrípeta

As pessoas são propelidas para fora conforme o brinquedo gira em um parque de diversões. Elas não saem voando porque há uma força puxando-as em direção ao centro do brinquedo. Isso é chamado de força centrípeta. Ela atua através das correntes onde estão presos os assentos do brinquedo.

CONSULTOR ESPECIALISTA: David Tong. **VEJA TAMBÉM:** O nosso sistema solar, pp.22-23; Foguetes, pp.38-39; O fim do Universo, pp.46-47; O átomo, pp.100-101; Radioatividade, pp.104-105; Energia, pp.122-123; Eletricidade, pp.126-127; Luz, pp.128-29; Demônios da velocidade, pp.130-131; Gravidade, pp.134-135

Forças fundamentais
A LISTA

Quatro forças fundamentais mantêm o Universo funcionando. Duas são familiares: a gravidade e o eletromagnetismo. As outras são conhecidas como forças nucleares forte e fraca. Elas atuam no interior dos átomos.

1. A gravidade é uma força de atração que mantém toda a matéria agregada. Todos os objetos exercem essa força sobre outros objetos, mas aqueles com maior massa exercem maior gravidade.

2. O eletromagnetismo é uma força que pode atrair ou repelir, como um ímã. Ele mantém os átomos unidos, mas também os separa – e é por isso que os átomos do corpo não se combinam com os da cadeira.

3. A força forte mantém unido o núcleo de um átomo. Ela atua em curta distância, mas é extremamente poderosa.

4. A força fraca provoca mudanças no interior dos núcleos atômicos. Dá início às reações nucleares que alimentam o Sol.

REVOLUCIONÁRIO
ISAAC NEWTON
Físico, viveu de 1643 a 1727
Reino Unido

Isaac Newton foi um dos cientistas mais importantes de todos os tempos. Ele não apenas formulou as leis do movimento como também descobriu a lei da física que descreve a gravidade – a atração entre toda a matéria, incluindo a Lua e a Terra. Newton também fez avanços na matemática e realizou um famoso experimento no qual decompôs a luz solar em todas as cores do arco-íris.

DESBRAVANDO O DESCONHECIDO
Existe uma quinta força?

O Universo está se expandindo mais rápido do que deveria, levando-se em conta a quantidade de matéria que o mantém unido com sua gravidade. Uma misteriosa forma de energia chamada energia escura parece estar provocando isso. Os cientistas ainda tentam entender o que constitui essa energia.

AS LEIS DO MOVIMENTO

Nos anos 1600, Sir Isaac Newton descobriu que praticamente todos os movimentos no Universo obedecem a três regras simples, conhecidas como leis do movimento. As leis de Newton explicam todas as coisas em movimento que vemos no dia a dia – desde por que uma bola rola até por que é difícil empurrar um carrinho de compras cheio e por que um foguete pode ser lançado no espaço.

Primeira lei
Um objeto não se moverá a menos que algo o force a se mover; ele continuará a se mover na mesma velocidade e na mesma direção a menos que seja forçado a mudar. Isso é chamado de inércia.

Uma bola em uma superfície plana não rolará a menos que algo a empurre.

Uma bola rolando ao longo de uma superfície plana horizontal continuará rolando a menos que algo a faça parar.

Segunda lei
Quando muitas forças atuam sobre um corpo, a ação sobre ele pode ser descrita por uma única força resultante que equivale à ação simultânea de todas elas.

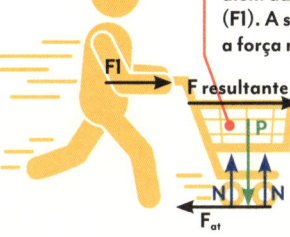

Um carrinho sendo empurrado está sob a ação de várias forças, como seu próprio peso (P), atrito das rodas (F_{at}) e apoio com o solo (força normal, N), além da força da pessoa que empurra (F1). A soma de todas elas determina a força resultante agindo no carrinho.

Terceira lei
Para cada ação há uma reação igual e em sentido oposto. Quando algo empurra alguma coisa, tudo que é empurrado empurra de volta com igual força na direção contrária.

Quando gases saem em alta velocidade pela parte traseira de um foguete, a reação igual e em sentido oposto é o que faz o foguete subir.

GRAVIDADE

Por que é mais difícil subir uma ladeira de bicicleta do que descê-la? E por que as coisas caem, e não sobem, quando você as solta? A resposta é a gravidade da Terra, uma força que puxa os objetos em direção ao centro do planeta. É ela também que dá peso a um objeto. Se alguém sobe em uma balança, a gravidade puxa essa pessoa em direção à balança, que mostrará a intensidade dessa força, isto é, o peso da pessoa. A gravidade também é importante no espaço, pois é o que mantém os sistemas solares e as galáxias unidos. Objetos com maior massa têm mais gravidade.

O experimento de Galileu

No final dos anos 1500, o cientista italiano Galileu Galilei realizou experimentos para testar como a gravidade atrai os objetos, fazendo-os cair. Ninguém sabe se Galileu fez isto de fato, mas seu aluno Vincenzo Viviani afirmou que, em um experimento, o cientista soltou bolas de diferentes pesos do alto da inclinada Torre de Pisa, na Itália. A descoberta de Galileu de que objetos de mesmo formato, leves ou pesados, soltos perto da superfície terrestre caem aproximadamente à mesma velocidade alterou a ideia de que os objetos pesados caíam mais rápido, algo que o filósofo grego antigo Aristóteles tinha afirmado 1.900 anos antes. Na Terra, pequenas diferenças na velocidade com que os objetos caem se devem à resistência do ar, não à massa.

Galileu teria subido quase 300 degraus para chegar ao topo da Torre de Pisa e soltar as duas bolas.

A gravidade faz com que as bolas – uma mais leve do que a outra – caiam à mesma velocidade.

As duas bolas são do mesmo tamanho, mas têm pesos diferentes.

As bolas atingem o solo quase ao mesmo tempo, apesar da diferença de peso.

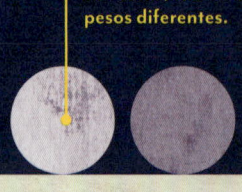

CONSULTORA ESPECIALISTA: Roma Agrawal. **VEJA TAMBÉM:** Nebulosas, pp.12-13; O fim do Universo, pp.46-47; A Terra no espaço, pp.54-55; Medindo a Terra, pp.56-57; Combustão, pp.108-109; Forças, pp.132-133; Pressão, pp.136-137.

Queda livre

Paraquedistas podem ficar em queda livre por alguns minutos antes de abrir seus paraquedas. No início do salto, a aceleração é intensa, pois a gravidade os puxa em direção ao solo. Após cerca de 15 segundos, atingem uma velocidade constante, a chamada velocidade terminal, em que a força da gravidade é equilibrada pela resistência do ar. Os paraquedistas podem dobrar os membros para uma queda mais rápida ou, como este aqui, esticá-los para aumentar a área de contato com o ar e cair mais devagar.

Chamas no espaço

A Estação Espacial Internacional (ISS, na sigla em inglês) está em órbita ao redor da Terra, criando uma condição conhecida como microgravidade. Embora a gravidade ainda esteja presente, a sensação de peso é quase inexistente. Essa condição pode resultar em situações bastante diferentes das que encontramos na Terra. Por exemplo, quando alguém acende um fósforo aqui na Terra, a ação da gravidade permite que os gases da vela circulem e criem uma chama com a base mais larga. No entanto, na ISS, as chamas são arredondadas.

No espaço, a forma da chama é arredondada em vez de mais larga na base, como acontece na Terra.

Mesmo que a fonte da chama esteja acima dela, a chama permanece arredondada.

REVOLUCIONÁRIO

ALBERT EINSTEIN
Físico, viveu de 1879 a 1955

Alemanha

O cientista Albert Einstein descobriu várias regras muito importantes sobre o funcionamento do Universo. Uma delas é que o tempo é uma dimensão, assim como a altura, o comprimento e a largura – as três dimensões que normalmente usamos para medir as coisas. Ele chamou essa combinação quadrimensional de espaço-tempo e descobriu que a gravidade pode dobrá-la. Saber disso ajuda os físicos a prever o comportamento do Universo.

DESBRAVANDO O DESCONHECIDO

A vida precisa de gravidade?

Todas as coisas vivas que conhecemos estão na Terra. E todas existem na gravidade. Isso significa que as plantas e os animais precisam da gravidade para viver? As plantas e os animais na Estação Espacial Internacional (ISS) não se desenvolvem como na Terra, mas talvez se adaptem à vida em baixa gravidade. Os ratos na ISS mantiveram a boa saúde, sugerindo que isso é possível.

Ratos em uma viagem espacial correram em círculos, possivelmente para estimular pelos finos no ouvido interno que auxiliam no equilíbrio, ajudando-os a lidar com a ausência de peso.

135

Aerossóis

Artistas de rua pintam murais usando tintas spray em aerossol. Elas funcionam graças à pressão. Os fabricantes comprimem uma mistura de tinta e gás (em geral gás liquefeito de petróleo, o mesmo usado na cozinha) na lata. Normalmente, a pressão é de duas a oito vezes maior que a pressão normal do ar. Apertar o botão libera parte do gás pressurizado, levando tinta junto. À medida que o gás se expande, ele pulveriza a tinta em um spray fino.

PRESSÃO

Pressão é a quantidade de força sobre uma área. Pode ser medida em quilos por centímetro quadrado. Uma força elevada em uma área pequena cria uma alta pressão. A mesma quantidade de força em uma área grande cria uma pressão mais baixa. Se você pisar na neve com sapatos, seu peso vai estar concentrado em uma pequena área, de modo que a pressão fará com que você afunde na neve. Se você usar esquis, porém, seu peso será distribuído por uma superfície maior, reduzindo a pressão o suficiente para que a neve o sustente. Gases, como o ar, e líquidos, como a água, exercem pressão porque suas moléculas se movem em todas as direções, empurrando as paredes de seus envoltórios. Além disso, as moléculas dos líquidos e dos gases têm massa e, portanto, força e peso.

Fatos Fantásticos!

Há 1 quilo de pressão de ar forçando cada centímetro quadrado do seu corpo. Isso equivale a cerca de uma tonelada, ou o peso de um búfalo. Então por que não nos sentimos esmagados? Porque há a mesma pressão dentro do nosso corpo. Isso anula a pressão que vem de fora.

CONSULTORA ESPECIALISTA: Roma Agrawal. **VEJA TAMBÉM:** O átomo, pp.100-101; Elementos químicos, pp.102-103; Compostos químicos, pp.106-107; Sólidos, líquidos e gases, pp.110-111; Mais leve do que o ar, pp.138-139; Em águas profundas, pp.182-183.

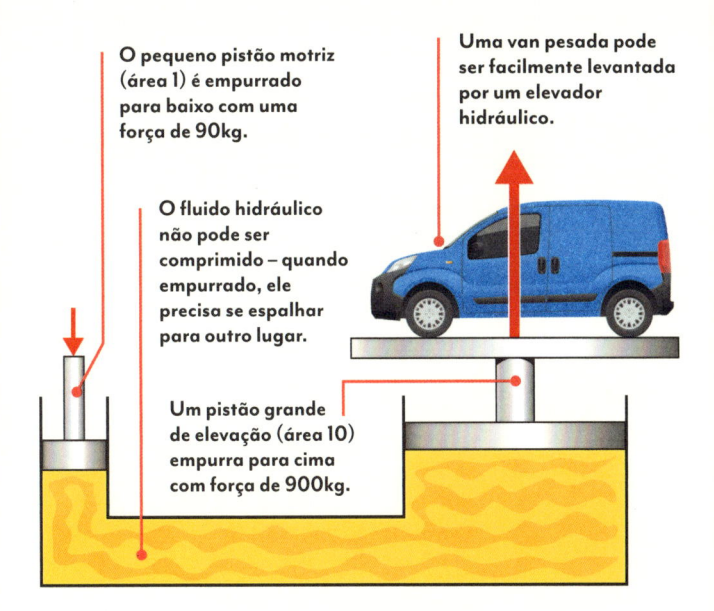

O pequeno pistão motriz (área 1) é empurrado para baixo com uma força de 90kg.

Uma van pesada pode ser facilmente levantada por um elevador hidráulico.

O fluido hidráulico não pode ser comprimido – quando empurrado, ele precisa se espalhar para outro lugar.

Um pistão grande de elevação (área 10) empurra para cima com força de 900kg.

Como as máquinas hidráulicas funcionam

Os elevadores hidráulicos de automóveis usam a pressão do óleo. Quando você empurra o óleo para baixo de um lado, ele é empurrado para cima do outro lado com a mesma pressão. Mas, como o pistão de elevação é muito maior, a pressão é distribuída por uma área maior, multiplicando a força até o suficiente para levantar o carro. Para obter a força extra, o pistão menor tem que se mover muito mais.

Pressão atmosférica

A atmosfera que circunda a Terra tem peso e aperta qualquer coisa abaixo dela. O ar é mais pesado ao nível do mar porque as moléculas de ar são comprimidas pelo peso do ar acima delas. E fica mais leve à medida que se afasta da superfície da Terra, com as moléculas de ar separadas por mais espaço. Como esse ar mais rarefeito contém menos oxigênio, os aviões são pressurizados – o ar é bombeado para dentro dos aviões à medida que eles sobem. Essa pressurização garante que os passageiros e a tripulação possam respirar adequadamente e não passem mal. No entanto, bombear ar para dentro da cabine pode exercer muita pressão de dentro para fora sobre o corpo do avião e provocar danos. Por isso, a pressurização precisa ser cuidadosamente controlada.

Enquanto o balão está intacto, a tensão na superfície é distribuída uniformemente.

Se você espeta um balão com um alfinete, o ar escapa de repente a uma alta pressão, fazendo com que ele estoure.

Este é um traje moderno; o primeiro traje de mergulho atmosférico foi inventado na década de 1930.

Mergulhadores podem fazer reparos em plataformas de petróleo e em submarinos a grandes profundidades.

Estourando um balão

Quando enche um balão, você força a entrada de mais ar. Isso aumenta a pressão dentro do balão, mantendo a superfície dele bem esticada. Se você o aperta com o dedo, a pressão do seu dedo empurra a borracha. Mas, se você o espeta com um alfinete, a mesma força será aplicada na minúscula cabeça do alfinete. Isso cria uma pressão tão alta que perfura a borracha, que estoura e cria uma onda de choque – o barulho que ouvimos.

Sob pressão

Quanto mais fundo um mergulhador desce, maior é a pressão que a água exerce sobre seu corpo. A 10 metros debaixo d'água, há o dobro de pressão no ar nos pulmões do que na superfície. Por isso, os mergulhadores têm que emergir devagar para ir ajustando a pressão nos pulmões à pressão na atmosfera. Se subirem rápido demais, podem passar mal. Os trajes de mergulho atmosféricos os protegem dos efeitos da pressão em profundidades de até 600 metros.

MAIS LEVE DO QUE O AR

Os primeiros passageiros de um voo de balão de ar quente, em 19 de setembro de 1783, foram uma ovelha, um pato e um galo. Todos sobreviveram. Os humanos alçaram voo em um balão dois meses depois. Esses experimentos pioneiros foram o pontapé inicial da história da aviação e levaram ao desenvolvimento de máquinas voadoras motorizadas. Os balões de ar quente também desempenharam um papel fundamental no estabelecimento da Lei dos Gases Ideais, que descreve como a temperatura, a pressão e o volume dos gases se afetam mutuamente.

A Lei dos Gases Ideais

Três leis dos gases se combinam para formar a Lei dos Gases Ideais: a de Boyle, a de Charles e a de Gay-Lussac. A lei dos gases de Boyle afirma que, se um gás se expande, sua pressão cai. A lei de Charles afirma que, à medida que a temperatura aumenta, os gases se expandem proporcionalmente – desde que a pressão permaneça a mesma. A lei de Gay-Lussac afirma que, se o volume continua o mesmo, a pressão aumenta à medida que a temperatura aumenta.

CONSULTOR ESPECIALISTA: David Tong. **VEJA TAMBÉM:** Espaçonaves tripuladas, pp.42-43; A atmosfera, pp.86-87; O átomo, pp.100-101; Elementos químicos, pp.102-103; Sólidos, líquidos e gases, pp.110-111; Gravidade, pp.134-135; Pressão, pp.136-137.

Os balões de ar quente modernos são geralmente feitos de materiais como nylon ripstop ou dacron (um tipo de poliéster), que são muito leves mas também muito resistentes.

O indiano Vijaypat Singhania detém o recorde mundial de altura em um voo de balão de ar quente: 21.027 metros.

Uma aba selada por uma válvula libera ar quente, desacelerando o balão à medida que ele sobe ou desce.

O ar frio é mais denso, então desce.

O ar quente enche o balão e faz com que ele suba.

O queimador consome propano para criar ar quente.

Como os balões de ar quente voam

O piloto usa o queimador para aquecer o ar do interior do balão e fazê-lo subir. Isso deixa o ar dele mais leve do que o ar ao redor. A eficiência da elevação depende da diferença de temperatura entre o ar no interior e o ar no exterior. É por isso que os balões voam ao amanhecer ou ao anoitecer, quando o ar está mais frio e há menos vento.

Balões ficam amarrados ao chão enquanto são enchidos, para que não saiam voando.

139

ESTICA E PUXA

Todos os sólidos têm forma definida, mas podem ser puxados e empurrados, comprimidos ou retorcidos em várias direções. Alguns são frágeis e se quebram com facilidade. Outros são elásticos e podem se dobrar e esticar bastante. Tudo depende de como as partículas do material estão ligadas entre si. Alguns metais são relativamente elásticos porque as ligações entre seus átomos os mantêm unidos. O vidro, por outro lado, é muito delicado: se for esticado ou pressionado, mesmo que levemente, se estilhaça.

Uma grua move os carros esmagados de um lugar para outro.

Compactadores de carros

Compactadores esmagam automóveis velhos para transformá-los em sucata. Os carros amassados são mais fáceis de serem guardados. O metal se dobra e retorce, mas não se quebra. Uma prensa hidráulica pode compactar os carros (abaixo). Eles também podem ser compactados em diferentes direções para formar um cubo.

CONSULTORA ESPECIALISTA: Roma Agrawal. **VEJA TAMBÉM:** O átomo, pp.100-101; Elementos químicos, pp.102-103; Metais, pp.114-115; Plásticos, pp.118-119; Forças, pp.132-133; Gravidade, pp.134-135; Pressão, pp.136-137.

Em repouso, as molas ficam bem compactas.

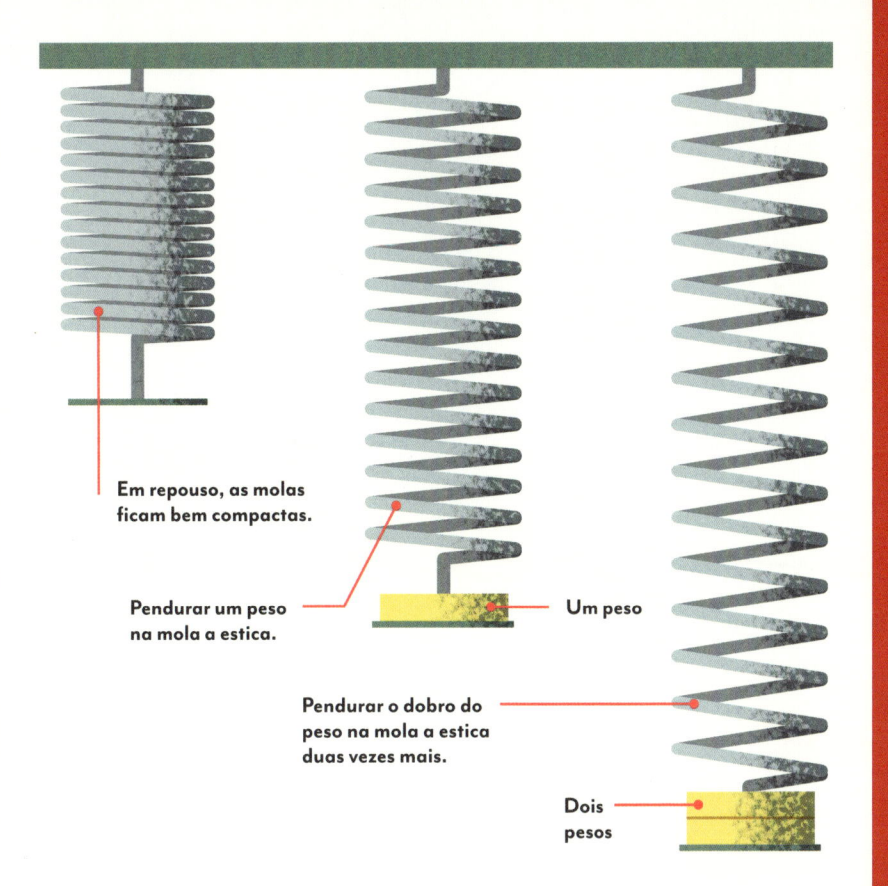

Pendurar um peso na mola a estica.

Um peso

Pendurar o dobro do peso na mola a estica duas vezes mais.

Dois pesos

Lei de Hooke

Um material elástico se comprime ou se estica mais ou menos dependendo da força usada. Se você aplicar o dobro da força ao esticar uma mola de arame (acima), ela se estica também o dobro. Essa é a lei da elasticidade, também conhecida como Lei de Hooke, porque foi descoberta em 1660 pelo cientista inglês Robert Hooke.

Quatro tipos de força
A LISTA

Na engenharia, a tensão é uma medida da quantidade de força exercida sobre um material, e a deformação é uma medida de quanto o material muda de forma sob a força. Existem quatro maneiras pelas quais pode se aplicar força em estruturas:

1. A compressão esmaga um material, comprimindo-o. A resistência à compressão é a força de compressão que algo é capaz de suportar antes de se retorcer ou quebrar.
2. A tração estica um material puxando suas extremidades. A resistência à tração é a força máxima que um material pode suportar antes de se partir ou se despedaçar.
3. O cisalhamento ocorre quando um material puxado ou empurrado pelas duas extremidades se parte em camadas (como dois pedaços de papel deslizando um sobre o outro).
4. A torção é a deformação que ocorre quando as extremidades são giradas em direções opostas. A resistência à torção é a maior torção que um material pode suportar antes de se quebrar.

Ponte suspensa

Pontes suspensas como a Golden Gate, na Califórnia (EUA), se valem da alta resistência do aço à tração. Os cabos gigantes que se estendem das torres e os cabos verticais que sustentam o tabuleiro da ponte são todos de aço. Até mesmo cabos finos de aço são capazes de suportar um peso enorme.

As duas torres altas sustentam o peso da ponte.

Dois cabos de aço se estendem entre as duas torres.

O tabuleiro da ponte fica pendurado pelos cabos de aço.

NOTA da especialista!

ROMA AGRAWAL
Engenheira estrutural

Existem diversas forças que atuam sobre as construções, como a gravidade, o vento e os terremotos. Engenheiras como Agrawal se certificam de que as estruturas sejam capazes de resistir a essas forças e permanecer de pé. Para Agrawal, um desafio importante é como fazer as estruturas mais ecológicas.

A engenharia é criativa. Você projeta uma coisa e depois a vê se tornar realidade.

MÁQUINAS SIMPLES

As máquinas podem ser tão básicas quanto um martelo ou tão complexas quanto um avião. Muitas delas facilitam tarefas físicas, como levantar ou transportar coisas. Máquinas simples são rodas, alavancas, polias e parafusos. Elas ajudam a multiplicar o esforço – ou seja, um esforço pequeno terá um efeito mais forte. Isso proporciona o que é conhecido como vantagem mecânica.

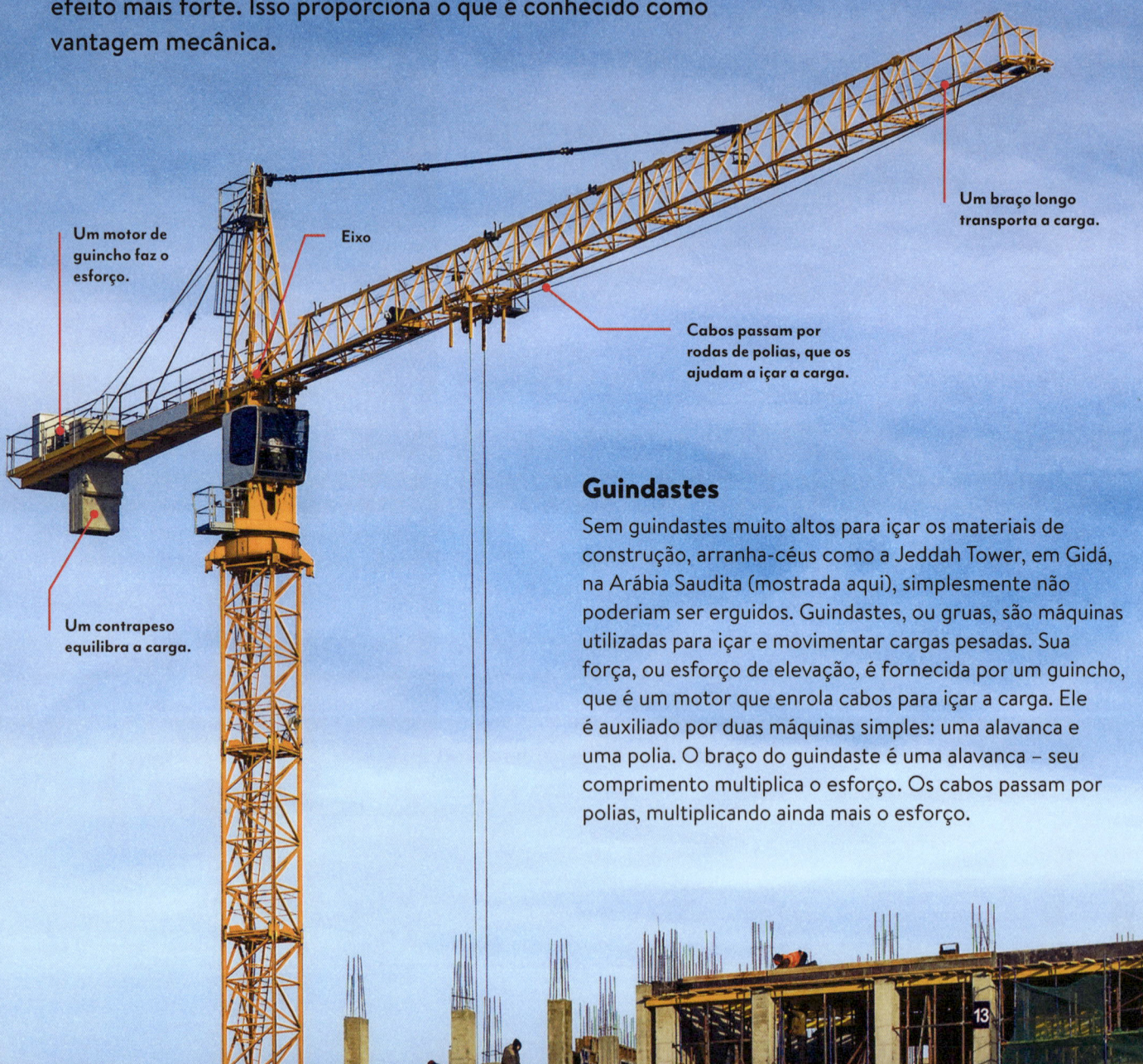

Um motor de guincho faz o esforço.

Eixo

Um braço longo transporta a carga.

Cabos passam por rodas de polias, que os ajudam a içar a carga.

Um contrapeso equilibra a carga.

Guindastes

Sem guindastes muito altos para içar os materiais de construção, arranha-céus como a Jeddah Tower, em Gidá, na Arábia Saudita (mostrada aqui), simplesmente não poderiam ser erguidos. Guindastes, ou gruas, são máquinas utilizadas para içar e movimentar cargas pesadas. Sua força, ou esforço de elevação, é fornecida por um guincho, que é um motor que enrola cabos para içar a carga. Ele é auxiliado por duas máquinas simples: uma alavanca e uma polia. O braço do guindaste é uma alavanca – seu comprimento multiplica o esforço. Os cabos passam por polias, multiplicando ainda mais o esforço.

O parafuso de Arquimedes

Rampas são máquinas simples. Elas ajudam a levantar uma carga gradualmente, distribuindo o esforço melhor do que se você levantasse a carga de uma vez só. Um parafuso é como uma rampa retorcida. O parafuso de Arquimedes, que dizem ter sido inventado pelo matemático grego de mesmo nome há cerca de 2.250 anos, pode transportar água de um rio para uma zona mais alta a fim de irrigar plantações. Cada vez que o parafuso do tubo gira, ele transporta a água um pouco mais alto.

Manivela

A extensão da rampa torna mais fácil elevar muita água com bem menos esforço do que se fosse transportada em baldes.

O parafuso cria uma rampa extensa para que a água suba.

Cada vez que o parafuso gira, leva a água um pouco mais alto.

A água é liberada em um estágio superior.

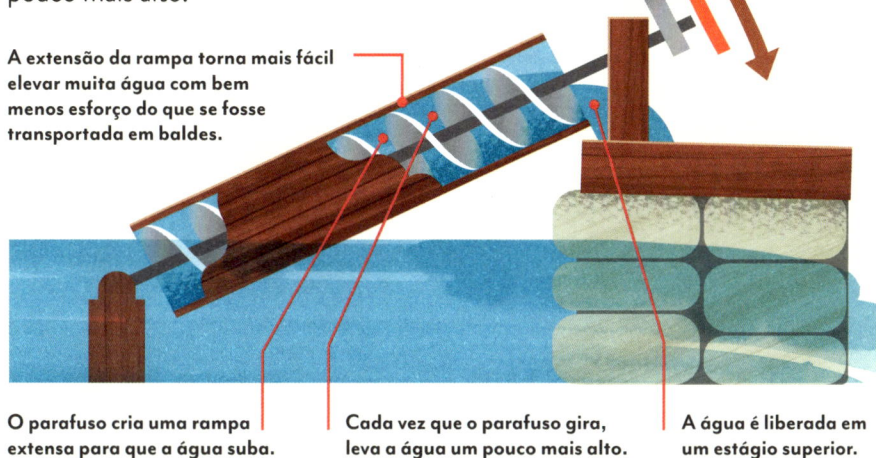

Mudando de marcha

Engrenagens são rodas dentadas que se encaixam em pares. À medida que uma gira, seus dentes movimentam a outra. Quando as rodas são do mesmo tamanho, giram com as mesmas velocidade e força. Mas, se forem de tamanhos diferentes, a velocidade e a força mudam. As bicicletas usam marchas de tamanhos diferentes para que seja necessário usar menos força para subir ladeiras.

A roda maior tem nove dentes.

A roda menor tem apenas oito dentes, por isso gira um pouco mais rápido, mas com menos força.

Alavancas

As alavancas são barras que fornecem força extra ao girar em torno de um ponto de ancoragem chamado eixo. Se a carga estiver próxima do eixo e o esforço distante, obtemos muita força extra. Existem três tipos de alavanca, dependendo de onde está o eixo em relação à carga e ao esforço.

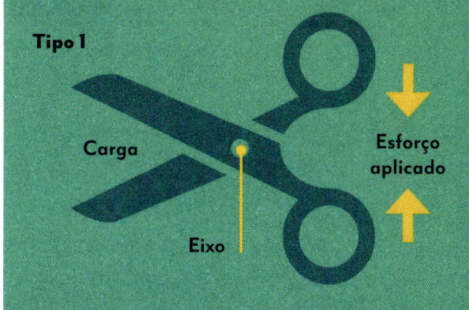

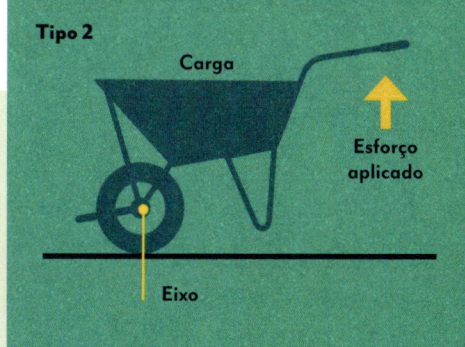

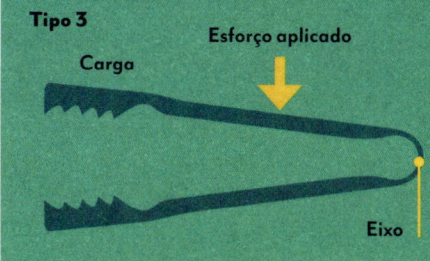

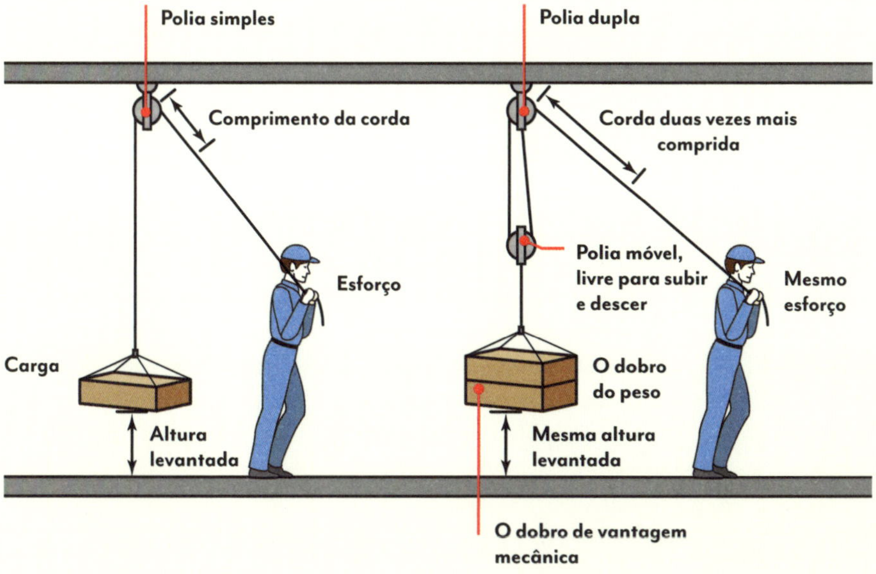

Tipo 1

Carga — Eixo — Esforço aplicado

Tipo 2

Carga — Esforço aplicado — Eixo

Tipo 3

Carga — Esforço aplicado — Eixo

Polias

Polia simples — Comprimento da corda — Esforço — Carga — Altura levantada

Polia dupla — Corda duas vezes mais comprida — Polia móvel, livre para subir e descer — O dobro do peso — Mesma altura levantada — Mesmo esforço

O dobro de vantagem mecânica

Uma polia é usada para levantar cargas pesadas, como uma pilha de tijolos. Trata-se de uma corda que passa por uma roda. Uma extremidade é presa a uma carga e a outra é puxada para erguê-la. As polias facilitam o levantamento de cargas pesadas ao alterar o sentido do esforço. Quanto mais polias móveis houver, mais fácil será levantar a carga com a mesma quantidade de esforço.

143

Matéria
PERGUNTE AOS ESPECIALISTAS!

KIMBERLY M. JACKSON
Bioquímica

O que você acha mais fascinante na sua área?
Sempre quis saber como as proteínas ganham o formato dessas estruturas funcionais interessantes. É fascinante saber que as proteínas começam na célula como longas cadeias de aminoácidos e depois se dobram formando estruturas complexas, com diferentes funções no corpo.

Qual questão ainda não foi resolvida na sua área?
Várias, mas uma em particular é a cura do câncer. As células cancerígenas crescem de forma incontrolável, logo podem se dividir sem parar e invadir outros tecidos. Como existem muitos tipos de câncer, um único tratamento não serve para todos. Eu estudo o alcaçuz como uma potencial cura para o câncer de próstata.

Quais são seus planos para o futuro?
Amo tanto a ciência que quero compartilhar o que faço de forma mais ampla. Um dia gostaria de trabalhar em um museu, para poder organizar grandes exposições que combinem arte e ciência.

DUNCAN DAVIS
Engenheiro químico

O que você acha interessante na sua área?
Os polímeros são incríveis! Eles têm má reputação na sociedade porque não são muito ecológicos, mas mudaram o mundo para melhor e são alguns dos materiais mais interessantes que existem. Se você gosta de química e de sistemas complexos que estejam na vanguarda da ciência, recomendo bastante que leia mais sobre a ciência dos polímeros.

Você pode nos contar algo surpreendente sobre a química?
Na química dos polímeros, muitas das maiores descobertas foram feitas por acidente! A borracha vulcanizada, o Teflon, o vidro temperado e ramos inteiros dessa área da química surgiram porque os cientistas cometeram erros. Mas alguns erros podem se transformar em novas descobertas.

A. JEAN-LUC AYITOU
Químico

O que você mais gostaria de descobrir?
Os químicos trabalham incansavelmente para explorar os mistérios da ciência química e resolver problemas. Por exemplo, no meu laboratório estamos desenvolvendo uma nova técnica que imita a Mãe Natureza. Isso nos permitirá usar a luz para produzir substâncias químicas valiosas a partir da água da mesma forma que as plantas fazem.

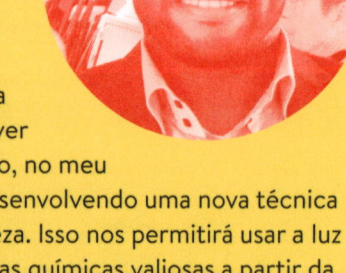

Qual desafio você enfrenta na sua área?
Às vezes acontecem acidentes em laboratórios de química, embora os profissionais tomem muitas precauções. O que os químicos mais temem é o aumento repentino de temperatura em um frasco de reação. Isso pode provocar uma explosão ou um incêndio. No meu laboratório de pesquisa, sempre realizamos reações químicas primeiro em pequena escala, para entender como as coisas vão acontecer.

Matéria
QUIZ

1) **Quantos elementos existem na tabela periódica?**
   a. 101
   b. 118
   c. 121
   d. 212

2) **Os cientistas medem os níveis de radioatividade nos alimentos usando unidades chamadas BEDs. Isso significa:**
   a. Doses equivalentes de bicarbonato
   b. Doses equivalentes biológicas
   c. Doses equivalentes a uma banana
   d. Doses equivalentes de Becquerel

3) **Qual é o símbolo do mercúrio na tabela periódica?**
   a. Hg
   b. Mc
   c. Gl
   d. Me

4) **Que tipo de ligação tem um composto formado por elementos que compartilham elétrons?**
   a. Iônica
   b. Covalente
   c. Molecular
   d. De Brooke

5) **Um tokamak é um dispositivo usado para criar:**
   a. Eletricidade
   b. Motores a jato
   c. Fusão nuclear
   d. Raios laser

6) **O bronze se forma pela mistura de quais metais?**
   a. Cobre e ferro
   b. Cobre e estanho
   c. Estanho e ferro
   d. Ferro e cobre

7) **Qual é o elemento mais abundante na crosta terrestre?**
   a. Silício
   b. Ferro
   c. Carbono
   d. Oxigênio

8) **Em 2019, os cientistas ficaram chocados ao descobrir que no fundo da Fossa das Marianas havia...**
   a. Uma aranha viva.
   b. Um tesouro enterrado.
   c. Um barco naufragado.
   d. Um saco plástico.

9) **Pesquisadores alemães ficaram famosos por fabricar diamantes a partir de:**
   a. Fuligem
   b. Ar
   c. Gasolina
   d. Manteiga de amendoim

10) **Tufo é um tipo de:**
    a. Animal
    b. Vegetal
    c. Mineral
    d. Gás

11) **As baleias se comunicam através de que tipo de ondas sonoras?**
    a. Infrassom
    b. Microssom
    c. Macrossom
    d. Suprassom

12) **Em média, quantos relâmpagos atingem a Terra todos os dias?**
    a. 8 mil a 9 mil
    b. 800 mil a 900 mil
    c. 8 milhões a 9 milhões
    d. 8 bilhões a 9 bilhões

13) **Qual destes animais participou do primeiro voo de balão de ar quente em 1783?**
    a. Porco
    b. Ovelha
    c. Cachorro
    d. Vaca

14) **Metais pesados como o ouro foram originalmente criados:**
    a. Pelo Big Bang
    b. Durante a formação da Terra
    c. Através de forças aplicadas na crosta terrestre
    d. Pela colisão de estrelas

RESPOSTAS: 1) b, 2) c, 3) a, 4) b, 5) c, 6) b, 7) d, 8) d, 9) d, 10) c, 11) a, 12) c, 13) b, 14) d

Existem mais espécies de besouros do que de qualquer outro tipo de inseto. O belo exemplo aqui é um besouro-das-rosas. Os besouros conseguem sobreviver em diversos climas e podem ser encontrados em todos os continentes, exceto na Antártida. São um exemplo perfeito da rica diversidade da vida na Terra.

CAPÍTULO 4
VIDA

O mundo dos seres vivos é um tesouro repleto de surpresas. Descubra aranhas que andam sobre a água, peixes que brilham no escuro, plantas que comem animais e até árvores que se comunicam através de odores! Porém, ainda há muito mais a ser descoberto. Inclusive, sabemos mais sobre a superfície da Lua do que sobre o que existe nas profundezas dos oceanos da Terra. E, embora os cientistas tenham identificado cerca de 360 mil espécies de besouro, alguns acreditam que há mais de um milhão ainda à espera de serem descritas.

Neste capítulo, você vai ver como a vida prospera graças à diversidade – ou seja, tendo a maior variedade possível de diferentes seres vivos. É fácil entender por que isso é importante. Mesmo que mudanças catastróficas aconteçam no planeta, algumas criaturas estarão aptas a sobreviver. Assim, a vida persiste. Mas existe um problema. Os humanos estão destruindo essa diversidade. Leia sobre a Grande Porção de Lixo do Pacífico e os danos que ela está causando à vida oceânica ou sobre a destruição da fenomenal Floresta Amazônica. Saber o máximo possível sobre o nosso mundo vivo é fundamental para ajudar a resolver esses problemas. Inspire-se com nossos especialistas e veja o que você pode fazer para ajudar a vida a florescer na Terra!

Chaminés pretas e brancas

Uma teoria para a origem da vida é que ela começou em fontes chamadas fissuras hidrotermais, que existem no fundo do mar. Essas aberturas expelem água quente contendo minerais das profundezas da Terra. Os minerais deixam a água turva como fumaça. Moléculas não vivas podem ter usado a energia dessas fissuras para criar ligações químicas complexas e, por fim, evoluir para formas primitivas de células vivas.

A cor da "fumaça" – preta ou branca – depende dos tipos de mineral presentes na água quente.

As estruturas, semelhantes a chaminés, se formam a partir dos minerais que são expelidos.

A ORIGEM DA VIDA

A vida na Terra surgiu há quase 4 bilhões de anos. Ninguém sabe ao certo como aconteceu, mas provavelmente foi um processo gradual ao longo de milhões de anos, e não um evento único. Alguns cientistas acreditam que substâncias químicas inanimadas se reuniram, se copiaram e acabaram por formar organismos vivos – que são definidos pela capacidade de usar energia para crescer, se reproduzir e mudar.

Fatos Fantásticos!

Durante os primeiros bilhões de anos após a formação da Terra, os únicos seres vivos eram os micróbios unicelulares. A evolução dos organismos multicelulares foi um grande avanço. Em vez de cada célula cuidar de si mesma, grupos de células partilhavam tarefas e recursos. Os cientistas acreditam que isso ocorreu há pelo menos 2,5 bilhões de anos.

CONSULTOR ESPECIALISTA: Michael D. Bay. **VEJA TAMBÉM:** Placas tectônicas, pp.62-63; Vulcões, pp.64-65; Cristais gigantes!, pp. 72-73; Fósseis, pp.76-77; A química da vida, pp.120-121; A evolução em ação, pp.150-151; O mundo microscópico, pp.154-155; Animais, pp. 158-159.

Os primórdios da vida na Terra

Qual é a primeira evidência de vida na Terra? Durante muito tempo, pensou-se que fossem fósseis semelhantes a bactérias, presentes em rochas com 3,5 bilhões de anos. Em 2016, os cientistas encontraram micróbios fossilizados em rochas com mais de 3,7 bilhões de anos. Pode haver evidências ainda mais antigas de vida que ainda não foram encontradas.

4,6 bilhões de anos atrás
Formação da Terra

3,7 bilhões de anos atrás
A vida microbiana aparece

2,3 bilhões de anos atrás
Grande Evento de Oxigenação

1,6 bilhão de anos atrás
Surgem as algas vermelhas

600 milhões de anos atrás
Os invertebrados de corpo mole evoluem

Grande Evento de Oxigenação

Durante grande parte dos primeiros 2 bilhões de anos, a Terra teve muito pouco oxigênio. Mas, então, um tipo de ser unicelular chamado cianobactéria desenvolveu a capacidade de transformar a energia da luz solar, nutrientes e água. O produto residual desse processo foi oxigênio. Por fim, a atmosfera se encheu de oxigênio, um acontecimento conhecido como Grande Evento de Oxigenação, ou Grande Oxidação. Sem isso, a vida complexa poderia não ter evoluído, pois é muito dependente do oxigênio.

Rochas vivas

Esses estromatólitos em Hamelin Pool, na Austrália Ocidental, são feitos de lâminas de cianobactérias vivas, semelhantes às cianobactérias que provocaram o Grande Evento de Oxidação, e de partículas minerais na água. Os estromatólitos eram abundantes na Terra entre 2,5 bilhões e 541 milhões de anos atrás.

NOTA do especialista!

MICHAEL D. BAY
Biólogo

O professor Michael D. Bay quer compreender como a vida evoluiu na Terra para compreender a vida hoje. Ele quer saber por que alguns animais são mais suscetíveis à perda de seu habitat, ao passo que outros parecem capazes de se adaptar, e o que torna algumas espécies particularmente mais suscetíveis ou menos adaptáveis.

" Estudar a vida animal é fascinante e gratificante. "

A EVOLUÇÃO EM AÇÃO

A evolução é uma mudança nas características de uma espécie que passa de uma geração para outra. Elas podem ter sido transmitidas porque as criaturas que as possuíam sobreviveram melhor do que aquelas que não as possuíam – um processo chamado seleção natural. Gradualmente, características úteis se tornam mais comuns em determinada população e as espécies mudam.

O *Brontornis* tinha um dos maiores crânios entre todas as aves conhecidas e um bico projetado para dilacerar carne.

Suas asas eram pequenas e poderiam ter sido usadas como estabilizadores durante a corrida. Quando abertas, talvez fossem úteis em uma exibição de acasalamento.

Ave do terror

As aves são dinossauros vivos. Tendo escapado da extinção em massa dos dinossauros que ocorreu há 66 milhões de anos, algumas delas evoluíram e se tornaram monstros ferozes, como a ave do terror *Brontornis*. Ocupando os nichos deixados por seus parentes extintos, foram os principais predadores da América do Sul por 60 milhões de anos.

Pernas longas e poderosas com garras impressionantes conseguiam chutar e segurar a presa. O *Brontornis* provavelmente não corria muito bem.

O *Brontornis* tinha 2,8m de altura e pesava até 400kg, sendo a terceira ave mais pesada que já existiu.

O *Astrapotherium* parecia um cruzamento entre um elefante e uma anta, mas não era parente de nenhum dos dois. Viveu na mesma época que o *Brontornis* e pode ter sido uma de suas presas.

CONSULTOR ESPECIALISTA: Michael D. Bay. **VEJA TAMBÉM:** Fósseis, pp.76-77; Encontrando dinossauros, pp.78-79; A origem da vida, pp.148-149; Classificação da vida, pp.152-153; Ecologia, pp.162-63; Aproveitando a natureza, pp.190-191.

Rochas mais recentes

Rochas mais antigas

Tempo

Compreendendo as criaturas pré-históricas

Ao comparar os fósseis de criaturas ancestrais em rochas antigas e recentes, os cientistas conseguem ver como uma espécie pode ter evoluído. As partes duras de um animal, como os ossos, fossilizam bem, mas as partes moles, como a carne, não. Assim, os cientistas analisam as espécies modernas para descobrir como poderiam ter sido seus antepassados extintos.

REVOLUCIONÁRIO
CHARLES DARWIN
Naturalista, viveu de 1809 a 1882

Reino Unido

Em 1858, os cientistas britânicos Charles Darwin e Alfred Russel Wallace chocaram o mundo ao afirmar que todos os seres vivos, incluindo os humanos, evoluíram por meio da seleção natural. Segundo eles, isso explicava a diversidade de vida na Terra. No ano seguinte, Darwin publicou *A origem das espécies*. O livro incomodou muitas pessoas que acreditavam que Deus havia criado todas as coisas vivas em sua forma atual.

Mudando de cor

A evolução não foi algo que aconteceu somente milhões de anos atrás. Um exemplo recente é uma mariposa *Biston betularia* na Grã-Bretanha do século XIX. Era difícil ver a mariposa branca nos troncos brancos das bétulas onde vivia. Às vezes, nascia uma toda preta e era logo devorada por um pássaro. Então, a fumaça do carvão das fábricas deixou as árvores pretas. As mariposas brancas se destacaram e foram comidas, ao passo que as pretas sobreviveram e se reproduziram. Em pouco tempo havia muito mais mariposas pretas e poucas mariposas brancas!

As mariposas pretas prosperaram nas cidades britânicas cheias de fuligem durante a Revolução Industrial porque os pássaros não conseguiam vê-las facilmente.

A população de mariposas brancas se recuperou em meados do século XX, quando havia menos poluição.

Fatos Fantásticos!

Mais de 99,9% das espécies que já existiram estão extintas hoje. Parte delas desapareceu em função da competição por comida, outras porque seu habitat mudou. Erupções vulcânicas varreram algumas. E há as que foram extintas quando um asteroide atingiu a Terra. Mais recentemente, atividades humanas têm levado animais à extinção.

DESBRAVANDO O DESCONHECIDO

Os dinossauros poderiam voltar?

Se os cientistas conseguirem encontrar DNA de dinossauro, talvez consigam criar um espécime. Alguns acreditam que seja possível encontrá-lo dentro de antigos mosquitos hematófagos preservados em sedimentos de lagos. Até hoje não foi encontrado nenhum, mas as pessoas continuam procurando.

CLASSIFICAÇÃO DA VIDA

Os biólogos dividem os organismos vivos em grupos que compartilham características, um processo denominado classificação. Isso os ajuda a compreender como os seres se relacionam e como evoluíram. Os antigos gregos dividiram o mundo natural apenas em animais e plantas. Sistemas posteriores de classificação analisaram como os organismos vivos se reproduzem, obtêm oxigênio ou processam energia. Hoje os cientistas usam a genética para descobrir como as criaturas estão relacionadas entre si.

Cinco reinos

Um dos principais sistemas de classificação divide o mundo vivo em cinco reinos: animal, vegetal, fungi (bolores, leveduras e cogumelos), protista (amebas e algas) e monera (bactérias). Alguns cientistas dizem que as arqueobactérias (muitas das quais podem viver em locais extremos como gelo e água fervente) são diferentes de outras bactérias e formam um grupo próprio.

REINO PROTISTA
- AMEBAS
- ALGAS

REINO MONERA
- BACTÉRIAS

REINO FUNGI
- COGUMELOS
- LEVEDURAS
- BOLORES

REINO VEGETAL
- FRUTÍFERAS
- PINHEIROS
- SAMAMBAIAS
- MUSGOS

REINO ANIMAL
- INSETOS
- MOLUSCOS
- AVES
- MAMÍFEROS
- ANFÍBIOS
- RÉPTEIS
- PEIXES

CONSULTOR ESPECIALISTA: Dino J. Martins. **VEJA TAMBÉM:** A evolução em ação, pp.150-151; O mundo microscópico, pp.154-155; Plantas e fungos, pp.156-157; Animais, pp.158-159; Insetos, pp.160-161.

Biomassa relativa em gigatoneladas de carbono

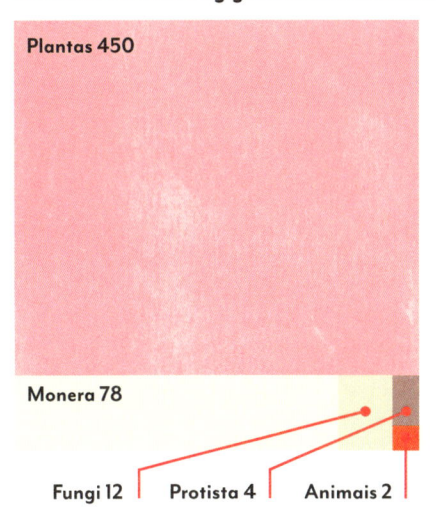

Plantas 450

Monera 78

Fungi 12 | Protista 4 | Animais 2

Medindo a biomassa

Biomassa é o peso ou a quantidade total de seres vivos em uma área. Pode ser medida pela quantidade de carbono que o organismo ou grupo de organismos produz e armazena durante um ano. As bactérias podem ser mais numerosas do que, digamos, as plantas, mas as plantas têm biomassa maior porque contêm mais carbono do que todas as outras formas de vida conhecidas somadas. Estima-se que a biomassa total de carbono na Terra seja de aproximadamente 550 gigatoneladas.

Classificação taxonômica

A classificação dos seres vivos é chamada de taxonomia. Ela mostra como uma espécie se enquadra em grupos maiores. Por exemplo, a espécie do gato doméstico (*Felis catus*) pertence à família *Felidae* (que também inclui grandes felinos como leões e tigres). Os *Felidae* são mamíferos (*Mammalia*), que pertencem ao filo (grupo) *Chordata* (cordados), que possuem medula espinhal. Os cordados pertencem ao reino *Animalia*.

REINO Animal
FILO Cordados
CLASSE Mamíferos
ORDEM Carnívoros
FAMÍLIA Felídeos
GÊNERO *Felis*
ESPÉCIE *Felis catus*

Características compartilhadas

Entre outras razões, a tartaruga terrestre é classificada como réptil (classe *Reptilia*) porque eclode de um ovo de casca mole. A maioria dos répteis possui esse tipo de ovo. Os biólogos procuram por características em comum como essa e, assim, determinam a que grande grupo uma espécie pertence.

O que é uma espécie?

Existem hoje duas vezes mais espécies documentadas de lêmures do que costumavam existir. Isso não ocorreu porque descobrimos muitos outros tipos de lêmure, mas porque descobrimos o DNA. Agora, alguns biólogos consideram que uma espécie é distinta de outra, parecida, desde que 2% do seu DNA sejam únicos. Hoje, reconhecem a existência de mais de 100 espécies de lêmure.

DESBRAVANDO O DESCONHECIDO

Quantas espécies existem?

Ninguém sabe quantas espécies existem na Terra porque estamos constantemente descobrindo novas, sobretudo quando áreas remotas se tornam mais acessíveis. O número mais recente é de cerca de 8,8 milhões, mas pode haver milhões de espécies a mais!

Fatos Fantásticos!

Greta Thunberg tem um besouro com seu nome! Um besouro recém-descoberto no Quênia recebeu o nome científico de *Nelloptodes gretae* em homenagem à ativista sueca Greta Thunberg. O cientista que descobriu o besouro achou que suas antenas pareciam as tranças de Greta.

A boca tubular é usada para sugar os sucos de musgos e algas.

Suas patas atarracadas possuem pequenas garras na ponta.

O mais durão dos durões

O tardígrado, ou urso-d'água, é menor do que uma semente de alpiste, mas é capaz de sobreviver a níveis baixos de oxigênio e radiação elevada. Esse animal também suporta ser congelado, fervido ou completamente desidratado e até consegue sobreviver por 10 dias no espaço. A pesquisa sobre os tardígrados pode ajudar os cientistas a descobrir como proteger os astronautas em viagens a Marte ou a outros planetas.

O MUNDO MICROSCÓPICO

Os microrganismos – os menores seres vivos que existem – só podem ser vistos com um microscópio. Entre eles estão alguns eucariotas, arqueias, bactérias e vírus. As células dos eucariotas possuem um centro de controle denominado núcleo. As células de arqueias e bactérias, as formas de vida mais antigas da Terra, não apresentam núcleo. Já os vírus não têm células e sobrevivem invadindo células vivas. Muitos microrganismos são extremófilos – vivem em condições que matariam a maior parte das formas de vida.

Arqueias

Esses microrganismos ancestrais estão por toda parte na Terra, inclusive em lugares onde outras formas de vida morreriam. São encontrados em fontes hidrotermais profundas e na poeira atmosférica. A *Archaea methanosarcina* (à esquerda) vive nos intestinos de animais, onde produz o gás metano.

CONSULTOR ESPECIALISTA: Kevin Foster. **VEJA TAMBÉM:** Exoplanetas, pp.20-21; O nosso sistema solar, pp.22-23; A química da vida, pp.120-121; A origem da vida, pp.148-149; Classificação da vida, pp.152-153; Plantas e fungos, pp.156-157; Animais, pp.158-159; Em águas profundas, pp.182-183.

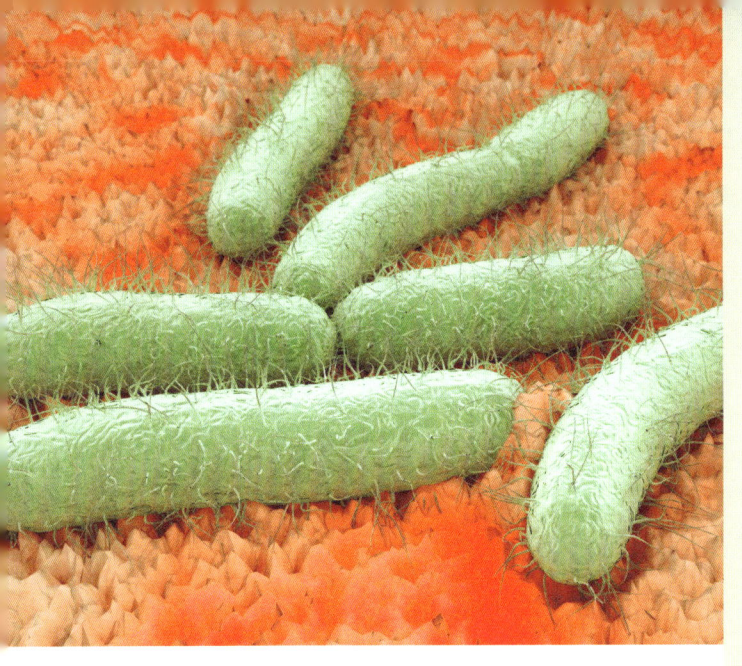

Bactérias

São organismos unicelulares e existem em vários formatos, como esférico, haste ou bacilo (acima), espiral, vírgula e saca-rolhas. A maioria se agrupa em biofilmes – camadas de bactérias que se fixam às superfícies. Algumas são úteis, como as que vivem no nosso intestino e as que consomem o petróleo oriundo de derramamentos. Outras provocam doenças.

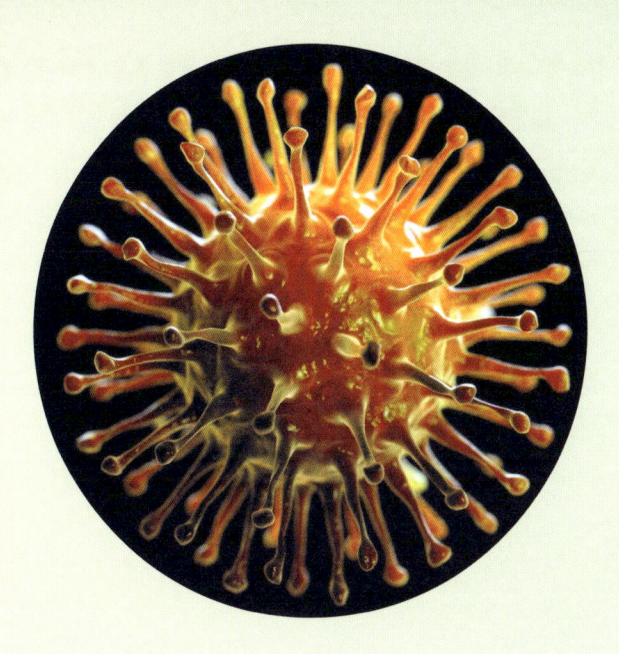

Vírus

A classificação dos vírus como formas de vida ainda é um assunto de debate na biologia, pois eles são incapazes de existir por si próprios – precisam entrar e assumir o controle de uma célula hospedeira para prosperar e se reproduzir. Pequenos e leves, multiplicam-se facilmente e se espalham pelo ar e nas mais ínfimas gotas d'água. São a causa de muitas doenças, como gripe, varicela, sarampo e covid-19.

Extremófilos
A LISTA

Muitos tipos de micróbio vivem em condições extremas. Eles são chamados de extremófilos – amantes dos extremos. Condições assim podem ter existido na Terra primordial. Ao estudar os extremófilos, os cientistas conseguem descobrir se é possível haver vida em planetas sem água líquida.

1. Resistente à radiação Apelidado de Conan, a Bactéria, o *Deinococcus radiodurans* é um poliextremófilo – pode sobreviver a múltiplos extremos e viver em muitos ambientes adversos. Ele também pode se autorreparar, sendo capaz de suportar mais de mil vezes mais radiação do que o ser humano.

2. Resistente a ácidos O *Picrophilus torridusis* é o organismo mais tolerante a ácidos da Terra. Foi encontrado em leitos de enxofre na ilha de Hokkaido, no norte do Japão, a temperaturas de 65°C.

3. Gostam de sal Bactérias no fundo do lago Mono, na Califórnia, vivem em um ambiente que é de duas a três vezes mais salgado do que a água do mar, sem oxigênio.

4. Desafiam a escuridão A depressão Challenger, a parte mais profunda da Fossa das Marianas, no Oceano Pacífico, está repleta de micróbios a mais de 10 quilômetros abaixo da superfície do oceano.

Leito de enxofre, Hokkaido, Japão

5. Envoltos em gelo A *Chryseobacterium greenlandensis* foi encontrada viva em um bloco de gelo com 120 mil anos, a 3 quilômetros de profundidade no interior de um glaciar da Groenlândia.

6. Procuram calor A *Geogemma barossii* vive em fissuras termais nas profundezas do mar. Ela prospera em temperaturas de 121°C, muito mais quentes do que o ponto de ebulição da água (100°C).

Lago Mono, Califórnia

155

PLANTAS E FUNGOS

Ao contrário da maior parte das formas de vida, as plantas podem gerar o próprio alimento. Elas retiram dióxido de carbono do ar e água do solo e usam a energia da luz solar para produzir açúcares, em um processo chamado fotossíntese. Por causa disso, constituem a base da maioria das cadeias alimentares. Os fungos são parentes mais próximos dos animais do que das plantas. Muitos deles dependem de plantas e animais para obter nutrientes.

Polinização e insetos

A flor da orquídea erva-abelha se parece tanto com uma abelha fêmea que os machos tentam acasalar com ela. Ao fazerem isso, coletam o pólen e o transferem para outras flores – um processo chamado polinização. Isso fertiliza a planta e as sementes se formam. Outras flores produzem um líquido doce chamado néctar para atrair insetos polinizadores.

Uma célula vegetal

Cada célula vegetal possui uma parede celular, dentro da qual há um núcleo contendo cromossomos feitos de DNA e estruturas chamadas organelas ("pequenos órgãos"). Isso inclui os cloroplastos, onde ocorre a fotossíntese, e as mitocôndrias, que liberam a energia do açúcar. Canais na parede celular, chamados de plasmodesmos, formam pontes com outras células.

Legendas da célula:
- Retículo endoplasmático (organela)
- A membrana celular permite a passagem de algumas substâncias
- Vacúolo, um espaço cheio de líquido
- Mitocôndria (organela)
- Citoplasma, um fluido à base de água
- Complexo golgiense (organela)
- Cloroplastos, organelas onde ocorre a fotossíntese.
- Plasmodesmos formam pontes com células vizinhas
- Parede celular
- Núcleo
- Os cromossomos contêm o material genético da planta

Dispersão de sementes
A LISTA

A maioria das plantas que produzem sementes está enraizada no solo e não pode ser deslocada. Para ocupar novos espaços e se multiplicar, precisam encontrar formas de dispersar suas sementes.

1. Voo O bordo e o plátano produzem sementes que lembram as hélices de um helicóptero que rodopiam no ar. As sementes do dente-de-leão são como paraquedas de plumas que são levados pelo vento.

2. Água O coco, fruto do coqueiro com uma única semente, flutua nas correntes oceânicas.

3. Força explosiva Quando maduro, o pepino-do-diabo eclode e lança suas sementes para o alto.

4. Comidas e expelidas Os animais comem as sementes de muitas frutas. Depois de passar pelo intestino, as sementes são expelidas sem danos nos excrementos, com uma boa dose de fertilizante.

5. Enterradas por animais Quando os esquilos enterram bolotas de carvalho para o inverno, às vezes se esquecem. Na primavera, essas bolotas criam raízes.

Semente "helicóptero" do bordo

CONSULTOR ESPECIALISTA: Matthew P. Nelsen. **VEJA TAMBÉM:** Classificação da vida, pp.152-153; Ecologia, pp.162-163; Floresta tropical, pp.164-165; A taiga e as florestas temperadas, pp.166-167.

Plantas carnívoras

Além dos alimentos que produzem por meio da fotossíntese, a maioria das plantas obtém nutrientes extras através do sistema radicular. Plantas em locais como pântanos, que não têm muitos nutrientes, capturam e digerem animais. A dioneia é uma dessas plantas carnívoras. Quando os insetos pousam na superfície vermelha da parte interna de suas folhas, tocam pequenos pelos que fazem com que a armadilha se feche.

1 Se um inseto pousa ou rasteja pela folha e toca o gatilho, a armadilha se fecha.

2 Quando a presa se debate e toca os pelos, a armadilha se aperta e os sucos digestivos começam a fluir.

3 Após alguns dias, a presa é digerida, restando apenas um exoesqueleto vazio. A armadilha se abre. O exoesqueleto é levado pelo vento e a armadilha é reiniciada.

Alerta vermelho

Incapazes de produzir o próprio alimento, os fungos se alimentam de plantas ou animais em decomposição. Alguns, como o vermelho, brilhante e venenoso agário-das-moscas, crescem perto das raízes das árvores. Eles as ajudam a coletar nutrientes por meio de uma rede de tubos semelhantes a fios chamada micélio. Em troca, as árvores fornecem açúcares a eles. Como muitos outros fungos, o agário-das-moscas se multiplica ao dispersar esporos – minúsculas células reprodutivas.

NOTA do especialista!

MATTHEW P. NELSEN
Pesquisador científico

Matthew é fascinado por fungos e pela forma como eles interagem com outros organismos. Ele os descreve como belos, complexos e bizarros e quer saber como a evolução deles influenciou o mundo.

"Existem muitas espécies por aí que jamais foram vistas ou descritas. Existem mais espécies de fungos formadores de líquen do que de aves e mamíferos somadas."

ANIMAIS

Ao contrário das plantas, os animais não podem fabricar alimentos por si próprios, por isso precisam comer outros seres vivos. Os que comem plantas são chamados de herbívoros e os que comem animais são chamados de carnívoros. Animais como os ursos, que comem plantas e animais, são chamados de onívoros. A maioria dos animais é móvel, embora algumas espécies, como os corais, sejam móveis quando jovens, mas se fixem em um local quando adultas.

Tem espinha dorsal?

Os animais são frequentemente divididos em dois grupos: os invertebrados, sem coluna vertebral, e os vertebrados, com coluna vertebral. A coluna protege a medula espinhal, que transporta mensagens entre o cérebro e o corpo. Em vez de cérebro, a maioria dos invertebrados possui células nervosas organizadas em gânglios.

Expectativa de vida

Cientistas acreditam que o tubarão-da-groenlândia pode viver no Oceano Ártico por mais de 500 anos. É o vertebrado de maior expectativa de vida. As fêmeas da espécie não se reproduzem até os 150 anos. Os elefantes, que muitas vezes chegam aos 60 anos, e as orcas, que podem atingir os 100, estão entre os mamíferos que vivem por mais tempo. Nessas espécies, as avós idosas, que têm mais experiência, costumam liderar suas famílias.

INVERTEBRADOS SELECIONADOS

Artrópodes
Englobam insetos, aranhas, crustáceos (como lagostas, caranguejos e camarões) e milípedes.

Platelmintos
Este grupo inclui as planárias e as tênias. Absorvem o oxigênio através da pele.

Moluscos
Frequentemente encontrados em rios, riachos, lagoas e oceanos, abrangem caracóis, mexilhões e lulas.

Anelídeos
Existem cerca de 9 mil espécies desses vermes segmentados. Entre eles está a minhoca.

Poríferos
Os cientistas achavam que os poríferos (esponjas) fossem plantas, até que os viram comendo e se movendo.

Equinodermos
Possuem corpo espinhoso e duro. Este grupo inclui estrelas-do-mar e ouriços-do-mar, que parecem almofadas de alfinetes.

VERTEBRADOS

Mamíferos
Respiram ar e possuem pelos. A maioria das fêmeas de mamíferos dá à luz filhotes já bem formados e todas produzem leite.

Aves
Todas as aves têm penas e asas, embora nem todas possam voar. Elas põem ovos em vez de dar à luz.

Peixes
A maioria dos peixes tem escamas e respira por guelras. Sua temperatura muda de acordo com o ambiente.

Répteis
Respiram ar e têm a pele seca e coberta de escamas. Com exceção das cobras, geralmente têm quatro patas.

Anfíbios
Sapos, rãs e salamandras podem viver na terra e na água. Normalmente respiram de mais de uma forma, dependendo da fase da vida.

CONSULTORA ESPECIALISTA: Karen McComb. **VEJA TAMBÉM:** Classificação da vida, pp.152-153; Plantas e fungos, pp.156-157; Floresta tropical, pp.164-165; A taiga e as florestas temperadas, pp.166-167; Pradarias, pp.168-169; Desertos, pp.172-173; A vida na água doce, pp.174-175; Costas marítimas, pp.176-177; Mar aberto, pp.180-181.

Uma célula animal

Quase todas as células animais têm aproximadamente o mesmo tamanho. Cerca de 10 mil células humanas ocupam o espaço da cabeça de um alfinete. As células animais são semelhantes às vegetais, mas sem parede celular espessa, apenas com membrana celular. Isso permite que substâncias úteis penetrem na célula, enquanto as nocivas ficam do lado de fora. As organelas desempenham funções vitais à célula, como converter partículas de alimentos em energia e produzir proteínas.

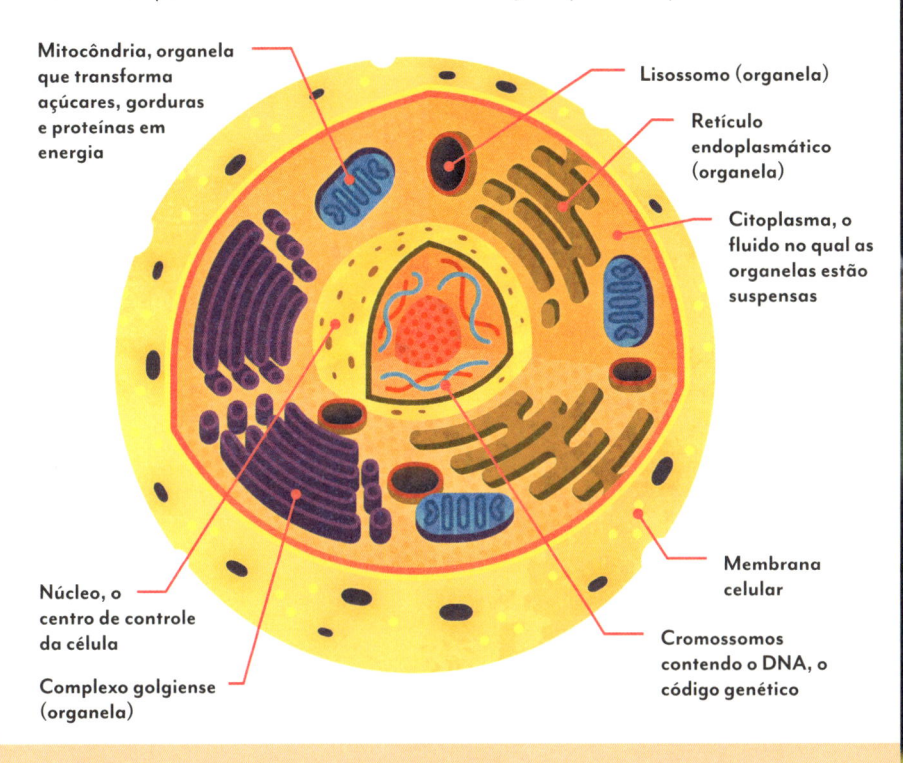

- Mitocôndria, organela que transforma açúcares, gorduras e proteínas em energia
- Lisossomo (organela)
- Retículo endoplasmático (organela)
- Citoplasma, o fluido no qual as organelas estão suspensas
- Membrana celular
- Cromossomos contendo o DNA, o código genético
- Núcleo, o centro de controle da célula
- Complexo golgiense (organela)

Animais que usam ferramentas

Na Austrália, três espécies de pássaros usam o fogo para capturar suas presas. Eles alastram incêndios jogando galhos em chamas na vegetação seca para desentocar criaturas como roedores, pequenos mamíferos, lagartos, insetos e outras aves. Esse é o único exemplo conhecido de animais que não sejam humanos usando fogo, mas muitos usam outras ferramentas. Os corvos, por exemplo, desenterram larvas com gravetos, os elefantes usam galhos para se coçar e os orangotangos se abrigam sob guarda-chuvas de folhas.

Fatos Fantásticos!

O társio, um pequeno primata que vive em ilhas do Sudeste Asiático, tem olhos tão grandes quanto o seu cérebro. Entre todos os mamíferos, ele possui os maiores olhos em relação ao tamanho do corpo. Isso dá aos társios uma visão noturna extremamente boa. Eles pegam insetos e morcegos no escuro.

NOTA da especialista!

KAREN McCOMB
Zoóloga

A professora Karen McComb gosta de entrar na mente dos animais tocando gravações de seus chamados ou mostrando-lhes fotografias. Ela já fez isso com muitas espécies, incluindo leões, elefantes e cavalos, e ficou surpresa com seu grau de habilidade.

“Quero descobrir como é realmente ver o mundo como um animal, viver em sua pele.”

INSETOS

Oitenta por cento de todas as espécies conhecidas na Terra são insetos! Isso inclui borboletas, formigas, moscas, abelhas, vespas e gafanhotos, bem como muitas outras criaturas. Os besouros formam o maior grupo de insetos, com cerca de 360 mil espécies conhecidas e provavelmente mais de 1 milhão que ainda não descobrimos. Certa vez, um especialista encontrou 1.200 espécies de besouro em uma única árvore de uma floresta tropical!

Besouro serra-pau

Mais numerosos nos trópicos, os besouros serra-pau podem ter até 17 centímetros de comprimento, sem contar as antenas. São membros da família *Cerambycidae*, que possui mais de 25 mil espécies. Os adultos se alimentam de flores e folhas, enquanto as larvas comem cascas de árvores.

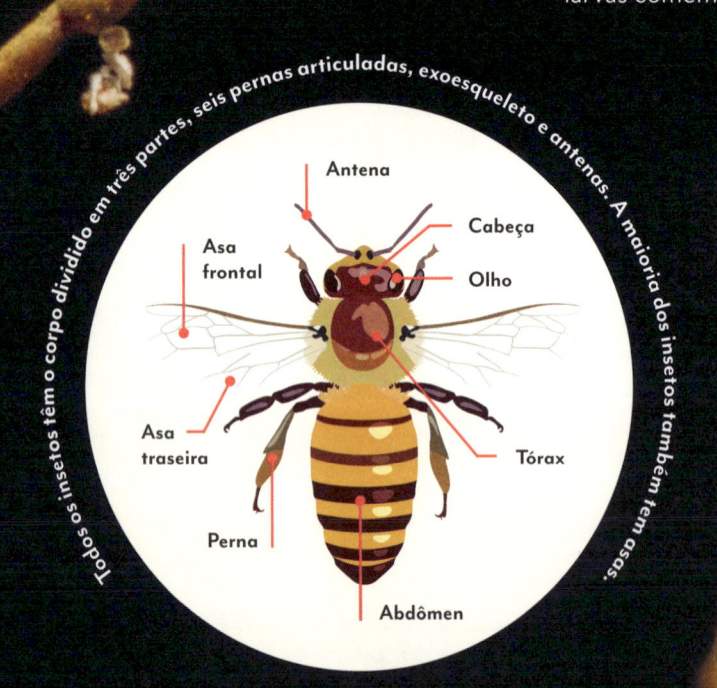

Todos os insetos têm o corpo dividido em três partes, seis pernas articuladas, exoesqueleto e antenas. A maioria dos insetos também tem asas.

- Antena
- Cabeça
- Asa frontal
- Olho
- Asa traseira
- Tórax
- Perna
- Abdômen

O design de uma abelha

As abelhas têm dois pares de asas presas por pequenos ganchos. Elas batem as asas mais de 200 vezes por segundo e não as usam apenas para voar, mas também como ventiladores para resfriar a colmeia e secar o mel. Elas contraem e relaxam seus músculos de voo para gerar calor e se aquecer quando o tempo está frio.

CONSULTOR ESPECIALISTA: Dino J. Martins. **VEJA TAMBÉM:** Classificação da vida, pp.152-153; Plantas e fungos, pp.156-157; Animais, pp.158-159; Floresta tropical, pp.164-165.

As antenas costumam ser mais longas do que o corpo e são usadas para detectar moléculas (feromônios) de parceiros em potencial.

Funcionando como uma série de câmeras de segurança, os olhos compostos permitem que o besouro enxergue um mosaico de imagens. Cada olho é composto por minúsculos omatídeos (olhos simples), que enviam mensagens ao cérebro.

As asas dianteiras de um besouro não são usadas para voar. Elas se tornaram uma espécie de estojo chamado élitro. Protegem as delicadas asas traseiras do besouro, que ficam por baixo quando ele não está voando.

As mandíbulas são peças bucais duras usadas para mastigar. A fêmea do besouro também as utiliza para criar um local na casca das árvores onde possa depositar seus ovos.

Como os demais artrópodes, os besouros têm pernas articuladas. Os tarsos na extremidade possuem garras especiais para se segurar.

ECOLOGIA

Os seres vivos não podem viver isolados. Eles interagem com outros organismos vivos e com partes inanimadas do mundo, como a água, o solo e o clima. Geralmente, um organismo vive em um local específico em uma comunidade de plantas, animais e outras formas de vida. Junto com seu ambiente, essa comunidade é conhecida como ecossistema. As relações entre os organismos e seu ambiente são chamadas de ecologia.

Relação predador-presa

Os predadores elaboraram maneiras de capturar as presas, que por sua vez desenvolveram estratégias e características, como a camuflagem, para enganá-los. Há sempre mais presas do que predadores. Se fosse o contrário, não haveria comida suficiente para todos os predadores.

Bom para comer

Todos os seres vivos dependem da energia que obtêm dos alimentos. As cadeias alimentares mostram como a energia flui através de um ecossistema – quem come quem. No topo da cadeia alimentar marinha, predadores como os tubarões consomem peixes grandes, que comem peixes menores. Esses peixes menores comem criaturas parecidas com camarões chamadas krill, que se alimentam de fitoplâncton, uma pequena alga que produz o próprio alimento usando a energia da luz solar. O fitoplâncton constitui a base da cadeia alimentar marinha.

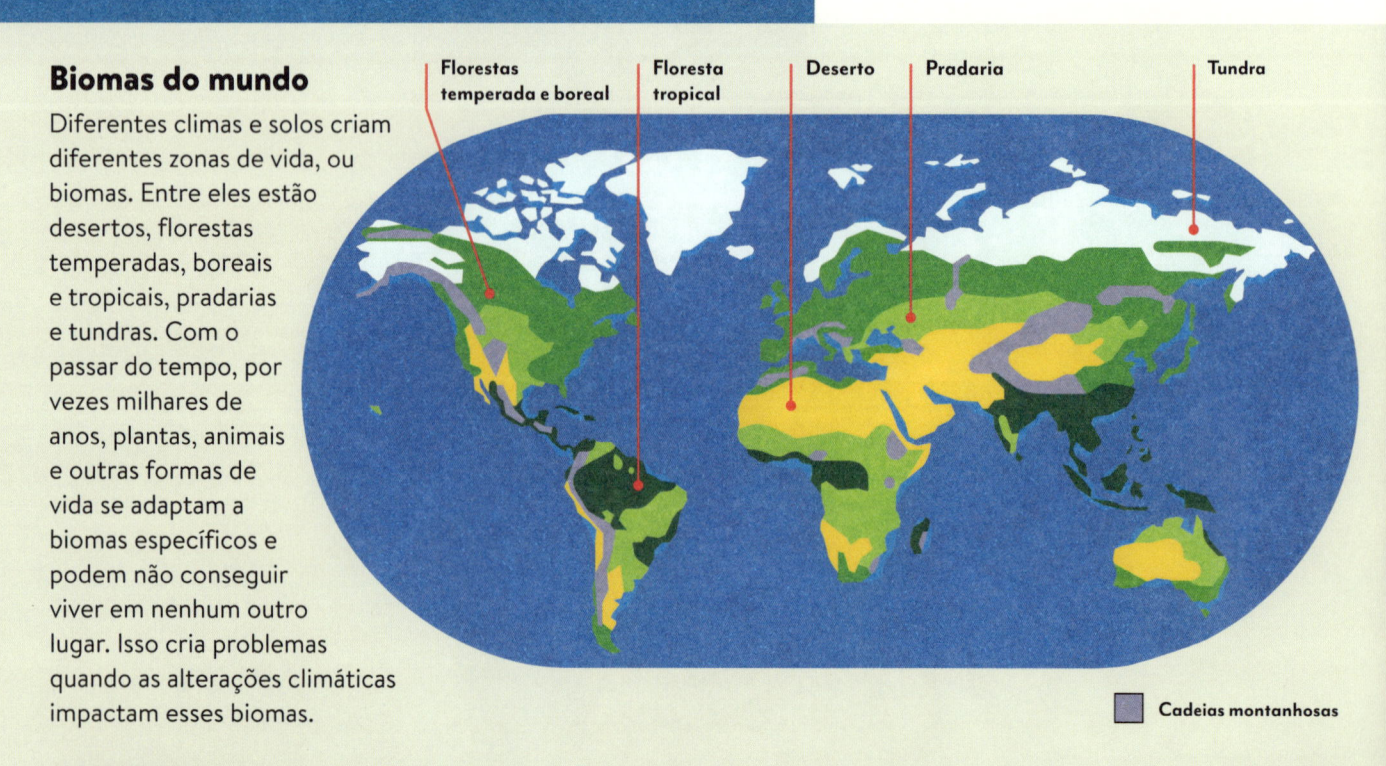

Luz solar · Vida unicelular (ampliada) · Krill (ampliado) · Peixe pequeno · Cavalinha · Atum · Tubarão-branco

Biomas do mundo

Diferentes climas e solos criam diferentes zonas de vida, ou biomas. Entre eles estão desertos, florestas temperadas, boreais e tropicais, pradarias e tundras. Com o passar do tempo, por vezes milhares de anos, plantas, animais e outras formas de vida se adaptam a biomas específicos e podem não conseguir viver em nenhum outro lugar. Isso cria problemas quando as alterações climáticas impactam esses biomas.

Florestas temperada e boreal · Floresta tropical · Deserto · Pradaria · Tundra · Cadeias montanhosas

---

CONSULTOR ESPECIALISTA: Tal Avgar. **VEJA TAMBÉM:** Clima, pp.92-93; Floresta tropical, pp.164-165; A taiga e as florestas temperadas, pp.166-167; Pradarias, pp.168-169; Monte Everest, pp.170-171; Desertos, pp.172-173; Costas marítimas, pp.176-177; Os confins da Terra, pp.184-185; Encolhimento do gelo, pp.186-187.

Espécies-chave

Os ecossistemas com frequência têm uma espécie-chave – aquela da qual dependem diretamente outras espécies do sistema. O castor é uma delas. Ele constrói represas que criam lagos e charcos onde vivem outras espécies, como sapos, patos e plantas aquáticas. Se o castor desaparecer, outros organismos do ecossistema entrarão em declínio.

Um só lugar

Os pandas-gigantes vivem em florestas de bambu na China e não conseguem viver em nenhum outro lugar. Eles têm o que é conhecido como um nicho ecológico único – prosperam nessas florestas porque o bambu, sua fonte de alimento, é abundante, não têm concorrentes e há poucos predadores.

O bambu tem baixo teor de proteínas, mas é abundante. Os pandas-gigantes comem brotos na primavera e folhas e caules em outras épocas.

Os pandas-gigantes comem cerca de 12kg de bambu por dia e passam até 14 horas por dia comendo.

Fatos Fantásticos!

Em Queensland, Austrália, é proibido ter um coelho de estimação. Isso porque ele pode escapar da gaiola e acasalar. Na Austrália, os coelhos são uma espécie invasora – espécie não nativa cujo rápido crescimento populacional provocou o declínio de espécies nativas.

FLORESTA TROPICAL

As florestas tropicais crescem em partes do mundo bastante úmidas. São importantes porque absorvem dióxido de carbono da atmosfera, ajudando a estabilizar o clima. As florestas tropicais, como a Floresta Amazônica, são quentes e úmidas; já as temperadas são mais frias e geralmente ficam próximas da costa. Mais da metade das espécies vegetais e animais do mundo vive em florestas tropicais, onde o alimento é abundante.

Habitats em camadas

As florestas tropicais possuem camadas distintas determinadas pela quantidade de luz e umidade disponível. As árvores mais altas podem atingir alturas superiores a 60 metros. Elas emergem da densa camada de copa, onde as folhas têm "pontas de gotejamento" para drenar a água. Isso ajuda a impedir a formação de algas. No sub-bosque escuro abaixo, as plantas possuem folhas grandes, para captar a pouca luz que atravessa a copa.

As árvores mais altas são chamadas de emergentes.

A densa copa da floresta bloqueia a luz do Sol.

Trepadeiras crescem verticalmente usando outras plantas como estrutura para competir por recursos.

O sub-bosque tem pequenas árvores e arbustos.

Apenas cerca de 1% da luz chega ao solo, por isso há poucas plantas aqui.

Raízes do tipo contraforte se estendem a partir da base do tronco em direção ao solo em ângulos oblíquos e ajudam a sustentar as árvores.

Gorila das terras baixas

O gorila-ocidental-das-terras-baixas habita a floresta tropical do Congo, a segunda maior da Terra. Vive em pequenos grupos familiares liderados por um macho e se alimenta principalmente de plantas. Embora o gorila seja grande e pesado, é bom em subir em árvores. A perda do seu habitat florestal e a caça ilegal ameaçam a sua existência.

CONSULTOR ESPECIALISTA: Gregory Nowacki. **VEJA TAMBÉM:** Plantas e fungos, pp.156-157; Insetos, pp.160-161; Ecologia, pp.162-163; A taiga e as florestas temperadas, pp.166-167.

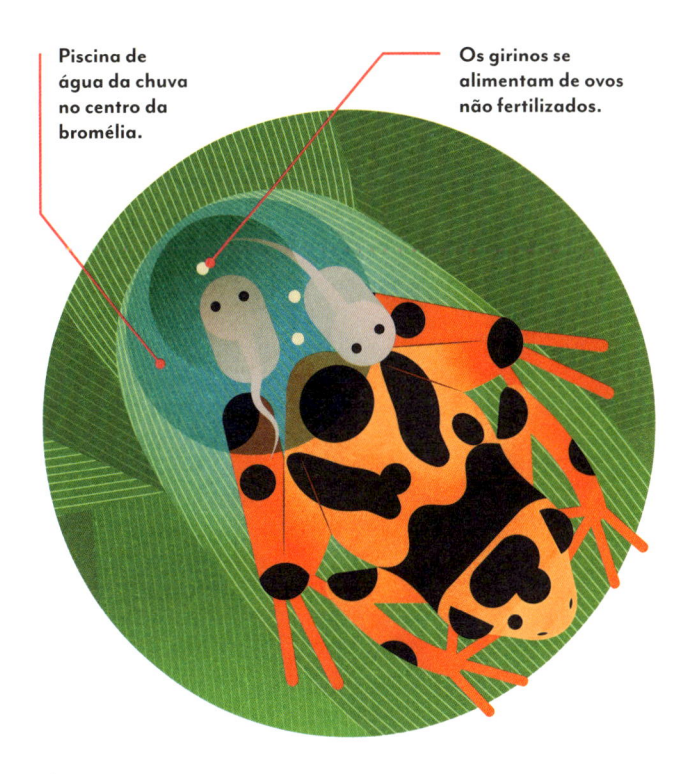

Piscina de água da chuva no centro da bromélia.

Os girinos se alimentam de ovos não fertilizados.

Anuros venenosos

As rãs venenosas da América do Sul vivem principalmente no solo da floresta e nas plantas do sub-bosque da Floresta Amazônica. Suas cores brilhantes alertam pássaros e macacos de que são altamente venenosas. A fêmea põe seus ovos em terra. Quando eclodem, o macho carrega os girinos nas costas até o alto das copas da floresta. Lá, ele os coloca em pequenas piscinas que se formam em plantas chamadas bromélias e os protege conforme crescem.

Fatos Fantásticos!

O *Phyllobates terribilis*, com apenas cerca de 5 centímetros de comprimento, é um dos animais mais venenosos da Terra. As secreções cutâneas de uma única rã podem matar 10 pessoas. Rãs criadas em cativeiro tendem a não ser venenosas. Os cientistas acreditam que isso acontece porque a rã não produz o próprio veneno, mas adquire as substâncias químicas do seu alimento natural – pequenos besouros e formigas.

Alta e poderosa

As maiores árvores do mundo são as sequoias gigantes que vivem nas florestas temperadas ao longo da costa oeste dos Estados Unidos. São as árvores mais altas e seus troncos têm alguns dos maiores diâmetros. A árvore viva mais alta é atualmente uma sequoia chamada Hyperion – "A Mais Alta" – no Parque Nacional de Redwood. Ela tem 116 metros de altura.

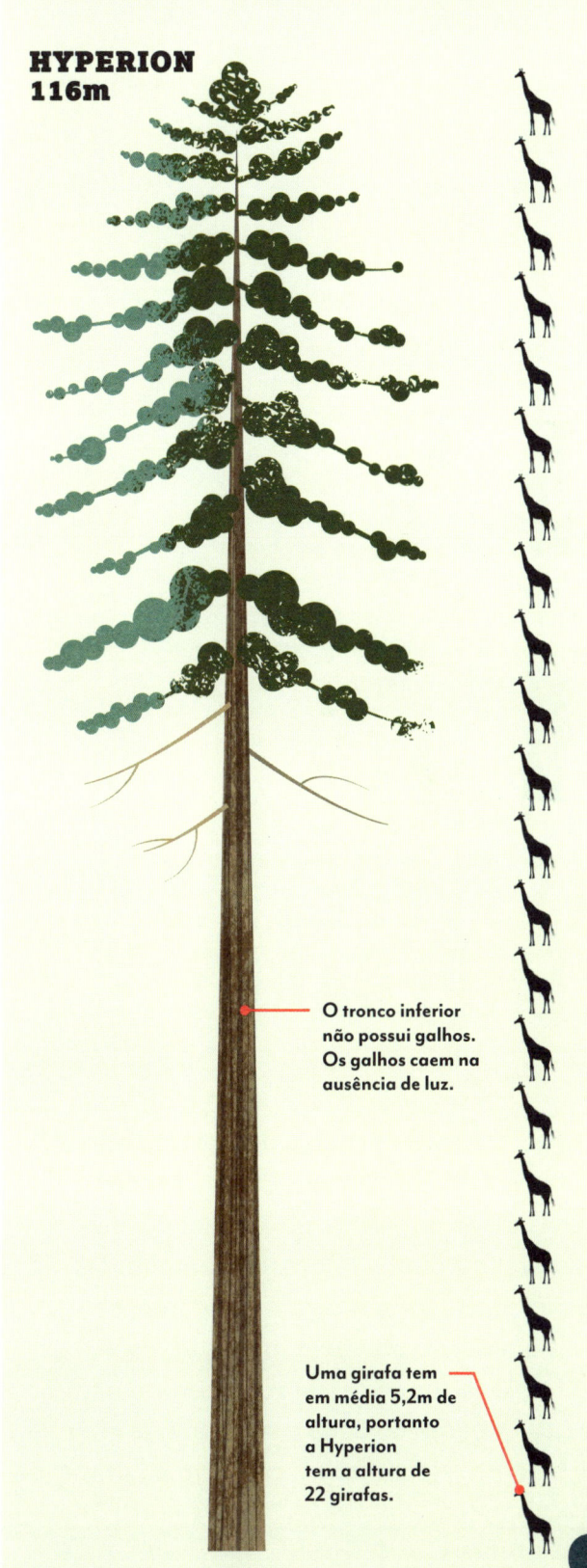

HYPERION 116m

O tronco inferior não possui galhos. Os galhos caem na ausência de luz.

Uma girafa tem em média 5,2m de altura, portanto a Hyperion tem a altura de 22 girafas.

165

Cauda
Um balançar lateral ou movimentos repentinos da cauda indicam agressividade.

Patas traseiras
São longas e funcionam como um trampolim. Elas ajudam o tigre a pular.

O tigre na taiga

O maior predador da taiga é o tigre-siberiano. Ele já foi o maior dos grandes felinos, mas a redução do número de presas, como os javalis, provocada pela caça humana, fez com que agora sua população tenha o tamanho semelhante ao de outras populações de tigres. Existem atualmente menos de 600 animais na natureza, mas os conservacionistas têm esperanças de que essa quantidade aumente.

Olhos
Têm uma camada brilhante que reflete a luz na retina (células sensíveis à luz na parte posterior do olho), de modo que a visão noturna do tigre é seis vezes melhor do que a nossa.

Bigodes
Ajudam os tigres a se orientar, principalmente no escuro, detectando mudanças no ar.

Listras
São como impressões digitais, já que não existem dois tigres com o mesmo padrão de listras.

Pelagem
Uma camada dupla de pelo proporciona aquecimento.

A TAIGA E AS FLORESTAS TEMPERADAS

A taiga é uma faixa de floresta que se estende pelas terras do norte da Eurásia e da América do Norte. Também chamada de floresta boreal, possui sobretudo árvores coníferas com folhas duras em forma de agulha que não caem no outono. As florestas temperadas são encontradas em climas ligeiramente mais quentes e possuem muitas árvores de folhas largas, que caem no outono para reduzir a perda de água e economizar energia no inverno. Novas folhas crescem na primavera.

Desaceleração de inverno

No inverno, alguns animais da floresta, como este arganaz, hibernam – um estado próximo da morte. Eles usam muito pouca energia e a temperatura corporal e a frequência cardíaca caem. No Alasca, a rã-da-floresta parece congelar no inverno. Na verdade, ela produz um anticongelante dentro de suas células que a impede de morrer. Quando o tempo esquenta, a rã descongela.

CONSULTOR ESPECIALISTA: Matthew P. Nelsen. **VEJA TAMBÉM:** Clima, pp.92-93; Mudanças climáticas naturais, pp.94-95; A evolução em ação, pp.150-151; Plantas e fungos, pp.156-157; Animais, pp.158-159; Floresta tropical, pp.164-165.

Mestres do disfarce

As asas de uma borboleta-limão adulta imitam uma folha de amieiro, planta da qual se alimentam suas lagartas, também verdes. Como muitas outras criaturas da floresta, ela usa a camuflagem para se esconder de predadores. Na taiga, as lebres-americanas, que são marrom-avermelhadas no verão, desenvolvem uma pelagem branca no inverno para se confundirem com a neve.

O que os anéis das árvores podem nos dizer?

O tronco de uma árvore expande-se a partir do centro, estabelecendo um novo "anel" a cada ano. Nos anos bons, quando há muita chuva e sol, os anéis são grossos; em anos muito secos, eles são estreitos. Contando o número de anéis, podemos descobrir a idade de uma árvore que morreu ou foi derrubada.

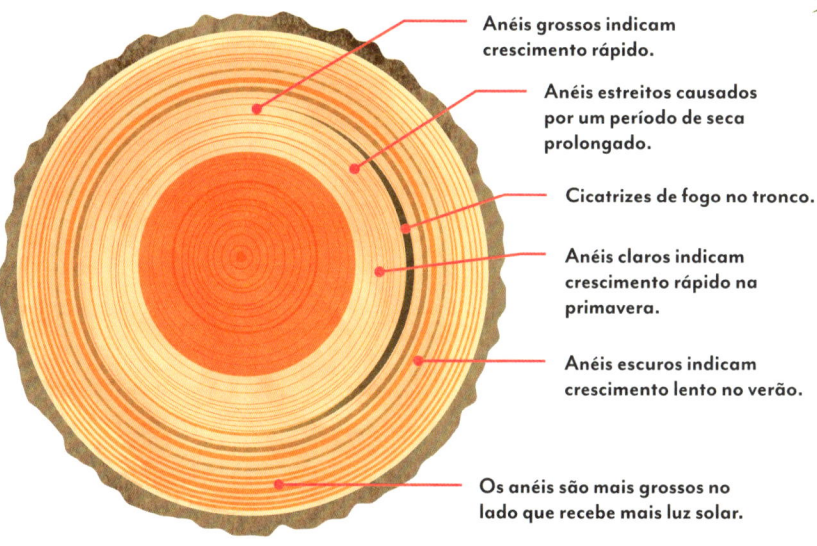

Anéis grossos indicam crescimento rápido.

Anéis estreitos causados por um período de seca prolongado.

Cicatrizes de fogo no tronco.

Anéis claros indicam crescimento rápido na primavera.

Anéis escuros indicam crescimento lento no verão.

Os anéis são mais grossos no lado que recebe mais luz solar.

Árvores falantes

Os cientistas descobriram que as árvores podem se comunicar. Quando uma árvore é atacada por insetos, suas folhas produzem um cheiro que diz às árvores vizinhas para produzirem mais substâncias químicas anti-insetos, como taninos. Redes de fungos que crescem entre as raízes das árvores também transmitem um alerta químico.

O inseto ataca a árvore.

Um alerta passa de árvore em árvore, desencadeando a produção de substâncias químicas anti-insetos.

As árvores mais resistentes

Coníferas, como os abetos e os pinheiros, sobrevivem ao frio extremo. Suas folhas em forma de agulha armazenam água e os galhos pendentes ajudam as árvores a deixar a neve cair. A seiva, que transporta água e nutrientes pela árvore, sofre uma alteração química que impede seu congelamento. Escamas resistentes fechadas em cones bem apertados protegem as sementes.

Agulhas
Resistentes e finas, as folhas das coníferas são chamadas de agulhas.

Cone fechado
As escamas fechadas de um cone protegem as sementes.

Cone aberto
Quando as sementes estão maduras, o cone se abre e libera as sementes.

Fatos Fantásticos!

Os pinheiros da espécie *Pinus longaeva*, nas Montanhas Rochosas dos Estados Unidos, são os seres vivos mais antigos da Terra. Com cerca de 5 mil anos, viviam na mesma época que os últimos mamutes-lanosos.

PRADARIAS

As pradarias cobrem grande parte da superfície terrestre. Recebem nomes diferentes pelo mundo: prados e pampas na América, estepes na Eurásia e savanas na África. As gramíneas são muito fortes. Elas crescem na base e não no topo, por isso podem ser cortadas rente ao solo por animais que pastam. Sobrevivem até mesmo se forem pisoteadas.

A vida em rebanhos

Os animais das pradarias costumam viver em rebanhos e, por vezes, em grupos mistos, como estes gnus, zebras e gazelas na savana africana. Quantidade significa segurança, pois os predadores não têm como comer o rebanho inteiro. Os recém-nascidos são mais vulneráveis, mas felizmente se tornam capazes de correr poucos minutos depois de nascidos.

Rodovia Leste-Oeste

A estepe euroasiática é um corredor de pastos que vai do Leste Asiático até a Europa. Nos séculos passados, os humanos a usaram como rota comercial e para organizar invasões militares. Era mais fácil andar a cavalo por pradarias serpenteantes do que escalar montanhas.

Fatos Fantásticos!

Nos pampas sul-americanos, o tamanduá-bandeira pode capturar mais de 30 mil cupins e formigas por dia. Ele escava tocas usando o focinho pontudo e depois lambe as formigas com a língua de 61 centímetros. Sua saliva pegajosa e protuberâncias na língua o ajudam a agarrar os insetos.

O marabu procura insetos alvoroçados pelo rebanho.

O lugar mais seguro para um indivíduo é no centro do rebanho.

CONSULTOR ESPECIALISTA: Tal Avgar. **VEJA TAMBÉM:** Classificação da vida, pp.152-153; Plantas e fungos, pp.156-157; Animais, pp.158-159; Ecologia, pp.162-163; Aproveitando a natureza, pp.190-191.

Sistema de alerta precoce

Os cães-da-pradaria americanos constroem redes de túneis e tocas que também fornecem abrigo para outros animais, como corujas, sapos e furões. O World Wide Fund for Nature (WWF) estima que as atividades dos cães-da-pradaria – cavar, abrir túneis e dar alertas sobre predadores – ajudam outras 136 espécies.

Os cães-da-pradaria formam um montinho de terra na entrada das tocas.

Eles ficam de pé nas patas traseiras para detectar perigos. Usam diferentes gritos de alerta para diferentes tipos de predador.

Os coiotes atacam cães-da-pradaria e outros animais que usam tocas e túneis.

Corujas-buraqueiras às vezes fazem seus ninhos em túneis de cães-da-pradaria.

As tocas têm áreas separadas para dormir, criar os recém-nascidos e para eliminar fezes e urina.

Os gnus costumam pastar com as zebras. Grandes rebanhos mistos significam mais olhos à procura de predadores, como leões e hienas-malhadas.

A zebra e a gazela são boas em compartilhar o mesmo habitat. A zebra prefere gramíneas longas e grossas, enquanto a gazela gosta de gramíneas curtas e tenras.

NOTA do especialista!

TAL AVGAR
Ecologista

O Dr. Tal Avgar acredita que estudar os deslocamentos dos animais e o uso que fazem da paisagem nos ajudará a prever onde as espécies estarão e para onde se moverão no futuro, quando o ambiente será muito diferente. Ele acredita que até mesmo pequenos insetos que picam podem ser fundamentais nessa movimentação, especialmente de grandes herbívoros.

❝Meu trabalho é como o de um detetive no melhor parque de diversões do mundo – a natureza!❞

MONTE EVEREST

8.850m

A 8.850 metros acima do nível do mar, o monte Everest tem o pico mais alto do mundo. Encontra-se no Himalaia, na fronteira entre o Nepal e o Tibete. Muitas plantas e animais vivem no Everest e nas encostas que o circundam. Apenas algumas espécies conseguem sobreviver próximo ao topo da montanha, que é rochosa e gelada o ano inteiro. No inverno, os ventos no topo do Everest podem atingir 280km/h, mais fortes do que um furacão de categoria 5.

ZONA NIVAL

Acima de 5.480 metros encontra-se a zona nival. As plantas aqui são duronas. Entre elas estão membros das famílias do cardo, da margarida e da mostarda que surgem quando as geleiras derretem. Nenhuma planta cresce acima dos 6.700 metros e muito poucos animais conseguem sobreviver aqui, pois o ar tem pouco oxigênio.

O monte Everest cresce cerca de 5mm por ano em decorrência da movimentação de rochas que formam sua base.

A área acima de 7.925m é conhecida pelos escaladores como zona da morte. Tem um terço do oxigênio encontrado ao nível do mar.

Altos voos

Na migração entre o norte e o sul da Ásia, os gansos-de-cabeça-listrada cruzam o Himalaia voando sete horas, a uma altitude máxima recorde de 7 mil metros. Eles têm pulmões grandes e batimento cardíaco acelerado para ajudar a transportar o oxigênio pelo corpo.

Aranha saltadora

A aranha-saltadora-do-himalaia foi encontrada a 6.700 metros, sendo o animal que mora de modo permanente no local mais alto do mundo. Ela se alimenta de pequenos insetos soprados pelo vento.

Escalador ágil

O tahr-do-himalaia, uma espécie de cabra da montanha, come gramíneas e plantas lenhosas. Vive em altitudes de cerca de 5 mil metros no verão, mas muda-se para terrenos mais baixos no inverno. Seus cascos têm uma sola que parece de borracha, para que possam se agarrar às rochas.

5.480m

3.780m

3.000m

900m

Fatos Fantásticos!

Rochas calcárias próximas ao topo do monte Everest contêm conchas fossilizadas. Essa é a prova de que o Himalaia já fez parte do fundo do mar e de que essa parte do mundo já foi um oceano que separava dois continentes.

Gato das alturas

Os leopardos-das-neves são os principais predadores nas zonas alpinas e subalpinas. O tahr e as ovelhas são suas principais presas, mas ele também embosca cabras selvagens e pequenas presas, como pikas e ratazanas.

Faisão das terras altas

No inverno, o monal-dos-himalaias revira a neve em busca de raízes e insetos. No verão, come larvas de besouros e lagartas, morangos silvestres e cogumelos.

Macaco da montanha

O langur-cinzento-do-nepal come sobretudo botões de flores, frutas e folhas. Geralmente é encontrado em florestas temperadas ou subtropicais, mas já foi avistado a cerca de 4 mil metros de altura.

Panda-vermelho

O panda-vermelho se alimenta à noite. Como o panda-gigante, seu parente distante, come bambu, mas também captura pequenos mamíferos e pássaros e colhe flores e frutos.

ZONA ALPINA

Entre cerca de 3.780 metros e 5.480 metros, há gramíneas e plantas, como as plantas "almofadadas", que podem armazenar água e resistir aos ventos secos. Não existem árvores acima de cerca de 4 mil metros. Esse ponto é chamado de linha de árvores.

ZONA SUBALPINA

A cerca de 3.000 a 3.780 metros, árvores como o pinheiro-azul, o abeto-do-himalaia-oriental e o zimbro-chorão crescem em vales montanhosos. No verão, ursos-negros-do-himalaia e lobos podem ser vistos nesta zona, mas migram para encostas mais baixas no inverno.

ZONA DE FLORESTA TEMPERADA

Entre as plantas que crescem de cerca de 900 metros a 3 mil metros, há a bétula, rododendros do tamanho de árvores e o bambu. Escondidos no meio deles estão pandas-vermelhos, macacos e cervos-almiscarados-siberianos. As martas-de-garganta-amarela, as maiores martas (mamíferos parecidos com doninhas) asiáticas, caçam os cervos.

CONSULTOR ESPECIALISTA: Tal Avgar. **VEJA TAMBÉM:** Montanhas, pp.68-69; Animais, pp.158-159; Ecologia, pp.162-163; A taiga e as florestas temperadas, pp.166-167.

DESERTOS

Os desertos são os lugares mais secos da Terra. Podem ser quentes, como o Saara, no norte da África, ou frios, como o deserto de Gobi, na Ásia Central. Nem todos têm dunas de areia. Muitos são pedregosos e, por vezes, o Ártico e a Antártida são classificados como desertos, embora estejam cobertos de gelo. Apesar da escassez de líquido, algumas plantas e animais prosperam no deserto graças à capacidade de encontrar e armazenar a pouca água existente.

Saguaro

O cacto saguaro, no deserto de Sonora, nos Estados Unidos e no México, parece um castiçal gigante. Ele cresce devagar, mas constantemente, absorvendo água e nutrientes através de seu amplo sistema radicular. Começa a florescer entre 30 e 65 anos e leva 200 anos para atingir seu auge. Pode ficar bem alto: o maior já registrado tinha 24 metros.

Polinizador principal

Ao contrário de muitas plantas, os saguaros abrem algumas de suas flores à noite. Eles fazem isso do fim de abril ao início de junho, e os morcegos vêm consumir seu néctar. Quando o morcego-de-nariz-comprido-menor enfia o focinho nas flores, coleta pólen, que transfere para outras flores de saguaro.

- Cada uma das flores brancas e cerosas possui centenas de estames que produzem pólen.
- O mocho-duende ocupa buracos de ninhos feitos por outras aves.
- Tentilhões, pica-paus e pombas comem os frutos.
- O pica-pau-do-deserto faz buracos de ninho a média altura do caule.
- Podem crescer mais de 40 braços em uma planta.
- Os espinhos crescem 0,9cm por dia até atingirem cerca de 5 a 8cm de comprimento.
- O caule grosso armazena água.
- O amplo sistema radicular do saguaro pode se espalhar por 15 a 30m. A raiz principal central pode ter cerca de 1m de profundidade.

CONSULTOR ESPECIALISTA: Tal Avgar. **VEJA TAMBÉM:** Mundo aquático, pp.82-83; A evolução em ação, pp.150-151; Plantas e fungos, pp.156-157; Ecologia, pp.162-163; Os confins da Terra, pp.184-185.

Cabeça baixa

No deserto africano do Namibe, o besouro *Onymacris unguicularis* fica no topo das dunas, com a cabeça abaixada e o abdômen levantado, à espera da neblina matinal. Quando a neblina chega, gotas d'água se acumulam no corpo do besouro e escorrem por suas costas e patas até a boca. Assim, o besouro consegue sobreviver em ambientes muito secos.

1 A neblina se forma no mar e se espalha pelo deserto.

2 A névoa se condensa nas costas do besouro e escorre por seu corpo.

3 O besouro bebe as gotas d'água.

Órix-da-arábia

Conhecido como unicórnio árabe, o órix-da-arábia está perfeitamente adaptado ao seu habitat quente. Possui uma pelagem leve que reflete a luz do Sol e pode ficar meses sem água. O cérebro é o órgão mais sensível ao calor em um animal, por isso um sistema circulatório especial no nariz do órix-da-arábia resfria o sangue que vai para o cérebro. Projetos de conservação resgataram a espécie da extinção.

Fatos Fantásticos!

A formiga-prateada-do-saara corre 86 centímetros por segundo. Levando em conta seu tamanho, isso seria o equivalente a um ser humano correndo 200 metros por segundo. Ela corre pela areia ao meio-dia, quando os predadores são escassos, em busca de insetos que tenham morrido por causa do calor. Ela também morreria se não voltasse rapidamente para sua toca.

DESBRAVANDO O DESCONHECIDO

Por que os escorpiões brilham ao luar?

Ninguém sabe ao certo, mas existe uma teoria de que as substâncias químicas presentes no exoesqueleto do escorpião convertem a fraca luz ultravioleta das estrelas em luz azul-esverdeada. Quando um objeto, como uma pedra, faz sombra sobre a pele do escorpião, o brilho diminui. Isso pode indicar que ele vê a rocha como um esconderijo seguro contra predadores.

NOTA da especialista!

KRISTIN H. BERRY
Ecologista

Kristin cresceu no deserto de Mojave, na Califórnia (EUA). Quando tinha 8 ou 9 anos, começou a caçar lagartos. Ela se tornou herpetóloga (a pessoa que estuda répteis e anfíbios) e ecologista populacional. Atualmente, estuda tartarugas-do-deserto.

❝Os répteis se tornaram uma paixão que persistiu pela minha vida.❞

A VIDA NA ÁGUA DOCE

A maior parte da água do mundo é salgada e compõe oceanos, mares e alguns lagos. Apenas uma pequena fração é de água doce, mas os humanos e a maioria dos animais dependem dela para sobreviver. Os habitats de água doce – riachos, rios, lagoas, lagos e charcos – são ecossistemas ricos, repletos de vida animal e vegetal. Adaptações especiais permitem que as criaturas vivam na água, e algumas espécies evoluíram para tirar proveito da fronteira entre a água e o ar.

O peixe de quatro olhos

Encontrado na América do Sul e no México, o tralhoto tem, na verdade, dois olhos, mas cada olho é dividido em duas partes. A metade superior fica acima da superfície da água e a metade inferior fica abaixo. Esses peixes podem pegar insetos que se aproximem da água e, ao mesmo tempo, procurar criaturas que já estão nela.

Apontar, atirar

Na Ásia e na Austrália, o peixe-arqueiro derruba insetos de galhos pendentes cuspindo água neles. Ele consegue isso pressionando a língua contra uma ranhura na boca para criar um canal e, depois, fechando as guelras, forçando a água a sair pela boca como uma pistola d'água. Sua mira é extremamente precisa, mesmo quando a presa está a 2 metros de distância.

Andando sobre as águas

A aranha-de-jangada fica à beira de um lago, com as patas dianteiras apoiadas na água para detectar as vibrações de uma presa que se aproxime. Usando a tensão superficial da água para suportar seu peso, ela corre para pegar o inseto ou o peixe minúsculo que provocou perturbações na água.

CONSULTOR ESPECIALISTA: Alexander D. Huryn. **VEJA TAMBÉM:** Mundo aquático, pp.82-83; A evolução em ação, pp.150-151; Classificação da vida, pp.152-153; Animais, pp.158-159; Insetos, pp.160-161; Costas marítimas, pp.176-177; Mar aberto, pp.180-181; Em águas profundas, pp.182-183.

Oportunistas

A piraputanga, um peixe da América do Sul parecido com uma truta, aprendeu a seguir os macacos-prego enquanto eles procuram frutas nas árvores acima. Os macacos fazem muita bagunça ao comer e deixam cair restos que os peixes engolem. Quando os outros vão embora, as piraputangas saltam e pegam frutas nos galhos mais baixos.

A piraputanga pesa cerca de 3,5kg. Grande parte da sua dieta é composta por frutas.

A água deve estar cristalina para que ela possa ver os macacos e as frutas.

Fatos Fantásticos!

Em relação ao tamanho do corpo – menos de 2,5 milímetros –, o macho da espécie *Micronecta scholtzi*, um percevejo aquático, é o animal mais barulhento do mundo. Quando quer atrair uma parceira, ele esfrega uma parte do corpo da largura de um fio de cabelo contra as cristas de seu abdômen. O som é alto o suficiente para ser ouvido por uma pessoa caminhando junto à margem da lagoa.

Pescadores habilidosos

No verão, no Alasca, os ursos-pardos capturam salmões migratórios que se dirigem para os locais de reprodução rio acima. O peixe se aproxima da superfície ao nadar em corredeiras e cachoeiras. Mergulhando na água, os ursos famintos pegam os salmões com a boca. A competição é acirrada, e grandes ursos machos lutam entre si pelos melhores pontos de pesca.

175

COSTAS MARÍTIMAS

A costa marítima, onde a terra encontra o mar, inclui costas arenosas, rochosas e lamacentas, bem como estuários, pântanos salgados e manguezais. É um universo dinâmico, que muda com o sobe e desce das marés, puxadas pela gravidade da Lua e do Sol. A vida selvagem nas costas marítimas se adaptou a condições contrastantes – calor e frio, água salgada e água doce, umidade e aridez, bem como ao bater das ondas.

Fatos Fantásticos!

Uma estrela-do-mar abre as conchas de mexilhões e vôngoles usando seus pés tubulares como pequenas ventosas. Em seguida, ela enfia seu estômago pela abertura e digere as partes moles do marisco dentro da casca. Quando perdem um braço num ataque, algumas espécies de estrelas-do-mar fazem crescer um novo. Algumas podem regenerar quatro novos braços a partir de um único!

Gaivotas
As gaivotas são as catadoras de lixo das praias. Elas examinam a praia do alto, descendo em busca de qualquer coisa comestível. Às vezes podem inclusive tentar roubar o sorvete da sua mão!

Ostraceiros
Você ouve o longo chamado dos ostraceiros antes mesmo de vê-los. Eles comem vôngoles e mexilhões, abrindo-os com o bico forte e achatado.

NA PRAIA
As praias se formam quando partículas de areia são depositadas na costa pela ação das ondas e das correntes. As partículas podem vir da terra, como rochas vulcânicas erodidas, ou do mar, como corais e conchas moídas. A areia, a água e o ar de uma praia estão em constante movimento.

Plantas mantêm as dunas de areia no lugar.

Caranguejo-fantasma
Este caranguejo vive em tocas na zona entremarés – a costa entre as marcas da maré alta e da maré baixa. É necrófago e predador.

Lingueirão
Conchas duras protegem muitas criaturas do perigo. O lingueirão também tem um "pé" poderoso, que ele usa para se enterrar na areia e escapar de predadores.

CONSULTOR ESPECIALISTA: Gil Rilov. **VEJA TAMBÉM:** Luas, pp.32-33; A Terra no espaço, pp.54-55; Placas tectônicas, pp.62-63; Montanhas, pp.68-69; Mundo aquático, pp.82-83; Gravidade, pp.134-135; A vida na água doce, pp.174-175; A crise dos recifes de coral, pp.178-179; Mar aberto, pp.180-181.

DESBRAVANDO O DESCONHECIDO

O que vai acontecer com as tartarugas-marinhas à medida que o planeta esquentar?

As tartarugas-marinhas enterram seus ovos na areia. Se a temperatura da areia for superior a 31°C, os filhotes serão fêmeas; se estiver abaixo de 27,7°C, serão machos. Não se sabe por que isso acontece nem como o aquecimento global vai afetar as populações de tartarugas no futuro.

Costão rochoso

As plantas e os animais do costão rochoso passam metade do dia expostos ao ar e a outra metade debaixo d'água. Eles têm adaptações para evitar que ressequem, como as algas marinhas, que têm uma cobertura gelatinosa e escorregadia. Muitos animais vivem em piscinas naturais. Eles emergem de esconderijos quando a maré baixa, mas correm em busca de abrigo quando a maré sobe.

Criaturas dos manguezais

Os saltadores-do-lodo vivem nos emaranhados de raízes dos manguezais – o único tipo de vegetação que sobrevive em água salgada. Esses peixes passam até 90% do tempo na lama, usando olhos que enxergam melhor no ar do que na água. Eles obtêm oxigênio através da pele e do revestimento da boca em vez de usar as guelras, como faz a maioria dos peixes.

Garça

Com pernas compridas, a garça pode entrar na água e pegar peixes ou mexilhões com um rápido movimento de cabeça e um bico longo e pontudo.

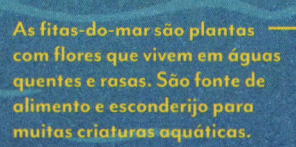

As fitas-do-mar são plantas com flores que vivem em águas quentes e rasas. São fonte de alimento e esconderijo para muitas criaturas aquáticas.

Límulo

Durante as marés vivas, milhões de límulos vêm à costa para depositar seus ovos. Aves em migração chegam ao mesmo tempo em busca dos ovos enterrados.

O límulo tem uma cauda que o ajuda a se virar caso as ondas o deixem de cabeça para baixo.

NOTA do especialista!

GIL RILOV
Biólogo marinho

O Dr. Gil Rilov investiga como as alterações climáticas estão afetando os habitats das espécies costeiras. Ele vive às margens do Mar Mediterrâneo, onde muitas espécies nativas estão desaparecendo e novas estão se instalando. Isso perturba o equilíbrio ecológico.

"Vivemos em um mundo em rápida mudança, e tenho receio de que algumas partes da natureza não vão conseguir acompanhá-la."

A CRISE DOS RECIFES DE CORAL

Um recife de coral tropical é tão cheio de vida quanto uma floresta tropical. Algas chamadas zooxantelas vivem dentro dos corais, fornecendo-lhes alimento e dando a eles sua cor. Os corais gostam de viver na água do mar a temperaturas entre os 23°C e os 29°C. Quando fica mais quente do que isso, os corais dão sinais de estresse. Eles ejetam as algas e assim perdem sua cor, num processo chamado branqueamento.

O cirurgião-zebra depende das algas encontradas em um recife de coral saudável para se alimentar, assim como muitos outros peixes, tartarugas, caracóis, mexilhões e esponjas.

Este coral perdeu as algas e tudo que vemos é o seu esqueleto branco. Os branqueamentos de corais têm acontecido com mais frequência do que no passado. Os cientistas temem que as temperaturas estejam subindo mais rápido do que a capacidade dos corais de se adaptar às águas mais quentes.

CONSULTORA ESPECIALISTA: Janice Lough. **VEJA TAMBÉM:** A evolução em ação, pp.150-151; Animais, pp.158-159; Ecologia, pp.162-163; Costa marítima, pp.176-177; Mar aberto, pp.180-181.

Que fome!

Os corais são animais, não plantas. Eles se alimentam à noite, usando seus tentáculos para capturar os pequenos zooplânctons que flutuam na água. Eles picam suas presas usando células especiais chamadas nematocistos. As algas que vivem nos corais contribuem para a dieta deles, utilizando a energia da luz solar para produzir alimento, um processo chamado fotossíntese. Em troca, o coral fornece abrigo para as algas.

A relação entre os corais e as zooxantelas é chamada de mutualismo – ambos se beneficiam por dependerem uns dos outros.

Nematocisto
Boca
Zooxantelas (uma espécie de alga)
Tentáculos
Faringe (garganta)
Esqueleto

Quando os corais crescem, formam plataformas chamadas recifes, feitas a partir de seus esqueletos. O maior recife é a Grande Barreira de Corais, na costa da Austrália. Tem mais de 2 mil quilômetros de extensão.

MAR ABERTO

A área desde a superfície do oceano até uma profundidade de cerca de 200 metros é conhecida como zona solar, ou zona epipelágica. Isso significa que ela recebe luz solar suficiente para que criaturas microscópicas, chamadas fitoplânctons, façam fotossíntese – isto é, usem a energia da luz solar para converter água e dióxido de carbono do ar em alimento. Portanto, os fitoplânctons constituem a base da cadeia alimentar dos oceanos, permitindo que uma enorme variedade de peixes e mamíferos marinhos se multiplique.

Bico
O agulhão-bandeira usa seu bico mais como uma espada do que como uma lança, agitando-o de um lado para outro.

Barbatana dorsal
Esta grande barbatana pode ser levantada para compensar o movimento lateral do bico quando o agulhão-bandeira ataca a presa. No restante do tempo, o peixe a mantém junto ao corpo.

Presa
As sardinhas vivem em vastos cardumes que podem ter até 7km de comprimento, 1,6km de largura e 20m ou mais de profundidade.

Pele
Os padrões na pele escurecem e se tornam mais proeminentes quando ele ataca.

Guelras
Os peixes usam guelras para extrair oxigênio da água.

Barbatana caudal
Músculos fortes da cauda ajudam o peixe a nadar.

Escamas
Escamas sobrepostas ajudam os peixes a deslizar suavemente pela água.

Agulhão-bandeira
O agulhão-bandeira, que pode atingir até 3 metros de comprimento, nada principalmente perto da superfície, mas às vezes mergulha 100 metros em busca de alimento. É um dos peixes mais rápidos do mundo. Para se alimentar, alcança até 36km/h. Muitos peixes de mar aberto são nadadores rápidos, pois ali não há lugar para se esconder dos predadores.

CONSULTORA ESPECIALISTA: Linda J. Walters. **VEJA TAMBÉM:** A Terra, pp.60-61; Clima, pp.92-93; A origem da vida, pp.148-149; Animais, pp.158-159; Ecologia, pp.162-163; A vida na água doce, pp.174-175; A crise dos recifes de coral, pp.178-179; Em águas profundas, pp.182-183.

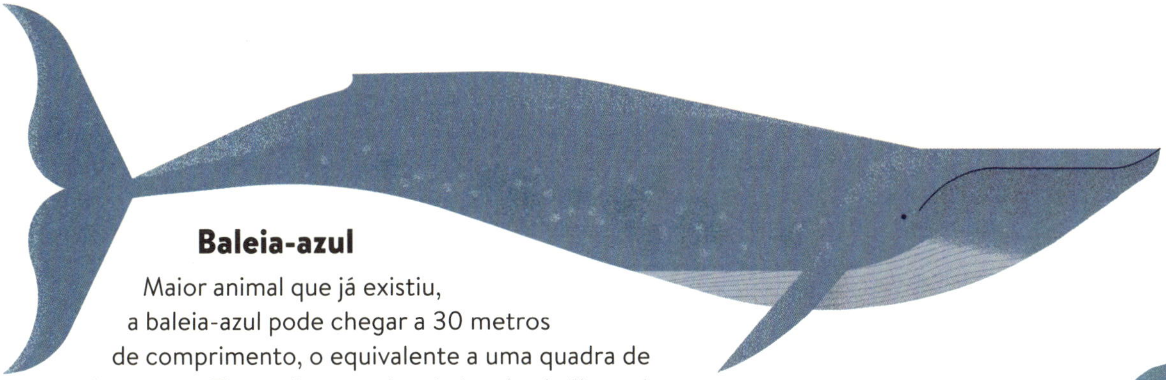

Baleia-azul

Maior animal que já existiu, a baleia-azul pode chegar a 30 metros de comprimento, o equivalente a uma quadra de basquete. Ela se alimenta de minúsculos krills, cada um com apenas 6 centímetros de comprimento. A caça às baleias reduziu drasticamente o número de baleias-azuis no século XX, mas agora a população está aumentando.

À deriva

O corpo da água-viva-cabeluda pode ter 2 metros de diâmetro, e os tentáculos, 30 metros de comprimento, o mesmo de uma baleia-azul. Como as tartarugas-marinhas, as águas-vivas viajam nas correntes oceânicas, que são como rios gigantes dentro do mar. Ao mover a água quente para norte e para sul a partir da Linha do Equador, as correntes distribuem calor por todo o planeta, ajudando a equilibrar o clima.

Fatos Fantásticos!

O tubarão-branco não para de nadar nunca. Ele precisa estar sempre em movimento para que a água rica em oxigênio entre continuamente em sua boca e passe pelas guelras.

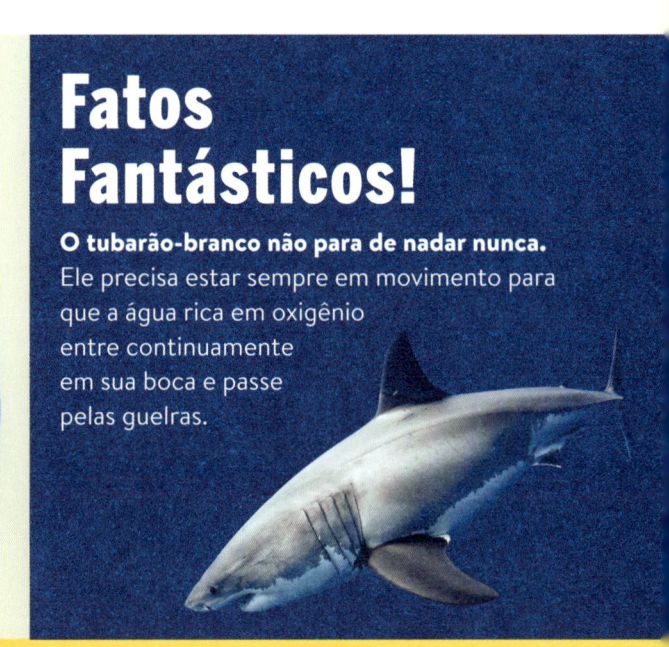

Plástico poluente

A poluição dos oceanos pelos plásticos é um enorme problema. Além dos danos provocados por pedaços de plástico, as águas que saem das máquinas de lavar contêm fibras plásticas microscópicas presentes em algumas roupas. Quando chegam aos oceanos, pequenos organismos as comem e essas fibras avançam pela cadeia alimentar.

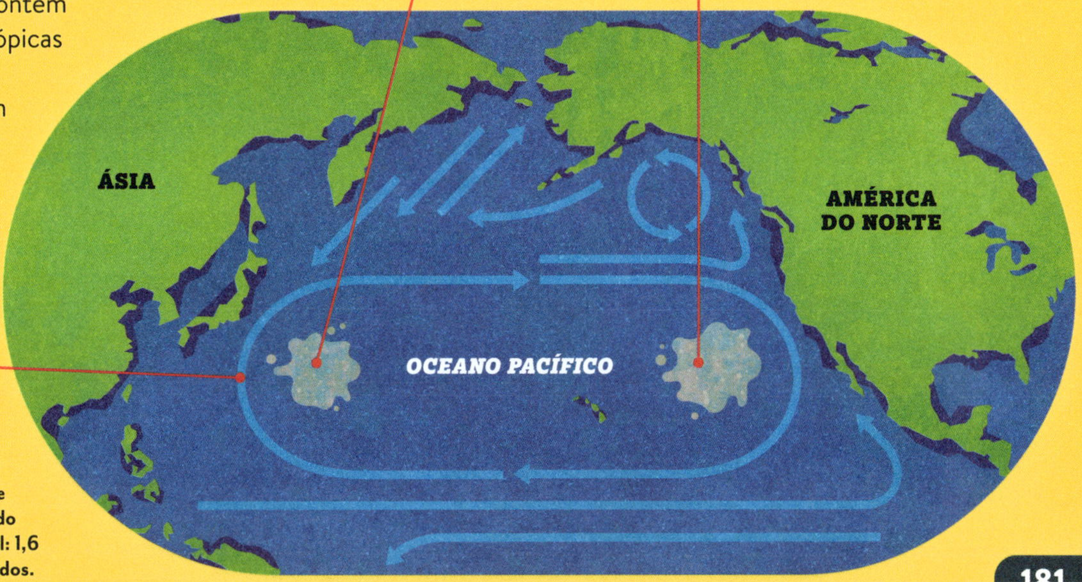

As correntes oceânicas contornam os plásticos, criando vastas "ilhas" de lixo. As piores delas são as duas que compõem a Grande Porção de Lixo do Pacífico, que tem praticamente o tamanho do estado do Amazonas, no Brasil: 1,6 milhão de quilômetros quadrados.

Grande Porção de Lixo do Pacífico Ocidental

Grande Porção de Lixo do Pacífico Oriental

ÁSIA

AMÉRICA DO NORTE

OCEANO PACÍFICO

EM ÁGUAS PROFUNDAS

O maior habitat do planeta são os oceanos. A maior parte deles é de águas profundas, mas os cientistas exploraram apenas uma fração delas. Na verdade, sabemos mais sobre a superfície da Lua do que sobre os pontos mais profundos dos oceanos. A invenção de novos veículos subaquáticos chamados submersíveis está mudando isso e revelando muitos tipos de criaturas estranhas e fascinantes.

CAMADAS DO MAR

Os cientistas dividem o oceano em camadas de acordo com a profundidade, a pressão e a quantidade de luz solar que recebem. Na zona mais profunda, a pressão é tão grande que é como se houvesse um carro sobre cada centímetro quadrado do fundo do oceano.

Zona de luz solar (epipelágica), 0-200m
Pressão de 0 a 20 vezes a da superfície.

Zona crepuscular (mesopelágica) 200-1.000m
Pressão de 20 a 100 vezes a da superfície.

Zona da meia-noite (batipelágica) 1.000-4.000m
Pressão de 100 a 400 vezes a da superfície.

Polvo-dumbo
Essa espécie atinge a maior profundidade entre todos os polvos conhecidos. Tem de 20 a 30 centímetros de altura e recebe esse nome por causa de suas nadadeiras em forma de aba, que lembram as orelhas do personagem Dumbo, da Disney.

Zona abissal (abissopelágica) 4.000-6.000m
Pressão de 400 a 600 vezes a da superfície.

Peixe-tripé
O peixe-tripé tem de 30 a 40 centímetros de comprimento e se apoia sobre "pernas de pau" formadas por suas nadadeiras pélvicas e caudais. Assim, fica na altura certa para capturar presas que passam nadando.

Zona hadal (hadopelágica) 6.000-10.000m
Pressão de 600 a 1.100 vezes a da superfície.

Peixe-caracol
O peixe-caracol tem de 15 a 30 centímetros de comprimento. Em 2017, cientistas japoneses filmaram um peixe-caracol a 8.178 metros de profundidade, na Fossa das Marianas, no Oceano Pacífico – o local mais profundo da Terra, chegando a quase 11 quilômetros abaixo da superfície.

CONSULTORA ESPECIALISTA: Monika Bright. **VEJA TAMBÉM:** Dentro da Terra, pp.58-59; Placas tectônicas, pp.62-63; Terremotos e tsunamis, pp.66-67; Pressão, pp.136-137; Mar aberto, pp.180-181.

Brilhando no escuro

Muitos animais nas profundezas do mar são bioluminescentes – isto é, brilham no escuro. Isso acontece por causa de uma reação química em seu corpo ou nas bactérias que hospedam. As fêmeas dos peixes-pescadores, que vivem nas zonas crepusculares e da meia-noite, têm uma isca bioluminescente cheia de bactérias na ponta de uma longa barbatana, como uma vara de pescar. A luz atrai a presa para sua boca cheia de dentes.

Apenas as fêmeas de peixe-pescador têm a isca que produz luz.

A boca grande tem dentes longos e afiados, dando ao peixe-pescador uma reputação feroz. Eles comem outros peixes e camarões de águas profundas.

O peixe-pescador pode inflar seu estômago a dimensões surpreendentes. Isso lhe permite consumir presas muito maiores do que ele.

As fêmeas têm cerca de 18cm de comprimento. Os machos são muito menores, com apenas 2,5cm.

Como muitos peixes de águas profundas, o peixe-pescador tem o corpo macio. Em algumas espécies, o macho se agarra ao corpo da fêmea com os dentes e os dois permanecem ligados pelo resto da vida.

Exploração nas profundezas

Os veículos subaquáticos chamados submersíveis são especialmente reforçados para resistir à alta pressão em grandes profundidades. Eles permitem que os cientistas observem animais do fundo do mar. Às vezes, os cientistas trazem criaturas à superfície em tanques resfriados e pressurizados para que possam estudá-las em laboratório. Esses veículos podem ser tripulados ou, mais comumente, operados à distância. Nesse caso, são chamados de ROVs (Remotely Operated Vehicles, em inglês) – os drones submarinos.

Estes cientistas estão em uma cápsula esférica que permite visão em 360°.

NOTA da especialista!

MONIKA BRIGHT
Bióloga marinha

Os primeiros encontros de Monika Bright com o oceano foram durante as férias no Mar Mediterrâneo, quando criança. Fascinada pela diversidade de animais marinhos, ela passou a estudar a zoologia e a biologia marinhas.

❝ Só quando você desce ao fundo do oceano em um submersível é que começa a entender como esse habitat é gigantesco. ❞

183

OS CONFINS DA TERRA

As regiões polares são geladas. No norte, o Oceano Ártico fica congelado durante nove meses do ano e é rodeado pela tundra gelada, onde poucos seres conseguem crescer. No sul, a paisagem montanhosa da Antártida é coberta por uma calota de gelo com mais de 1,9 quilômetro de espessura. Satélites registraram temperaturas de inverno de -98°C no Planalto Antártico Oriental, o lugar mais frio da Terra.

As andorinhas-do-ártico pesam cerca de 100g – o mesmo que uma maçã de tamanho médio – e têm asas compridas e estreitas ideais para planar e voar alto.

Essas andorinhas nidificam no solo da Groenlândia. Os filhotes são alimentados com pequenos peixes chamados capelins, que são abundantes.

Na viagem para o sul, as andorinhas-do-ártico param durante quase um mês para se alimentarem no meio do Atlântico Norte.

Ao largo do noroeste da África, cerca de metade das aves atravessa o Atlântico para voar rumo ao sul, ao longo da costa sul-americana.

Durante o verão do Hemisfério Sul, as andorinhas se alimentam no mar de Weddell, na Antártida, que é rico em peixes pequenos.

Um longo voo

Todos os anos, a andorinha-do-ártico voa do Ártico até a Antártida para aproveitar os longos dias de verão nos dois extremos do mundo. A ida e a volta somadas dão cerca de 70.900 quilômetros. Durante uma vida de 30 anos, uma andorinha dessas viaja quase três vezes a distância de ida e volta à Lua.

Na viagem de volta, as aves voam 520km por dia, levando cerca de 40 dias para chegar à Groenlândia. Elas são ajudadas pelos ventos e se alimentam e dormem enquanto voam.

CONSULTORES ESPECIALISTAS: Tal Avgar e John P. Rafferty. **VEJA TAMBÉM:** Clima, pp.92-93; A evolução em ação, pp.150-151; Classificação da vida, pp.152-153; Animais, pp.158-159; Ecologia, pp.162-163; Monte Everest, pp.170-171; Encolhimento do gelo, pp.186-187.

DESBRAVANDO O DESCONHECIDO

Por que as aranhas-do-mar são tão grandes?

Aranhas do tamanho de pratos de jantar vivem sob o gelo marinho da Antártida. Os cientistas estão intrigados com o seu tamanho, mas acreditam que a água fria altamente oxigenada e o metabolismo lento das aranhas-do-mar têm algo a ver com isso.

À tona para respirar

Como respiram os mamíferos aquáticos, que precisam de ar, quando o mar está congelado? As focas-de-weddell, que vivem na Antártida, usam os dentes para abrir buracos no gelo. No Ártico, belugas, narvais e baleias-da-groenlândia procuram por respiradouros – canais de água provocados por fraturas no gelo.

Luta pela sobrevivência

Na Antártida, os pinguins-imperadores machos ajudam a criar os filhotes. Depois que a fêmea põe o ovo, o macho assume o controle. Equilibrando o ovo e depois o filhote em seu pé, ele permanece no gelo enquanto a fêmea marcha até 112 quilômetros em direção ao mar para se alimentar. Ela mergulha a até 535 metros de profundidade para pescar peixes e lulas. Ao retornar, regurgita comida para o filhote.

Uma bolsa confortável debaixo da barriga do macho protege o filhote.

Os pinguins se amontoam para se protegerem das rajadas de ventos gelados de 144km/h.

NOTA do especialista!

JOHN P. RAFFERTY
Editor de Ciências da Terra e da Vida

John Rafferty é o especialista da Britannica sobre a Terra e processos terrestres. Ele fica surpreso ao ver como o planeta e seus seres vivos afetam e mudam continuamente uns aos outros.

“A Terra é o único planeta que descobrimos com vida, uma vida que existe em áreas de calor extremo, frio extremo, pressão extrema e em todos os lugares intermediários.”

Adaptado ao clima

O boi-almiscarado sobrevive aos invernos do Ártico graças à pelagem em camadas e aos pelos grossos e ocos ao redor das patas. Sem esses pelos, as patas poderiam congelar no chão. Como os ursos-polares, eles também têm corpo grande e pernas pequenas. Isso significa que perdem menos calor corporal do que animais menores.

ENCOLHIMENTO DO GELO

Como o clima está esquentando, a cada ano há menos gelo no Oceano Ártico. Isso afeta os ursos-polares, que caminham sobre o gelo em busca de focas-aneladas. Confrontados com a fome, a maioria dos ursos-polares se dirige para terra firme e sobrevive à base de ovos de aves, frutos silvestres e algas marinhas, mas os da baía de Hudson, no Canadá, aprenderam a ficar de pé sobre as rochas e a apanhar belugas em águas rasas.

O urso-polar é um dos maiores ursos que existem. É classificado como um mamífero aquático, pois passa a maior parte da vida no gelo marinho ou nadando no mar.

Como os golfinhos, as belugas pertencem a um grupo de mamíferos aquáticos chamado de baleias dentadas. Ao contrária dos golfinhos, elas não possuem barbatana dorsal (superior).

CONSULTOR ESPECIALISTA: John P. Rafferty. **VEJA TAMBÉM:** O gelo da Terra, pp.84-85; Mudanças climáticas naturais, pp.94-95; A evolução em ação, pp.150-151; Ecologia, pp.162-163; Mar aberto, pp.180-181; Os confins da Terra, pp.184-185.

Filhotes de urso-polar

As fêmeas dos ursos-polares dão à luz em cavernas de neve no inverno. Elas geralmente têm entre um e três filhotes, que nascem cegos e pesam em torno de 500g, mas engordam depressa, alimentados com o rico leite da mãe. Os filhotes emergem da toca na primavera, quando têm entre 3 e 4 meses.

Os filhotes ficam com a mãe por cerca de três anos aprendendo a nadar, caçar focas e sobreviver no ambiente hostil.

Bebês belugas ficam perto de suas mães. Elas se comunicam chamando umas às outras como os pássaros, por isso às vezes são conhecidas como "canários marinhos".

Veranistas

Todo verão, as belugas visitam o estuário do rio Seal, na baía de Hudson, no Canadá, onde esfregam seus corpos nas pedras para renovar a pele grossa e dão à luz. A água ali é mais quente do que na baía, por isso é um bom berçário para as belugas recém-nascidas.

FAUNA URBANA

Animais selvagens patrulham nossas cidades dia e noite, muitas vezes em busca de comida. Pessoas geram lixo, e os animais selvagens ficam felizes em roubar comida das lixeiras ou dos comedouros de pássaros. Guaxinins e coiotes visitam os jardins americanos, e raposas e texugos fazem o mesmo na Europa. No Brasil, a fauna urbana inclui calangos e gambás, por exemplo.

De dia na cidade

Gaivotas e aves de rapina botam ovos nas saliências dos edifícios porque são semelhantes às falésias rochosas, seus locais naturais de nidificação. As gaivotas visitam lixões em busca de alimento, enquanto os falcões-peregrinos caçam nos desfiladeiros entre os arranha-céus, predando os pombos da cidade.

Os falcões-peregrinos foram introduzidos deliberadamente nas cidades para capturar pombos, que são frequentemente vistos como pragas.

Os locais de nidificação em edifícios urbanos são muitas vezes mais seguros do que os da natureza. Predadores como as raposas não conseguem chegar a esses locais.

Os esquilos geralmente são animais diurnos, mas no calor e na luz das cidades eles também se alimentam à noite.

Os sopranos da natureza

Os pássaros nas cidades têm o canto mais curto, rápido e agudo do que os pássaros do campo. A mudança de tom é tão grande que os pássaros do campo não reconhecem o canto dos pássaros da cidade, como se os pássaros possuíssem sotaques.

Trapaceiros da cidade

Na região do Caribe, os lagartos anólis urbanos desenvolveram pernas mais longas e patas mais pegajosas para ajudá-los a escalar vidro e concreto. Com essas adaptações, eles conseguem explorar o ambiente urbano e não ficam restritos às áreas de floresta.

O lagarto faz com que a pele flácida da garganta pareça maior, talvez para alertar outros animais contra a entrada em seu território.

CONSULTOR ESPECIALISTA: Michael D. Bay. **VEJA TAMBÉM:** A evolução em ação, pp.150-151; Classificação da vida, pp.152-153; Animais, pp.158-159; Ecologia, pp.162-163; Aproveitando a natureza, pp.190-191.

De noite na cidade

Quando os humanos que vivem nas cidades americanas vão dormir, o turno da noite assume o controle. Trata-se de camundongos e ratos, que às vezes têm cérebros maiores do que os seus primos rurais. Os cientistas estão investigando se isso acontece por causa da complexidade da vida na cidade.

As corujas vivem nas cidades. Elas ficam em parques e jardins, onde caçam camundongos, ratos e esquilos.

As baratas vivem dentro dos edifícios. Aproveitam o ambiente quente e protegido, onde a comida é abundante.

Macaquices metropolitanas

No sul da Ásia, alguns tipos de macaco proliferam nas cidades. Eles roubam comida, mordem qualquer um que os assuste e sobem em prédios e cabos de energia suspensos, como fariam em árvores na natureza. Algumas pessoas querem que a população desse animal seja controlada, mas os hindus reverenciam os macacos como representações vivas do deus Hanuman. Tradicionalmente, dão comida a eles às terças e aos sábados.

Fatos Fantásticos!

Panteras negras não existem! Na verdade, elas não são uma espécie separada, mas sim uma variação de cor da onça-pintada (*Panthera onca*) ou do leopardo (*Panthera pardus*), resultado do melanismo, um fenômeno que causa a produção excessiva de melanina, o pigmento responsável pela cor escura da pele, do cabelo e dos olhos. No Brasil, são encontradas em algumas regiões, como a Amazônia.

Os guaxinins atacam lixeiras e até invadem casas em busca de comida. Eles ficaram conhecidos como "pandas do lixo".

APROVEITANDO A NATUREZA

Há cerca de 15 mil anos, alguns dos nossos antepassados começaram a viver em aldeias em vez de se deslocarem de um lugar para outro para caçar e coletar alimentos. Para garantir que tivessem suprimentos confiáveis de comida, eles pegaram animais e plantas selvagens e deixaram que apenas aqueles que tivessem determinadas características se reproduzissem. Fizeram o mesmo com a geração seguinte e as demais. Por fim, cada espécime tinha as qualidades que os seres humanos desejavam. Esse processo é chamado de seleção artificial, muitas vezes utilizada para a domesticação das espécies.

Origens selvagens

Antes de domesticarem os cavalos, os humanos caçavam espécimes selvagens como estes, pintados nas paredes da caverna de Chauvet, na França, há mais de 30 mil anos. Eles caçavam cavalos selvagens, bisões, veados e auroques (espécie de boi selvagem) para obter carne.

Reprodução seletiva

Os seres humanos domesticaram os cavalos há cerca de 6 mil anos, primeiro para transporte e guerras, e depois para tarefas específicas, como tração de cargas pesadas e, mais recentemente, corridas. Enquanto os agricultores selecionam os animais mais fortes, os proprietários de cavalos de corrida criam espécimes com pernas longas e potentes para que possam correr mais rápido.

Os cavalos de tração precisavam ter temperamento calmo e também força.

Esses animais foram criados para serem altos e fortes, a fim de puxar arados, carroças e toras.

CONSULTOR ESPECIALISTA: Michael D. Bay. **VEJA TAMBÉM:** Classificação da vida, pp.152-153; Pradarias, pp.168-169; Fauna urbana, pp.188-189.

Muitos de um

Estas plantas são todas da mesma espécie, *Brassica rapa*, embora tenham aparência e sabor diferentes. Todas descendem da mostarda selvagem, que cresce desde o sul da Europa até a Ásia Central. Ao selecionar espécimes com grandes inflorescências ao longo de muitas gerações, os agricultores produziram os brócolis e a couve-flor. Ao selecionar aqueles com raízes grandes, produziram nabos e, ao selecionar exemplares com muitas folhas, acabaram por criar a couve.

Brócolis — Seleção para inflorescências
Couve — Seleção para folhas
Couve-flor — Seleção para inflorescências
Repolho — Seleção para botões grandes
Nabo — Seleção para raízes
Couve-rábano — Seleção para o caule
Brassica rapa — Mostarda selvagem comum

Pastores do Ártico

O povo sami, do norte da Escandinávia e da Rússia, cuida de rebanhos de renas, que são classificadas como semidomesticadas. Elas fornecem carne, pele, leite e transporte aos samis.

Cada vez maior

Existem mais de 20 bilhões de galinhas no planeta, mais do que qualquer outro tipo de ave. Uma combinação de seleção artificial e métodos agrícolas intensivos, como o reforço da alimentação com aditivos, faz com que as galinhas cresçam mais rápido, e isso com frequência gera problemas de saúde e bem-estar. As galinhas hoje são quatro vezes maiores do que eram há 60 anos.

Fatos Fantásticos!

Centenas de raças de cães evoluíram de uma antiga espécie de lobo. Isso aconteceu porque os seres humanos os selecionaram artificialmente visando a diferentes fins, como caça, pastoreio e fofura.

Chihuahua · Dachshund · Buldogue francês · Cavalier King Charles Spaniel · Pinscher miniatura · Buldogue inglês · Border collie · Labrador · Vizsla · Pastor-alemão · Boiadeiro-bernês · Lobo

Border terrier

191

Vida
PERGUNTE AOS ESPECIALISTAS!

KEVIN FOSTER
Biólogo evolutivo

Para quais perguntas você deseja encontrar respostas?
Nosso corpo abriga muitos microorganismos, principalmente bactérias, que vivem em comunidades densas e diversas. Eles afetam quase todos os aspectos da nossa vida, mas sabemos muito pouco a respeito deles. Como evoluem? Por que às vezes prejudicam nossa saúde?

O que existe de surpreendente na sua área?
As bactérias gostam de briga! Elas carregam um vasto arsenal para atacar outras cepas e espécies de bactérias. Também liberam toxinas no meio ambiente e usam uma série de máquinas cruéis, incluindo arpões moleculares envenenados que disparam contra células concorrentes para matá-las.

Do que você gosta em sua pesquisa?
Acho incrível que cada um de nós carregue centenas de espécies de micróbios que vivem, como pequenas florestas tropicais, dentro e fora do nosso corpo. Compreender esses mundos em miniatura é vital para nosso bem-estar, pois muitas vezes isso é a diferença entre saúde e doença.

JANICE LOUGH
Cientista climática

Do que você mais gosta em sua pesquisa?
Ser cientista é divertido! Fazer perguntas sobre o mundo que nos rodeia é fascinante. Uma das coisas que faço é retirar núcleos de grandes corais. Quando radiografamos fatias desses núcleos, vemos faixas de crescimento anuais, semelhantes aos anéis das árvores. Alguns corais nos contam como era o ambiente há muito tempo e com que rapidez eles cresceram. Esqueletos de corais são como livros de história natural dos recifes!

Você pode nos contar um fato surpreendente?
Corais são animais! O que torna os recifes tropicais especiais é a relação entre o coral hospedeiro e as minúsculas plantas (algas) que vivem no tecido do coral. Essa relação especial beneficia tanto o coral quanto a planta: o coral obtém a energia que lhe permite formar o seu esqueleto de carbonato de cálcio, e as algas obtêm abrigo.

DINO J. MARTINS
Entomólogo

Do que você mais gosta em sua pesquisa?
Minha pesquisa analisa como os insetos e as plantas trabalham juntos e mantêm o planeta funcionando. Adoro vê-los interagir uns com os outros e solucionar alguns dos muitos quebra-cabeças e mistérios que fazem parte de suas vidas complexas. É uma grande honra e alegria compartilhar o mundo deles e fazer descobertas.

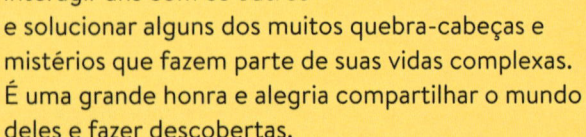

O que você mais quer descobrir?
Enfrentamos muitos desafios no mundo hoje. Compreender as conexões entre nós e as muitas outras criaturas com as quais compartilhamos o planeta vai nos ajudar a descobrir como resolver problemas sem criar novos.

Vida
QUIZ

1) **Durante os primeiros dois bilhões de anos da história da Terra, o planeta tinha escassez de:**
   a. Água
   b. Oxigênio
   c. Terra
   d. Vida

2) **Qual é o termo científico para a classificação, ou categorização, dos seres vivos?**
   a. Taxonomia
   b. Taxidermia
   c. Taxologia
   d. Taxação

3) **O processo de utilização da energia da luz solar para transformar água e dióxido de carbono em alimento e oxigênio é conhecido como:**
   a. Fermentação
   b. Combustão
   c. Fotossíntese
   d. Respiração

4) **Quantas células humanas cabem na cabeça de um alfinete?**
   a. 10
   b. 100
   c. 1.000
   d. 10.000

5) **A árvore viva mais alta do mundo é uma sequoia chamada Hyperion. Qual é a altura dela?**
   a. 76 metros
   b. 91 metros
   c. 116 metros
   d. 152 metros

6) **Onde está localizada a zona nival?**
   a. Nas profundezas dos oceanos
   b. No alto das montanhas
   c. Nas partes mais quentes dos desertos
   d. Nas calotas polares

7) **As rochas calcárias próximas ao topo do monte Everest contêm:**
   a. Ouro
   b. Conchas
   c. Pedra-pomes
   d. Gorgulhos

8) **O besouro *Onymacris unguicularis* obtém água:**
   a. Cavando no subsolo
   b. Encontrando um oásis
   c. Bebendo urina de camelo
   d. Coletando gotas d'água do nevoeiro

9) **O peixe-arqueiro derruba suas presas dos galhos:**
   a. Jogando gravetos
   b. Cantando músicas
   c. Cuspindo água
   d. Pulando para o alto

10) **Por que a aranha-de-jangada é especial?**
    a. Ela tece teias de ouro
    b. Ela pula extremamente alto
    c. Ela mata ratos
    d. Ela anda sobre a água

11) **Os saltadores-do-lodo são peixes que:**
    a. Obtêm oxigênio pela pele
    b. Dormem no fundo do mar
    c. Cavam túneis subterrâneos
    d. Apoiam-se em uma barbatana

12) **Qual é o tamanho da Grande Porção de Lixo do Oceano Pacífico?**
    a. O tamanho do estado do Amazonas
    b. Duas vezes o tamanho do Amazonas
    c. Três vezes o tamanho do Amazonas
    d. Dez vezes o tamanho do Amazonas

13) **Algumas fêmeas de peixe-pescador podem:**
    a. Atrair presas com uma luz própria
    b. Andar no fundo do oceano
    c. Respirar em terra firme
    d. Cultivar a própria comida

14) **Um auroque era uma espécie selvagem de:**
    a. Porco
    b. Cavalo
    c. Boi
    d. Avestruz

RESPOSTAS: 1) b, 2) a, 3) c, 4) d, 5) c, 6) b, 7) b, 8) d, 9) c, 10) d, 11) a, 12) a, 13) a, 14) c

NOTAS

O processo de pesquisa deste livro teve diversas etapas. Os redatores usaram uma ampla gama de fontes confiáveis para cada tópico e, em seguida, os verificadores de fatos utilizaram fontes adicionais a fim de assegurar que tudo estivesse correto. Além disso, um especialista revisou cada tema para garantir a precisão. O resultado são mais fontes do que há espaço para compartilhar aqui. Os especialistas estão listados na página 205. A seguir apresentamos uma pequena amostra das fontes dos redatores para cada artigo de página dupla.

Capítulo 1. Universo
pp.4-5 "The Big Bang Theory: How the Universe Began", www.livescience.com; Dunkley, Jo. *Our Universe: An Astronomer's Guide.* (Londres: Pelican, 2019); Howell, Elizabeth. "What is the Big Bang Theory?", www.space.com; "NASA Science Space Place", spaceplace.nasa.gov; "The Planck Mission", plancksatellite.org.uk. **pp.6-7** Cartwright, Jon. "What Is a Galaxy?", www.sciencemag.org; Fountain, Henry. "Two Trillion Galaxies, at the Very Least", www.nytimes.com; Greshko, Michael. "Galaxies, explained", www.nationalgeographic.com. **pp.8-9** Hurt, Robert. "Annotated Roadmap to the Milky Way", www.spitzer.caltech.edu; Imster, Eleanor e Deborah Byrd. "New Map Confirms 4 Milky Way Arms", earthsky.org; Taylor Redd, Nola. "Milky Way Galaxy: Facts About Our Galactic Home", www.space.com. **pp.10-11** "The Life Cycles of Stars: How Supernovae Are Formed", imagine.gsfc.nasa.gov; "What is the Life Cycle Of The Sun?", www.universetoday.com. **pp.12-13** Dunbar, Brian. "The Pillars of Creation", www.nasa.gov; Simoes, Christian. "Types of Nebulae", www.astronoo.com; Williams, Matt. "Nebulae: What Are They and Where Do They Come From?", www.universetoday.com. **pp.14-15** "The Constellations", www.iau.org; Sagan, Carl. *Cosmos.* (São Paulo: Companhia das Letras, 2017). **pp.16-17** "Comparison of Hubble and James Webb Mirror (Annotated)", www.spacetelescope.org. "Engineering Webb Space Telescope, www.jwst.nasa.gov; "JWST Instruments Are Coming In From The Cold", www.sci.esa.int. **pp.18-19** "Anatomy of a Black Hole", www.eso.org; O'Callaghan, Jonathan. "Astronomers Reveal First-ever Image of a Black Hole", horizon-magazine.eu; Wood, Johnny. "Stephen Hawking's Final Theory on Black Holes Has Been Published, and You Can Read It for Free", www.weforum.org. **pp.20-21** Brennan, Pat. "Will the 'First Exoplanet', Please Stand Up?", exoplanets.nasa.gov; "Nasa's Kepler Mission Discovers Bigger, Older Cousin to Earth", nasa.gov; Summers, Michael e James Trefil. *Exoplanets.* (Washington, D.C.: Smithsonian Books, 2018); Tasker, Elizabeth. *The Planet Factory: Exoplanets and the Search for a Second Earth.* (Londres: Bloomsbury Sigma, 2017); Wenz, John. "How the First Exoplanets Were Discovered", astronomy.com. **pp.22-23** O'Callaghan, Jonathan. "Voyager 2 Spacecraft Enters Interstellar Space", www.scientificamerican.com; Williams, Matt. "How Long is Day on Mercury?", www.universetoday.com. **pp.24-25** Gleber, Max. "CME Week: The Difference Between Flares and CMEs", www.nasa.gov; "The Mystery of Coronal Heating", www.science.nasa.gov; "Sun Facts", www.theplanets.org. **pp.26-27** Choi, Charles Q. "There May Be Active Volcanoes on Venus: New Evidence", www.space.com; Howell, Elizabeth. "What Other Worlds Have We Landed On?", www.universetoday.com; "Mars Curiosity Rover", www.mars.nasa.gov. **pp.28-29** "An Interior Made Up of Different Layers", www.seis-insight.eu; "Mercury Transit on May 7, 2003", www.eso.org; Pyle, Rod e James Green. *Mars: The Missions That Have Transformed Our Understanding of the Red Planet.* (Londres: Andre Deutsch, 2019). **pp.30-31** Mathewson, Samantha. "Jupiter's Great Red Spot Not Shrinking Anytime Soon", www.space.com; Williams, Matt. "What Are Gas Giants?", www.universetoday.com. **pp.32-33** Greshko, Michael. "Discovery of 20 New Moons Gives Saturn a Solar System Record", www.nationalgeographic.com; "Inside the Moon", moon.nasa.gov; "A Unique Look at Saturn's Ravioli Moons", www.mpg.de. **pp.34-35** Black, Riley. "What Happened the Day a Giant, Dinosaur-Killing Asteroid Hit the Earth", www.smithsonian.mag; Starkey, Natalie. *Catching Stardust: Comets, Asteroids and the Birth of the Solar System.* (Londres: Bloomsbury Sigma, 2018); Stern, Alan e David Harry Grinspoon. *Chasing New Horizons: Inside the Epic First Mission to Pluto.* (Nova York: Picador, 2018). **pp.36-37** "Dwarf Planets: Science & Facts About the Solar System's Smaller Worlds", www.space.com; "Kuiper Belt", Space.com; "The Oort Cloud", spaceguard.rm.iasf.cnr.it. **pp.38-39** Lieberman, Bruce. "If It Works, This Will Be the First Rocket Launched From Mars", www.airspacemag.com; "Robert Goddard: A Man and His Rocket", www.nasa.gov; "Saturn V", www.nasa.gov. **pp.40-41** "ESA Commissions World's First Space Debris Removal", www.esa.int; Howell, Elizabeth. "CubeSats: Tiny Payloads, Huge Benefits for Space Research", www.space.com; "Point Nemo, Earth's Watery Graveyard for Spacecraft", phys.org. **pp.42-43** Hadfield, Chris. *An Astronaut's Guide.* (Londres: Pan Macmillan, 2015); Tyson, Neil deGrasse e Avis Lang.

Space Chronicles: Facing the Ultimate Frontier. (Nova York: W. W. Norton, 2012). **pp.44-45** "Juno", www.nasa.gov; "Space Probes", www.history.nasa.gov. **pp.46-47** Clegg, Brian. *Dark Matter and Dark Energy*. (Londres: Icon Books, 2019); Moskowitz, Clara. "5 Reasons We May Live in a Multiverse", www.space.com; Woollaston, Victoria. "A Big Freeze, Rip or Crunch: How Will the Universe end?", www.wired.com.

Capítulo 2. Terra

pp.52-53 Hazen, Robert M. *The Story of Earth: The First 4.5 Billion Years, from Stardust to Living Planet*. (Nova York: Viking, 2012); Stanley, Steven M. e John A. Luczaj. *Earth System History*. (Nova York: W. H. Freeman, 2015). **pp.54-55** Chown, Marcus. *Solar System: A Visual Exploration of the Planets, Moons, and Other Heavenly Bodies That Orbit Our Sun*. (Nova York: Black Dog & Leventhal, 2016); Cox, Brian e Andrew Cohen. *The Planets*. (Glasgow: William Collins, 2019); Howell, Elizabeth. "How Fast Is Earth Moving?", www.space.com. **pp.56-57** Allain, Rhett. "A Modern Measurement of the Radius of the Earth", www.wired.com; Choi, Charles Q. "Strange but True: Earth Is Not Round", www.scientificamerican.com; Sobel, Dava. *Longitude: The True Story of a Lone Genius Who Solved the Greatest Scientific Problem of His Time*. (Londres: Bloomsbury, 2003). **pp.58-59** "Earth's Interior", www.nationalgeographic.com; Luhr, James F. e Jeffrey Edward Post (org.). *Earth*. (Nova York: DK Publishing, 2013); Powell, Corey S. "Deep Inside Earth, Scientists Find Weird Blobs and Mountains Taller than Mount Everest", www.nbcnews.com. **pp.60-61** *National Geographic Atlas of the World*. (Washington, D.C.: National Geographic, 2019). **pp.62-63** Andrews, Robin George. "Here's What'll Happen When Plate Tectonics Grinds to a Halt", www.nationalgeographic.com; Ince, Martin. *Continental Drift: The Evolution of Our World from the Origins of Life to the Far Future*. (Nova York: Blueprint Editions, 2018); Molnar, Peter Hale. *Plate Tectonics: A Very Short Introduction*. (Oxford: Oxford University Press, 2015). **pp.64-65** Parfitt, Liz e Lionel Wilson. *Fundamentals of Physical Volcanology*. (Oxford: Blackwell, 2008). **pp.66-67** Dvorak, John. *Earthquake Storms: The Fascinating History and Volatile Future of the San Andreas Fault*. (Nova York: Pegasus Books, 2014); Taylor Redd, Nola. "Earthquakes & Tsunamis: Causes & Information", www.livescience.com. **pp.68-69** Frisch, Wolfgang, Martin Meschede e Ronald C. Blakey. *Plate Tectonics: Continental Drift and Mountain Building*. (Nova York: Springer, 2011); "Mountains", www.nationalgeographic.com. **pp.70-71** "Minerals and Gems", www.nationalgeographic.com; Pellant, Chris. *Rocks and Minerals*. (Nova York: DK Publishing, 2002); Zalasiewicz, J. A. *Rocks: A Very Short Introduction*. (Oxford: Oxford University Press, 2016). **pp.72-73** "These Human-size Crystals Formed in Especially Strange Ways", www.nationalgeographic.com; Packham, Chris et al. *Natural Wonders of the World*. (Londres: DK Publishing, 2017). **pp.74-75** Fossen, Haakon. *Structural Geology*. (Cambridge: Cambridge University Press, 2016); Klein, Cornelis e Anthony R. Philpotts. *Earth Materials: Introduction to Mineralogy and Petrology*. (Cambridge: Cambridge University Press, 2017). **pp.76-77** Hendry, Lisa. "How Are Dinosaur Fossils Formed?", www.nhm.ac.uk; Parker, Steve. *The World Encyclopedia of Fossils & Fossil-Collecting*. (Londres: Southwater, 2016); Ward, David. *Fossils*. (Londres: DK Publishing, 2010). **pp.78-79** Brusatte, Stephen. *The Rise and Fall of the Dinosaurs: A New History of a Lost World*. (Nova York: Harper Collins, 2018); Jaggard, Victoria. "Why Did the Dinosaurs Go Extinct?", www.nationalgeographic.com; Osmólska, Halszka, Peter Dodson e David B. Weishampel. *The Dinosauria*. (Berkeley, Califórnia: University of California Press, 2007). **pp.80-81** Nunez, Christina. "Fossil Fuels, Explained", www.nationalgeographic.com; Pirani, Simon. *Burning up: A Global History of Fossil Fuel Consumption*. (Londres: Pluto Press, 2018). **pp.82-83** Brutsaert, Wilfried. *Hydrology: An Introduction*. (Cambridge: Cambridge University Press, 2005); Jha, Alok. *The Water Book*. (Londres: Headline, 2015); Leahy, Stephen. "From Not Enough to Too Much, the World's Water Crisis Explained", www.nationalgeographic.com; "Our Water Cycle Diagrams Give a False Sense of Water Security", www.birmingham.ac.uk. **pp.84-85** "Glaciers and Icecaps", www.usgs.gov; Marshall, Michael. "The History of Ice on Earth", www.newscientist.com; Wadhams, Peter e Walter Munk. *A Farewell to Ice: A Report from the Arctic*. (Londres: Penguin, 2017). **pp.86-87** "Atmosphere", www.nationalgeographic.org; Lutgens, Frederick K. e Edward J. Tarbuck. *The Atmosphere: An Introduction to Meteorology*. (Boston: Pearson, 2016); Wallace, John M. e Peter Victor Hobbs. *Atmospheric Science: An Introductory Survey*. (Boston: Elsevier Academic Press, 2006). **pp.88-89** "Learn About Weather", www.metoffice.gov.uk; Shonk, Jon. *Introducing Meteorology*. (Edimburgo: Dunedin Academic Press, 2013); "Ten Basic Clouds", www.

weather.gov. **pp.90-91** Mogil, H. Michael. *Extreme Weather*. (Nova York: Black Dog & Leventhal, 2010). **pp.92-93** Neelin, J. David. *Climate Change and Climate Modeling*. (Cambridge: Cambridge University Press, 2013). **pp.94-95** Cornell, Sarah, Catherine J. Downey, Joanna I. House e I. Colin Prentice (org.). *Understanding the Earth System*. (Cambridge: Cambridge University Press, 2012).

Capítulo 3. Matéria
pp.100-101 Close, Frank E. *Particle Physics: A Very Short Introduction*. (Oxford: Oxford University Press, 2004); Sharp, Tim. "What Is an Atom?", www.livescience.com. **pp.102-103** Emsley, John. *Nature's Building Blocks: An A-Z Guide to the Elements*. (Oxford: Oxford University Press, 2011); Gray, Theodore W. *Molecules: The Elements and the Architecture of Everything*. (Nova York: Black Dog & Leventhal, 2018); Parsons, Paul e Gail Dixon. *The Periodic Table: A Field Guide to the Elements*. (Londres: Quercus, 2013). **pp.104-105** L'Annunziata, Michael F. *Radioactivity: Introduction and History, from Quantum to Quarks*. (Cambridge, MA: Elsevier Academic Press, 2016). **pp.106-107** Helmenstine, Anne Marie. "These Compounds Have Both Ionic and Covalent Bonds", www.thoughtco.com. **pp.108-109** Glassman, Irvin, Richard A. Yetter e Nick Glumac. *Combustion*. (Waltham, Massachusetts: Academic Press, 2015). **pp.110-111** Grossman, David. "All the States of Matter You Didn't Know Existed", www.popularmechanics.com; Miodownik, Mark. *Stuff Matters: Exploring the Marvelous Materials That Shape Our Manmade World*. (Boston: Houghton Mifflin Harcourt, 2014); Silberberg, Martin S. e Patricia Amateis. *Chemistry: The Molecular Nature of Matter and Change*. (Nova York: McGraw-Hill Education, 2018). **pp.112-113** Peratt, Anthony L. *Physics of the Plasma Universe*. (Nova York: Springer, 2014); Rovelli, Carlo. *Sete breves lições de física*. (Rio de Janeiro: Objetiva, 2015). **pp.114-115** *The Physics Book*. (Nova York: DK Publishing, 2020). **pp.116-117** Cobb, Allan B. *The Basics of Nonmetals*. (Nova York: Rosen Publishing Group, 2013); Pappas, Stephanie. "Facts About Silicon", www.livescience.com. **pp.118-119** Bellis, Mary. "The History of Plastics", www.theinventors.org; Gray, Alex. "This Plastic Bag is 100% Biodegradable", www.weforum.org; Perkins, Sid. "Explainer: What Are Polymers?", www.sciencenewsforstudents.org. **pp.120-121** Castro, Joseph. "How Do Enzymes Work?", www.livescience.com; Hanel, Stephanie. "Dorothy Hodgkin: The Queen of Crystallography", www.lindau-nobel.org.

pp.122-123 Jaffe, Robert L. e Washington Taylor. *The Physics of Energy*. (Cambridge: Cambridge University Press, 2018); Kuhn, Karl F. *Basic Physics*. (Nova York: Wiley, 2007). Departamento de Energia dos Estados Unidos. "How a Wind Turbine Works", www.energy.gov; Woodford, Chris. "The Conservation of Energy", www.explainthatstuff.com. **pp.124-125** Goldsmith, Mike. *Sound: A Very Short Introduction*. (Oxford: Oxford University Press, 2015); Rossing, Thomas D., F. Richard Moore e Paul Wheeler. *The Science of Sound*. (Harlow, Reino Unido: Pearson Education, 2014); "The Science of Sound", www.nasa.gov. **pp.126-127** Dwyer, Joe. "How Lightning Works", www.pbs.org; Woodford, Chris. "Electricity", www.explainthatstuff.com. **pp.128-129** Feynman, Richard P. *QED: The Strange Theory of Light and Matter*. (Princeton, Nova Jersey: Princeton University Press, 2014); Kenney, Karen. *Science of Color: Investigating Light*. (North Mankato, Minnesota: Abdo Publishing, 2015); Watzke, Megan K. e Kimberly K. Arcand. *Light: The Visible Spectrum and Beyond*. (Nova York: Black Dog & Leventhal, 2015); "What Is Light? – An Overview of the Properties of Light", www.andor.oxinst.com. **pp.130-131** "Latest Bloodhound High Speed Testing Updates", www.bloodhoundlsr.com; McNamara, Alexander. "Land Speed Record: the 18 Fastest Cars in the World and Their Drivers", www.sciencefocus.com. **pp.132-133** Hesse, Mary B. *Forces and Fields: The Concept of Action at a Distance in the History of Physics*. (Mineola, Nova York: Dover Publications, 2005); Pask, Colin. *Magnificent Principia: Exploring Isaac Newton's Masterpiece*. (Amherst, Nova York: Prometheus Books, 2019). **pp.134-135** Clifton, Timothy. *Gravity: A Very Short Introduction*. (Oxford: Oxford University Press, 2017); Goldenstern, Joyce. *Albert Einstein: Genius of the Theory of Relativity*. (Berkeley Heights, Nova Jersey: Enslow Publishing, 2014); Strathern, Paul. *The Big Idea: Newton and Gravity*. (Londres: Arrow, 1997); Wood, Charlie. "What Is Gravity?", www.space.com; Zeleny, Enrique. "Galileo's Experiment at the Leaning Tower of Pisa", www.demonstrations.wolfram.com. **pp.136-137** "Hydraulic Machinery", www.sciencedirect.com; "The Skin They're In: US Navy Diving Suits", www.history.navy.mil. **pp.138-139** Burton, Anthony. *Balloons and Air Ships: A Tale of Lighter than Air Aviation*. (Barnsley, Reino Unido: Pen and Sword, 2020). **pp.140-141** Inwood, Stephen. *The Man Who Knew Too Much: The Inventive Life of Robert Hooke, 1635-1703*. (Londres: Pan Macmillan, 2003); Woodford, Chris. "How Do Shape-Memory Materials Work?", www.explainthatstuff.com e "Springs", www.explainthatstuff.

com. **pp.142-143** Gray, Theodore W. e Nick Mann. *How Things Work: The Inner Life of Everyday Machines*. (Nova York: Black Dog & Leventhal, 2019); Lucas, Jim. "6 Simple Machines: Making Work Easier", www.livescience.com.

Capítulo 4. Vida
pp.148-149 Dodd, Matthew S. et al. "Evidence for Early Life in Earth's Oldest Hydrothermal Vent Precipitates", *Nature* 543 (2017); Marshall, Michael. "Fossilized Microbes from 3.5 Billion Years Ago Are Oldest Yet Found", www.newscientist.com. **pp.150-151** Buffetaut, Eric. "Tertiary Ground Birds from Patagonia (Argentina) in the Tournouër Collection of the Musée National d'Histoire Naturelle, Paris", *Bulletin de la Société Géologique de France* 185 (2014); "Peppered Moth Selection", www.mothscount.org. **pp.152-153** "Classification of Life", www.moana.hawaii.edu; Panko, Ben. "What Does It Mean to Be a Species?", www.smithsonianmag.com. **pp.154-155** Biello, David. "How Microbes Helped Clean BP's Oil Spill", www.scientificamerican.com; Makarova, Kira S. et al. "Genome of the Extremely Radiation-Resistant Bacterium *Deinococcus radiodurans* Viewed from the Perspective of Comparative Genomics", *Microbiology and Molecular Biology Reviews* 65 (2001). **pp.156-157** "Bee Orchid", www.wildlifetrusts.org; Forterre, Yoël, Jan M. Skothem, Jacques Dumais e L. Mahadevan. "How the Venus Flytrap Snaps", www.nature.com. **pp.158-159** "Deep Sea Corals May Be Oldest Living Marine Organism", www.linl.gov; Marshall, Michael. "Zoologger: A Primate With Eyes Bigger than Its Brain", www.newscientist.com; Spelman, Lucy. *Animal Encyclopedia*. (Washington, D.C.: National Geographic, 2012). **pp.160-161** Mora, Camilo, Derek P. Tittensor, Sina Adl, Alastair G.B. Simpson e Boris Worm. "How Many Species Are There on Earth and in the Ocean?" *PLOS Biology* 9, 2011. **pp.162-163** Dorling Kindersley (org.). *The Ecology Book*. (Londres: DK Publishing, 2019); "Feral European Rabbit", www.environment.gov.au; "Giant Panda", www.nationalgeographic.com; Singer, Fred. D. *Ecology in Action*. (Cambridge: Cambridge University Press, 2016). **pp.164-165** Martin, Glen. "Humboldt County/World's Tallest Tree, A Redwood, Confirmed", www.sfgate.com; "Western Lowland Gorilla", wwf.panda.org. **pp.166-167** Bachman, Chris. "Do Bears Really Hibernate?", www.nationalforests.org; Grant, Richard. "Do Trees Talk to Each Other?", www.smithsonianmag.com; "Tree Rings (Dendrochronology)", www.scied.ucar.edue; Waleed. "Siberian Tiger Facts", www.siberiantiger.org. **pp.168-169** Slobodchikoff, C.N. e J. Placer. "Acoustic Structures in the Alarm Calls of Gunnison's Prairie Dogs", *The Journal of the Acoustical Society of America* 119 (2006); Smith, Paul. "Giant Anteater", www.faunaparaguay.com; Suttie, J. M., S. G. Reynolds e C. Batello (org.). *Grasslands of the World*. (Roma: Organização das Nações Unidas para a Alimentação e a Agricultura, 2005). **pp.170-171** Chatterjee, Souvik. "High Altitude Plants Discovered in the Himalayas", www.glacierhub.org; Wanless, F. R. "Spiders of the Family Salticidae from the Upper Slopes of Everest and Makalu", www.britishspiders.org. **pp.172-173** Hamilton, Wiliam J. III e Mary K. Seely. "Fog Basking by the Namib Beetle, *Onymacris unguicularis*", *Nature* 262 (1976); "Scorpions Glow in the Dark to Detect Moonlight", www.newscientist.com. **pp.174-175** Keeling, Jonny. *Seven Worlds, One Planet*. (Londres: BBC Books, 2020); Riley, Alex. "The Fish that Makes Long and Short-range Water Missiles", www.bbc.co.uk. **pp.176-177** Clark, Nigel. "Getting to the Arctic on Time: Horseshoe Crabs and Knots in Delaware Bay", www.sovon.nl; *Ocean: a visual encyclopaedia*. (Londres: DK Publishing, 2015). **pp.178-179** "In What Types of Water Do Corals Live?", www.oceanservice.noaa.gov. **pp.180-181** "Blue Whale", www.acsonline.org; Brassey, Charlotte. "A Mission to the Pacific Plastic Patch", www.bbc.co.uk; "Sailfish", www.floridamuseum.ufl.edu. **pp.182-183** Fox-Skelly, Jasmin. "What Does It Take to Live at the Bottom of the Ocean?", www.bbc.co.uk; "Layers of the Ocean", www.weather.gov; McGrouther, Mark. "Spiderfishes, Bathyerois spp", www.australianmuseum.net.au. **pp.184-185** Chapelle, Gauthier e Lloyd S. Peck. "Polar Gigantism Dictated by Oxygen Availability", *Nature* 399, pp.114-115 (1999); Egevang, Carsten. *Migration and Breeding Biology of Arctic Terns in Greenland*. (Dinamarca: Greenland Institute of Natural Resources e National Environmental Research Institute (NERI), 2010); "Emperor Penguins", www.antarctica.gov.au. **pp.186-187** "Arctic Summer 2018: September Extent Ties for Sixth Lowest", www.nsidc.org; Leahy, Stephen. "Polar Bears Really Are Starving Because of Global Warming, Study Shows", www.nationalgeographic.com. **pp.188-189** Beans, Carolyn. "Lizard Gets to Grips with City Life by Evolving Stickier Feet", www.newscientist.com; Wiley, John P. Jr. "When Monkeys Move to Town", www.smithsonianmag.com. **pp.190-191** Blakemore, Erin. "Ancient DNA Study Pokes Holes in Horse Domestication Theory", www.nationalgeographic.com; Kole, C. (org.). *Oilseeds, Genome Mapping and Molecular Breeding in Plants*. (Heidelberg, Alemanha: Springer, 2007).

GLOSSÁRIO

ácidos Compostos químicos reativos geralmente solúveis em água e que costumam ter sabor azedo. Normalmente reagem com outras substâncias liberando íons de hidrogênio. Como nem todas as substâncias podem ser cheiradas ou ingeridas, para determinar se algo é ácido ou básico empregamos um composto denominado indicador, que muda de cor para determinar o resultado.

adaptação (1) Qualquer característica de uma espécie, como uma estrutura corporal, que a ajuda a viver em seu ambiente. **(2)** O processo pelo qual as espécies se adaptam melhor ao seu ambiente.

alcalinos Propriedade de compostos químicos reativos solúveis em água que às vezes apresentam sabor amargo. Também conhecidos como "básicos". Reagem com ácidos para formar sais e água. Como nem todas as substâncias podem ser cheiradas ou ingeridas, para determinar se algo é ácido ou básico empregamos um composto denominado indicador, que muda de cor para determinar o resultado.

alterações climáticas Situações em que o clima da Terra muda em escala global, ao contrário das mudanças normais nas condições meteorológicas.

altitude Altura acima do solo ou acima do nível do mar.

aminoácido Um dos 20 tipos diferentes de pequenas moléculas contendo nitrogênio que são os blocos formadores das proteínas.

ano bissexto Ano em que um ou mais dias extras são acrescidos ao calendário para mantê-lo alinhado com o ano solar (o tempo que a Terra leva para orbitar o Sol). Os anos bissextos são necessários porque o ano solar tem 365,25 dias, enquanto há 365 dias em um ano civil padrão. No calendário gregoriano, usado pela maioria dos países ocidentais, a cada quatro anos é adicionado um dia ao mês de fevereiro.

antimatéria Os átomos de antimatéria têm um núcleo com carga negativa (antiprótons), rodeado de elétrons com carga positiva (pósitrons), ou seja, o oposto do encontrado em partículas de matéria comum. Quando matéria e antimatéria se encontram, elas se destroem mutuamente, convertendo sua massa em energia, de acordo com a famosa equação do físico Albert Einstein: $E=mc^2$.

aquecimento global Um aumento na temperatura média da atmosfera e dos oceanos da Terra. Medições científicas mostram que está ocorrendo um aquecimento global neste momento, quase que certamente por causa dos gases do efeito estufa na atmosfera.

asteroide Objeto natural sólido que orbita o Sol e é menor que um planeta. Os asteroides geralmente têm formato irregular e compartilham sua órbita com outros corpos.

astrolábio Instrumento antigo para medir a angulação das estrelas e dos planetas em relação ao horizonte da Terra. Foi usado na astronomia e como ferramenta de navegação.

astronomia O estudo do Universo além da Terra, incluindo planetas, estrelas e todo o espaço sideral.

atmosfera Camada de gás que existe ao redor de muitos planetas, satélites e estrelas.

átomo Um dos blocos de formação da matéria comum. Um átomo tem o centro pequeno, porém pesado, chamado núcleo, que carrega carga elétrica positiva; em torno dele orbitam partículas mais leves, carregadas negativamente, chamadas elétrons.

bioma Uma área geográfica grande que possui um conjunto específico de condições climáticas, vegetação, fauna e tipos de solo, que são distintivos daquela região. No Brasil, temos como exemplo a Amazônia e o cerrado.

biomassa A quantidade ou o peso total de organismos vivos em um habitat, ou a quantidade de uma espécie ou grupo.

braço Na astronomia, é um trecho brilhante de uma galáxia que parte do centro formando uma espiral.

buraco de minhoca Uma passagem que, em tese, conecta diretamente um buraco negro a uma parte distante do Universo. Sua existência ainda não foi comprovada.

camuflagem Cores ou padrões que ajudam um animal a se disfarçar.

carboidratos Substâncias como açúcar e amido, que são feitas de carbono, hidrogênio e oxigênio.

carnívoro Aquele que se alimenta de carne.

catalisador Substância que promove uma reação química, mas permanece inalterada ao final da reação.

célula Uma dos milhões de minúsculas unidades vivas que constituem o corpo dos seres humanos e de outros seres vivos. Células da pele e células nervosas são exemplos.

coma Na astronomia, são os gases e as minúsculas partículas emitidos por um cometa à medida que ele se aproxima do Sol e se aquece, formando um halo ao redor do núcleo do cometa.

combustível fóssil Um combustível, como o carvão, o petróleo bruto ou o gás natural, encontrado no subsolo. Os combustíveis fósseis são remanescentes de antigos organismos vivos.

condutor Na física, é o material através do qual uma corrente elétrica consegue passar com facilidade.

continente Uma importante região terrestre contínua da Terra. Os continentes atuais são Ásia, África, América, Antártida, Europa e Oceania.

cristal Um sólido cujos átomos ou moléculas estão dispostos em um padrão tridimensional repetitivo bem organizado.

datação por carbono Método para descobrir a idade de algo medindo a quantidade de um isótopo radioativo de carbono.

densidade Quantidade de massa que uma coisa tem em relação ao seu tamanho.

ecologia O estudo das relações entre os seres vivos e o seu entorno ou ambiente.

ecossistema Os seres vivos de determinado habitat e a forma como eles interagem entre si e com o ambiente. Podem ser desde pequenas poças d'água até grandes florestas ou oceanos.

elemento Substância química que não pode ser decomposta em substâncias mais simples. Representados na tabela periódica, são os blocos de construção fundamentais de toda a matéria.

elétron Partícula carregada negativamente que orbita o núcleo de um átomo.

energia A capacidade de exercer uma atividade ou trabalhar. Manifesta-se de várias formas e pode ser transformada de uma forma para outra. A energia cinética, por exemplo, está associada ao movimento de um corpo. Já a energia térmica está relacionada à temperatura e ao calor transferido entre corpos.

energia escura Fenômeno ainda misterioso que, acredita-se, constitui a maior parte da energia do Universo e que acelera sua expansão.

entropia Uma medida da desordem e da aleatoriedade em um sistema físico. A probabilidade de uma reação química ocorrer geralmente é maior se a entropia do sistema aumentar como resultado dessa reação.

epicentro Em um terremoto, o epicentro é o ponto na superfície da Terra diretamente acima de onde ocorreu o movimento das rochas que deu início ao tremor.

equinócio Um dos dois dias do ano em que o dia e a noite têm a mesma duração. Marca o início da primavera em um hemisfério e o início do outono no hemisfério oposto.

erosão Qualquer processo no qual a superfície da Terra é desgastada (por exemplo, pelo vento ou pela água) e os fragmentos são levados para outro lugar.

espécime Uma amostra ou exemplar representativo de uma espécie, organismo ou objeto usado em estudos científicos, exibições ou coleções.

estame Uma das estruturas masculinas de uma flor que produz pólen.

estromatólitos Montes de rocha em camadas que se formaram gradualmente debaixo d'água por bactérias fotossintetizantes.

evolução Uma mudança na composição genética de uma população de organismos ao longo de muitas gerações.

feromônio Sinal químico liberado por um animal para atrair parceiros ou alertar sobre perigos.

fitoplânctons Organismos microscópicos semelhantes a plantas que flutuam nas camadas superficiais do oceano. São a principal fonte de alimento nos ecossistemas marinhos.

fóssil Vestígio de um organismo vivo, como uma planta, animal ou sua marca (como uma pegada), preservado no solo por um longo período de tempo.

fotossíntese Processo no qual as plantas utilizam a luz solar para produzir seu alimento.

frequência Medida da repetição de qualquer fenômeno em um determinado intervalo de tempo.

fusão nuclear Processo em que os núcleos atômicos de elementos, principalmente os mais leves, como o hidrogênio, combinam-se para formar núcleos de elementos mais pesados, liberando uma quantidade significativa de energia.

gás Uma forma da matéria na qual átomos ou moléculas individuais se movem independentemente uns dos outros em vez de ficar próximos como nos líquidos e nos sólidos.

gás do efeito estufa Qualquer gás que contribua para o efeito estufa. A energia térmica irradiada da superfície da Terra fica presa nos gases, tornando a atmosfera mais quente do que seria de outra forma. Esses gases geralmente são o dióxido de carbono e o metano, ambos em maior proporção devido à atividade humana.

gêiser Fonte termal em uma região vulcânica que pode entrar em erupção repentinamente.

geleira Um grande e lento "rio" de gelo que desce de uma calota polar ou de uma cordilheira alta.

gene Um dos milhares de diferentes conjuntos de "instruções" encontrados em quase todas as células do corpo. Eles controlam o desenvolvimento e o que faz uma pessoa ser diferente de outra. Os genes são feitos de uma substância chamada DNA.

genética O estudo dos genes e de seus efeitos, incluindo a forma pela qual características como altura e cor dos olhos são transmitidas de uma geração para a seguinte.

gravidade Força que atrai toda a matéria do Universo, como a atração entre uma pessoa e a Terra ou entre a Terra e o Sol. É uma das quatro forças fundamentais da natureza.

habitat Qualquer área adequada para a vida de determinados tipos de animais, plantas e outros organismos.

hemisfério Metade de um objeto redondo, como metade da superfície da Terra.

hibernação Estado no qual um animal se mantém inativo durante o inverno e suas funções corporais ficam mais lentas.

hidrotermal Referente à água quente que circula nas rochas do planeta. Uma fonte hidrotermal é um local onde água quente, carregada de minerais, emerge da crosta terrestre.

horizonte de eventos Fronteira de um buraco negro, onde a gravidade é tão intensa que nem mesmo a luz consegue escapar, tornando impossível detectar eventos ou observar o que ocorre dentro dele.

impureza Material adicional, geralmente indesejado; por exemplo, em uma amostra científica ou na água potável.

inércia Propriedade de um objeto que o faz resistir a mudanças em seu estado de movimento, e essa resistência é diretamente proporcional à sua massa.

infrassom Som de baixa frequência que está abaixo do alcance da audição humana.

infravermelho Tipo de radiação, invisível a olho nu, que transmite calor.

invertebrado Qualquer animal sem espinha dorsal, como um inseto, caracol ou água-viva.

íon Átomo que ganhou ou perdeu elétrons, de modo que possui um número de elétrons diferente do número de prótons, deixando de ser eletricamente neutro.

irrigação Qualquer método de canalizar água até uma região agrícola a fim de ajudar no cultivo das lavouras.

isótopos Duas ou mais versões de um elemento cujos núcleos atômicos contêm o mesmo número de prótons, mas diferentes números de nêutrons.

lava Rocha derretida que flui de um vulcão ou de outra fenda na superfície da Terra.

lente Dispositivo que curva e foca a luz para que a imagem de um objeto possa ser vista.

ligação covalente Tipo de ligação química na qual alguns elétrons são compartilhados entre átomos.

ligação iônica Tipo de ligação química na qual elétrons são transferidos de um átomo para outro.

Linha do Equador Uma linha imaginária ao redor da superfície da Terra que a separa entre os hemisférios Norte e Sul.

magma Rocha derretida abaixo da superfície da Terra. Quando chega à superfície, é chamada de lava.

magnetismo Propriedade de certas substâncias, incluindo o ferro, que lhes permite atrair ou afastar objetos. Está intimamente relacionado à eletricidade, pois a interação entre cargas elétricas em movimento é responsável pela geração de campos magnéticos.

mamífero Qualquer animal, incluindo os seres humanos, cujas fêmeas produzem leite para seus filhotes. Os mamíferos geralmente têm cabelos ou pelos.

mandíbula O maxilar inferior de um vertebrado. As partes de insetos que picam, como as formigas, também são chamadas de mandíbulas.

manto Na geologia, é a espessa camada rochosa sob a crosta terrestre ou camadas semelhantes em outros planetas rochosos.

matéria Todas as substâncias do Universo – tudo que tem massa, incluindo cada átomo.

matéria-prima Uma substância natural usada para fabricar algo. Por exemplo, a areia é matéria-prima para a fabricação de vidro.

metabolismo Reações químicas que ocorrem dentro das células de um organismo vivo e produzem energia para ele viver e crescer.

meteoro Qualquer pequena partícula sólida que entra na atmosfera da Terra vinda do espaço em alta velocidade e produz um rastro brilhante. Quando atinge o solo, é chamado de meteorito. Antes de entrar na atmosfera da Terra, essas partículas são chamadas de meteoroides.

microrganismo Também conhecidos como micróbios, são organismos microscópicos, que não podem ser vistos a olho nu, como as bactérias.

microscópio eletrônico Um microscópio que funciona detectando feixes de elétrons em vez de luz. Com ele, os cientistas podem ver objetos muito menores do que com um microscópio óptico.

mineral (1) Substância natural com composição química definida que não faz parte de um ser vivo; por exemplo, um minério metálico.
(2) Em biologia, um dos elementos químicos necessários em pequenas quantidades aos seres vivos, como ferro, potássio e zinco.

minério Qualquer mineral contendo um metal que seja valioso o suficiente para ser extraído comercialmente.

mito História antiga que se acredita ser verdadeira, principalmente aquelas que envolvem deuses e deusas ou que explicam como algo foi criado, como a Terra ou o céu.

mitologia Conjunto de mitos pertencentes a determinada civilização ou tribo.

molécula A menor unidade de um composto químico. As moléculas são compostas por dois ou mais átomos unidos.

Monera O reino dos seres vivos que inclui as bactérias. As células dos integrantes do reino Monera não possuem núcleo.

multicelular Um organismo composto por muitas células. Animais e plantas são multicelulares, mas bactérias, não.

nêutron Partícula subatômica encontrada no núcleo da maioria dos átomos. Um nêutron não possui carga elétrica.

nicho Na biologia, é o papel que uma espécie desempenha em um habitat – por exemplo, ser especializada em comer determinado tipo de planta.

núcleo Na ciência, pode se referir tanto à parte central de um átomo, composta por prótons e nêutrons, quanto à estrutura que abriga o material genético de uma célula.

nutrientes Substâncias dos alimentos que ajudam o corpo a funcionar, como vitaminas e minerais.

Oceania O continente que inclui a Austrália, a Nova Zelândia e todas as pequenas ilhas do oeste do Oceano Pacífico.

omatídio Unidade individual do olho composto de um inseto, que pode conter milhares de omatídios.

órbita A rota de um corpo no espaço, como um planeta, lua ou satélite artificial, quando dá voltas em torno de um corpo maior sob a influência da gravidade.

organismo Qualquer ser vivo, desde uma bactéria até um ser humano.

oxidação Quando uma substância química se combina com o oxigênio. A oxidação também é uma reação química na qual uma substância perde elétrons para outra.

oxigenado Provido de oxigênio.

partícula Indica um corpo de tamanho muito pequeno, como uma partícula de poeira. É usado, em geral, para se referir às estruturas do mundo atômico e subatômico, como elétrons, prótons ou mesmo quarks.

permafrost Solo permanentemente congelado, comum nas regiões árticas e antárticas.

pigmento Substância colorida, usada em tintas e outros materiais corantes.

placa tectônica Uma das grandes estruturas geológicas que compõem a crosta terrestre. Essas placas flutuam sobre o manto semirrígido da Terra e são responsáveis pela movimentação dos continentes, terremotos, atividade vulcânica e formação de cadeias montanhosas.

plasticidade A capacidade de um material ser moldado e esticado sem rasgar nem voltar à sua forma original.

polímero Molécula muito longa formada por uma cadeia flexível de pequenas moléculas unidas.

polinização Processo das plantas em que o pólen é transferido para a parte feminina da flor a fim de fertilizá-la, possibilitando que as sementes se desenvolvam.

pré-histórico Referência ao período anterior aos registros escritos. Esse período é diferente em lugares distintos.

primatas O grupo de mamíferos que inclui lêmures, macacos e seres humanos, por exemplo.

protistas Organismos que possuem células com núcleo, mas não são animais, plantas nem fungos. A maioria dos protistas são microscópicos e unicelulares, como os encontrados no plâncton oceânico.

próton Partícula carregada positivamente encontrada no núcleo de todos os átomos.

quark Uma das minúsculas partículas de que são formados os prótons e os nêutrons.

radiação Feixes de energia ou de partículas de alta velocidade geradas por processos naturais ou artificiais.

radiação eletromagnética Radiação que transmite energia na forma de ondas que viajam à velocidade da luz. Abrangem, por exemplo, a luz visível, ondas infravermelhas, ondas de rádio e raios X.

refração A mudança de direção, ou curvatura, das ondas quando elas viajam de uma substância para outra, como as ondas de luz quando passam do ar para a água.

regurgitar Trazer a comida do estômago de volta para a boca.

renovável Capaz de ser usado repetidamente sem acabar. A palavra costuma ser aplicada a fontes de energia, como a solar e a eólica.

revolução Em astronomia, cada conclusão da volta de uma órbita, como a de um planeta em torno do seu sol.

robô Máquina que realiza tarefas sem a ajuda de uma pessoa.

satélite Corpo natural ou artificial que orbita um planeta. Os satélites naturais também são chamados de luas.

seleção natural O processo de evolução pelo qual os indivíduos mais bem-adaptados de uma espécie têm maior probabilidade de sobreviver e, assim, transmitir seus genes aos descendentes.

silicato Qualquer substância, geralmente uma rocha, composta sobretudo dos elementos silício e oxigênio. As rochas silicatadas são as principais rochas da crosta terrestre.

singularidade Um ponto de densidade infinita onde as leis comuns da física não se aplicam. A teoria científica prevê que existam singularidades nos centros dos buracos negros.

smog Originalmente, significava uma mistura de fumaça (*smoke*) e neblina (*fog*), mas hoje em geral se refere a uma camada nebulosa de poluentes na atmosfera que pode ser perigosa para a saúde.

solstício O momento do ano em que o Sol passa em seu ponto mais ao norte ou mais ao sul da Linha do Equador. Marca o início do verão em um hemisfério e o início do inverno no hemisfério oposto.

sonda Espaçonave enviada para explorar uma área do espaço e transmitir informações. Pode ou não ser tripulada.

sublimação Quando uma substância vai direto do estado sólido para o gasoso ao ser aquecida, sem passar pelo estado líquido.

tarso A parte final da perna de um inseto, composta por várias pequenas articulações.

taxonomia A classificação científica dos seres vivos.

temperatura Uma medida de quão quente ou frio algo está. A temperatura pode ser medida em graus Celsius (°C). Em condições normais, o ponto de congelamento da água pura é 0°C e o ponto de ebulição é 100°C.

tensão superficial A força na superfície de um líquido que resiste quando algo pequeno é empurrado para dentro dele.

tração Ato de puxar. As forças de tração tendem a separar um material, enquanto a resistência à tração é a capacidade de resistir a essas forças.

tsunami Onda marítima poderosa e rápida criada por um terremoto subaquático, uma erupção vulcânica ou um deslizamento de terra. Ao atingir águas rasas, o tsunami fica muito mais alto e pode devastar áreas costeiras.

turbulência Quando um gás ou líquido se move de forma caótica em vez de fluir suavemente.

ultrassom Som de alta frequência que está além do alcance da audição humana.

ultravioleta Tipo de luz que é invisível para os humanos, mas pode ser visto por outros animais, incluindo insetos.

umidade Presença de água, principalmente a quantidade de vapor d'água no ar. A umidade relativa é a porcentagem de vapor d'água no ar em relação à quantidade máxima possível; acima do máximo, o vapor começa a se condensar na forma de água ou gelo. O ar quente pode reter mais água do que o ar frio.

vento solar Fluxo de minúsculas partículas em alta velocidade – principalmente elétrons e prótons – emitidas pelo Sol.

vertebrado Animais com espinha dorsal, como peixes, aves e mamíferos.

vírus Em biologia, partícula minúscula que pode causar doenças em pessoas, animais e plantas. Os vírus provocam inúmeras doenças, incluindo resfriados, gripes e covid-19. Menores do que as bactérias, os vírus entram nas células vivas e as utilizam para produzir mais vírus.

zona epipelágica A camada mais superficial do oceano aberto, que vai da superfície até cerca de 200 metros de profundidade.

CRÉDITOS DAS IMAGENS

A editora gostaria de agradecer às pessoas e instituições a seguir pela permissão para reproduzir suas fotografias e ilustrações. Embora todos os esforços tenham sido feitos para creditar as imagens, a editora pede desculpas por quaisquer erros ou omissões e terá o prazer de fazer as correções necessárias em futuras edições do livro.

Legenda: no topo (t), na base (b), à esquerda (e), à direita (d), no centro (c).

p.2 istock/hadzi3; **p.5 t** WMAP Science Team/NASA; **ce** istock/Bullet_Chained; **c** 123rf.com/creepycube; **cd** Cortesia de Sarah Tuttle; **bc** Cavan Images/Superstock; **p.6 d** Alan Dyer/VWPics/Superstock; **p.7 t** NASA Image Collection/Alamy; **ce** GL Archive/Alamy; **bc** 123rf.com/Nikolia Titov; **p.11 td** ESA/Hubble/NASA; **cd** Cortesia de Ian Morison; **p.12 ce** NASA; **pp.12-13 c** 123rf.com/nasaimages; **p.13 td** NASA; **tcd** Giusseppe Carmine Iaffaldano/Roberto Colombari/NASA; **bc** istock/erierika; **p.14 be** Biblioteca do Congresso dos EUA; **bd** 123rf.com/Dmytro Kozyrskyi; **p.15 cd** istock/habari1; **be** Bettman/Getty; **pp.16-17** NASA (fundo); istock/alex-mitt (telescópio); **p.18** Xinhua/Alamy; **p.19 ce** 123rf.com/Olga Popova; **be** Goddard Space Flight Center/NASA; **bc** istock/vladwel; **p.20 tc** NASA; **b** Science Photo Library/Lynette Cook; **td** CXC/M. Weiss/NASA; **p.21 cd** Southwest Research Institute; **bc** Ames/JPL-Caltech/T. Pyle/NASA; **te** JPL-Caltech/SwRI/MSSS/Gerald Eichstädt/Seán Doran © CC NC SA/NASA; **p.22 be** istock/OstapenkoOlena; **bd** Dreamstime/Planetfelicity; **p.23 ce** World History Archive/Superstock; **pp.24-25** Stocktrek Images/Superstock; **p.26** JPL-Caltech/MSSS/NASA; **ce** JPL-Caltech/MSSS/NASA; **be** NASA; **p.27 t** NASA/Superstock; **cd** Cortesia de Rudi Kuhn; **be** JPL/NASA; **p.28 be** NASA Image Collection/Alamy; **bd** Dreamstime/Nitoshevikova; **p.29 t** JPL/USGS/NASA; **b** NASA; **p.30** istock/3quarks; **p.31 td** istock/CoreyFord; **ce** ESA, A. Simon (Goddard Space Flight Center) e M.H. Wong (Universidade da Califórnia em Berkeley)/NASA; **cd** Encyclopaedia Britannica, Inc.; **be** istock/3quarks; **p.32 bd** Neil A. Armstrong/NASA; **p.33 td** MediaNews Group/Boulder Daily Camera/Getty; **cd** Foster Partners/ESA; **p.34** istock/estt; **td** Kike Calvo/Getty; **te** Dreamstime/Mircovon; **td** Science Photo Library/Superstock; **bd** JAXA/A. IKESHITA/MEF/ISAS; **p.36 ce** NASA Photo/Alamy; **d** NASA; **p.37 be** Science Photo Library/Mark Garlick; **p.38 td** istock/VickiVector; **p.39 te** Space X/NASA; **d** NASA; **be** istock/Yevhenii Dorofieiev; **p.41 ce** NASA; **cd** Cortesia do Dr. Clifford Cunningham; **be** ESA; **p.42 bc** NASA; **p.43 tc** istock/Samtoon; **td** NASA; **ce** NASA; **bc** NASA; **bd** NG Images/Alamy; **p.44** JPL/NASA; **p.45** Stocktrek Images/Alamy; **p.46 t** NASA; **p.47 te** NASA; **ce** NASA; **d** istock/sakkmesterke; **p.48** Cortesia de Michelle Thaller; Cortesia de Michael G. Smith; Cortesia de Toby Brown; **pp.50-51** NASA; **p.52 td** 123rf.com/snake3d; **p.53 tc** istock/dartlab; **tcd** John Cancalosi/age fotostock/Superstock; **cd** Catherine Frawley; **be** Jon Astor/Alamy; **p.54** GSFC/NASA; **p.55 ce** istock/koya79; **cd** 123rf.com/pakhnyushchyy; **p.56 td** istock/intararit; **be** Joshua Stevens/NASA; **p.57 ce** INTERFOTO/Alamy; **bd** istock/Moinia; **p.58 td** istock/Wittayayut; **p.59 bc** istock/RobertKacpura; **p.62 td** 123rf.com/tinkivinki; **p.63 te** Ragnar Th. Sigurdsson/age fotostock/Superstock; **ce** National Oceanic and Atmospheric Administration (NOAA); **cd** Cortesia de Brendan Murphy; **p.64** tom pfeiffer/Alamy; **p.65 td** Radius/Superstock; **c** ClickAlps/Mauritius/Superstock; **p.66 td** © Encyclopaedia Britannica, Inc.; **p.67 tc** istock/dutourdumonde; **ce** istock/Beboy_ltd; **cd** istock/Ashva73; **p.68 td** istock/AVIcons; **p.70 td** 123rf.com/Atcharaphon Chawanna; **p.71 te** istock/VvoeVale; **tc** istock/reeisegraf; **td** 123rf.com/Trygve Finkelsen; **ce** Dreamstime/Bjorn Wylezich; **bc** Dreamstime/Daniel127001; **pp.72-73** Carsten Peter/Speleoresearch & Films/National Geographic Creative; **p.74 td** istock/midkhat; **b** F1 Online/Superstock; **p.75 tc** istock/Eriklam; **td** 123rf.com/yupiramos; **ce** Science e Society/Superstock; **bd** istock/yomka; **p.76 tc** 123rf.com/Stock Photo; **p.77 td** MERVYN REES/Alamy; **cd** Cortesia do Dr. Nathan Smith; **bc** 123rf.com/Erlantz Perez Rodriguez; **pp.78-79** Xinhua/Alamy; **p.80 be** istock/nito100; **bc** istock/stephenallen75; **bd** istock/CreativeNature_nl; **p.81 te** 123rf.com/normaals; **be** Birke/Mauritius/Superstock; **bd** 123rf.com/Farhad Zobrabbayov; **p.82 td** istock/ikryannikovgmail.com; **p.83 td** Maxar/ASU/P.Rubin/JPL-Caltech/NASA; **cd** Cortesia de David Hannah; **be** istock/smietek; **p.84 cd** istock/kimrawicz; **p.85** istock/NicoElNino; **td** istock/kappaphoto; **pp.86-87 bc** istock/PutyCzech (globo); **p.86** istock/a-r-t-i-s-t; Dreamstime/Tatianazaets; Dreamstime/Mogilevchik; istock/Roman Bykhalets; **p.87** istock/kathykonkle; istock/filo; istock/4x6; istock/leremy; Dreamstime/Andrew7726; **p.88** © 2012 Encyclopaedia Britannica, Inc.; **tc** © 2010 Encyclopaedia Britannica, Inc.; **p.89 te** Dreamstime/Vladimir Velickovic; **td** Michael Durham/Nature Picture Library; **ce** © 2013 Encyclopaedia Britannica, Inc.; **bc** © 2015 Encyclopaedia Britannica, Inc.; **p.90 t** Jason Persoff Stormdoctor/Cultura Limited/Superstock; **bd** NASA; **p.91 tcd** Ryan McGinnis/Alamy; **ce** Dreamstime/Ratpack2; **p.92 td** istock/antpun; **p.93 be** istock/Veronika Ziminia; **be** istock/ET-ARTWORKS; **be** istock/VICTOR; **bd** istock/Lucezn; **p.94 tc** Stocktrek Images/Superstock; **b** istock/Wildnerdpix; **p.95 c** istock/hidesy; **cd** Cortesia de Paul Ullrich; **be** 123rf.com/Adrian Hillman; **bc** istock/oleg7799; **p.96** Cortesia de Paolo Forti; Cortesia de Erik Klemetti; Cortesia de Mark C. Serreze; **p.98** istock/manfredxy; **p.101 bd** Dreamstime/Petrovich11; **p.102** NASA; **bd** istock/yvdayd; **p.103 t** © Encyclopaedia Britannica, Inc.; **ce** Wikimedia Commons; **p.104 tc** 123rf.com/Chaowat Rittizin; **b** stockeurope/Alamy; **p.105 te** Fred Tanneau/AFP/Getty; **ce** Biblioteca do Congresso dos EUA; **p.106** istock/agnormark; **p.107 te** istock/PeterHermesFurian; **td** istock/PrettyVectors; **ce** Departamento de Defesa dos EUA; **bce** Fine Art Images/Superstock; **bd** istock/desertsolitaire; **p.108 t** © Encyclopaedia Britannica, Inc. (encarte chama); **pp.108-109** 123rf.com/Denis; istock/Tilegen; istock/omar mouhib; istock/Barbulat; istock/Fidan Babayeva; istock/Enis Aksoy; istock/appleuzr; istock/Neselena; istock/Arnaphoto; istock/lumpynoodles; istock/fairywong; istock/Skarin; istock/Nastasic; istock/Vectorios2016; istock/Anastasia Shafranova; istock/Rashad Aliyev; **p.110 td** istock/ados; **p.111 te** agefotostock/Alamy; **td** 123rf.com/Ivan Kokoulin; **b** istock/scubaluna; **pp.112-113** istock/Renato_Pessanha; **p.114 te** Fine Art/Getty; **be** istock/demarco-media; **p.115 t** istock/Fabvietnam_Photography; **be** E. R. Degginger/Alamy; **bd** STRINGER/Getty; **p.116 e** Tyson Paul/Superstock; **cd** istock/Coldmoon_photo; **p.117 te** istock/BanksPhoto; **ce** 123rf.com/Jozsef Szasz-Fabian; **be** istock/pixinoo; **p.118 td** istock/meskolo; **ce** Dreamstime/DigitalBazaarr; **cd** istock/karandaev; **be** istock/MariyaKolyago; **p.119 be** istock/pcess609; **bd** 123rf.com/Phong Giap Van; **pp.120-121** istock/Chris LaBasco; **p.121 td** istock/egal; **ce** Keystone Press/Alamy; **c** 123rf.com/yayasyaya; **bd** istock/luchschen; **p.122 td** istock/AVIcons; Dreamstime/Kutukupretkw2; 123rf.com/Chi Chiu Tse; Dreamstime/Fourleaflover; istock/dar woto; istock/chege011; istock/Moto-rama; istock/M-Vector; **p.123 d** Dreamstime/Broker; **be** istock/nixoncreative; **pp.124-125 t** istock/Craig Lambert; **pp.124 bd** NASA (estrelas); **bd** Dreamstime/Curvabezier (astronauta); **p.125 td** Dreamstime/Denys Kurbatov; **cd** Science Photo Library/Andrew Brookes/National Physical Laboratory; **be** Dreamstime/Andrey Nyrkov; **p.126** Clarence Holmes Photography/Alamy; **p.127 te** Science e Society/Superstock; **td** 123rf.com/Kom Kunjara Na Ayuthya; **ce** Dreamstime/Dennis Jacobsen; **cd** Cortesia de Cristina Lazzeroni; **p.128** istock/Marc_Hilton; **p.129 td** 123rf.com/starsstudio; **be** istock/Pat_Hastings; **pp.130-131** Ben Stansall/AFP/Getty; **p.132 td** 123rf.com/seventysix; **b** Science Photo Library/Cern/Julien Marius Ordan; **p.133 tc** NASA; **ce** 123rf.com/Georgios Kollidas; **bc** istock/Tanya St (carrinho de compras); **bd** 123rf.com/_fla; **p.135 t** Dreamstime/The Skydiver; **ce** Biblioteca do Congresso dos EUA; **cd** NASA; **bd** juniors@wildlife Bildagentur G/Juniors/Superstock; **p.136 t** 123rf.com/Jose Angel Astor; **bd** istock/Denys; **p.137 te** istock/OstapenkoOlena (van); **te** © Encyclopaedia Britannica, Inc. (ilustração hidráulica); **td** istock/Aleksandr Durnov (avião); **td** istock/C-mere (montanha); **be** istock/BoValentino; **bd** Nature Picture Library/Michael Pitts; **pp.138-139** Dreamstime/Eos5dmii; **p.140** Scott Ramsey/Alamy; **p.141 cd** Nicola Lyn Evans; **be** istock/Nirian; **p.142** Dreamstime/Alexey Silin; **p.143 tcd** Dreamstime/Artizarus; **c** Dreamstime/Azmet Tlekhurai (engrenagens); **c** istock/Macrovector (mão); **cd** Dreamstime/Maksim Bazarov; **bcd** istock/Barbulat; **p.144** Cortesia de Kimberly M. Jackson; Cortesia de Duncan Davis; Cortesia de A. Jean-Luc Ayitou; **p.146** istock/marcouliana; **p.148 bd** 123rf.com/alexutemov; **p.149 t** istock/Samtoon; **t** istock/runLenarun; **t** istock/vectorwin; **tcd** 123rf.com/Alexey Romanenko; **bcd** Cortesia de Michael D. Bay; **be** istock/Totajla; **p.151 ce** istock/Ivan Mattioli; **c** Dreamstime/Yehor Vlasenko; **bd** Dreamstime/Elena Shvoeva; **p.153 c** 123rf.com/neyro2008; **cd** istock/Anolis01; **be** istock/Vectorios2016; **p.154 t** Science Photo Library/Eye of Science; **bd** Science Photo Library/Power e Syred; **p.155 te** 123rf.com/William Roberts; **td** Science Picture Co/SF/Superstock; **cd** istock/DavorLovincic; **be** 123rf.com/Steven Heap; **p.156 tc** Kevin Sawford/imageBROKER/Superstock; **bd** Dreamstime/Olga Deeva; **p.157 cd** Cortesia de Matthew P. Nelsen; **be** 123rf.com/Albertus Engbers; **p.158** 123rf.com/Daranee Himasuttidach; 123rf.com/Ansnasiia Lavrenteva; 123rf.com/Brankica Vlaskovic; 123rf.com/Elena Kozyreva; 123rf.com/Evgenii Naumov; 123rf.com/archivector; 123rf.com/Loveleen Kaur; 123rf.com/seamartini; 123rf.com/robuart; 123rf.com/route55; 123rf.com/Liane Nothaft; **p.159 tcd** Dreamstime/Nurlia Rasmi; **cd** Cortesia de Karen McComb; **pp.160-161** Anton Sorokin/Alamy; **p.160 ce** 123rf.com/Oleksandra Sosnovska; **p.162 td** Superstock; **p.163 ce** Dreamstime/Chase Dekker; **be** 123rf.com/Levente Janos; **be** 123rf.com/Veronika Gotovceva; **p.164 cd** istock/ANDREYGUDKOV; **p.165 d** 123rf.com/Yevgenii Movliev; **be** 123rf.com/Sergey Siz'kov (rã); **be** istock/Mark Kolpakov (caveira); **p.166 bd** Animals Animals/Superstock; **p.167 tc** Dreamstime/Philip Kinsey; **be** 123rf.com/Ljubisa Sujica (inseto); **be** Dreamstime/Elena Tumanova (árvore); **bd** Marli Miller/Alamy; **pp.168-69 b** Dreamstime/Jo Reason; **p.168 t** Morales/age fotostock/Superstock; **c** Dreamstime/Roman170976; **p.169 cd** Cortesia de Tal Avgar; **p.170 ce** 123rf.com/Dennis Jacobsen (tahr); **tc** 123rf.com/Oleg Serkiz (aranha); **td** Dreamstime/Agami Photo Agency (ganso); **p.171 tc** Dreamstime/Walter Arce (leopardo); **be** istock/gui00878 (panda); **bc** Dreamstime/Akhilesh Sarfare (langur); **cd** istock/ePhotocorp (monal); **p.172 d** Nature Collection/Alamy; **p.173 td** Dreamstime/Delstudio; **ce** istock/Diane Labombarbe; **cd** Cortesia de Kristin H. Berry; **bc** Animals Animals/Superstock; **p.174 td** Nature Picture Library/Stephen Dalton; **ce** NaturePL/Superstock; **be** Stephen Dalton/Minden Pictures/Superstock; **p.175 bd** istock/Tombolato Andrea; **p.176 td** istock/TrevorFairbank; **ce** Dreamstime/Daseaford; **cd** Dreamstime/Julio Salgado; **be** Dreamstime/Natakuzmina; **bd** istock/rockptarmigan; **p.177 te** Nature Picture Library/Laurie Campbell; **tc** robertharding/Superstock; **td** Peter Lilja/age fotostock/Superstock; **c** Dreamstime/Lorrainehudgins; **cd** Cortesia do Dr. Gil Rilov; **bc** Dreamstime/Jarous; **p.178-179** Alexis Rosenfeld/Getty; **p.178 tce** 123rf.com/wrangel (peixe); **p.179 td** 123rf.com/designua; **p.181 t** istock/cienpies; **td** Dreamstime/Vladimir Velickovic; **c** istock/Nigel Marsh; **cd** istock/vladoskan; **p.183 cd** Cortesia de Monika Bright; **be** Nature Picture Library/Jeff Rotman; **p.184 td** 123rf.com/Taras Adamovych; **p.185 td** Minden Pictures/Superstock; **cd** Encyclopaedia Britannica, Inc.; **p.187 td** 123rf.com/Vladimir Seliverstov; **p.188 te** istock/FRANKHILDEBRAND; **ce** Dreamstime/Dimityr Rukhlenko; **cd** istock/yhelfman; **be** istock/Shelly Bychowski; **p.189 te** paul kennedy/Alamy; **tc** 123rf.com/Feng Yu; **cd** istock/gan chaonan; **be** Dreamstime/Taras Adamovych; **bd** istock/dzphotovideo; **p.190 td** Wikimedia Commons; **p.191 ce** Dreamstime/Ivonne Wierink; **cd** Gilles Barbier/imageBROKER/Superstock; **b** istock/Eriklam (cachorros); **bd** istock/ValerijaP (lobo); **p.192** Cortesia de Kevin Foster; Cortesia de Janice Lough; Cortesia de Dino J. Martins.

COLABORADORES

REDATORES

Capítulo 1: Jonathan O'Callaghan é jornalista freelancer especializado em ciências e astronomia e mora em Londres, Reino Unido. Escreve para diversas publicações, incluindo *Scientific American*, *Forbes*, *New Scientist* e *Nature*.

Capítulos 2 e 3: John Farndon escreveu centenas de livros sobre ciência e natureza. Esteve cinco vezes entre os finalistas do Young People's Book Prize da Sociedade Real, voltado para jovens leitores. Mora em Londres, Reino Unido.

Capítulo 4: Michael Bright trabalhou como produtor na unidade de História Natural da BBC, com sede em Bristol, Reino Unido. É escritor e *ghostwriter* e membro da Sociedade Real de Biologia.

ILUSTRADORES

Mark Ruffle é ilustrador e designer há 20 anos. Adora desenhar animais, pessoas e qualquer coisa relacionada à ciência.

Jack Tite é ilustrador e autor de livros infantis de Leicester, Reino Unido. Quando não está desenhando, gosta de observar pássaros em reservas naturais.

CONSULTORES ESPECIALISTAS

Roma Agrawal, engenheira estrutural, Londres, Reino Unido; **Tal Avgar**, Universidade Estadual de Utah, Logan, UT, EUA; **A. Jean-Luc Ayitou**, Instituto de Tecnologia de Illinois, Chicago, IL, EUA; **Michael D. Bay**, Ph.D., East Central University, Ada, OK, EUA; **Tracy M. Becker**, Southwest Research Institute, San Antonio, TX, EUA; **John Bennet**, British School at Athens, Atenas, Grécia; **Kristin H. Berry**, Western Ecological Research Center, U.S. Geological Survey, Riverside, CA, EUA; **Alicia Boswell**, Universidade da Califórnia em Santa Bárbara, CA, EUA; **Shauna Brail**, Universidade de Toronto, Toronto, ON, Canadá; **Monika Bright**, Universidade de Viena, Áustria; **Dr. Toby Brown**, McMaster University, Hamilton, ON, Canadá; **Cynthia Chestek**, Universidade do Michigan, Ann Arbor, MI, EUA; **Jeremy Crampton**, Newcastle University, Newcastle upon Tyne, Reino Unido; **Dr. Clifford Cunningham**, Universidade do Sul de Queensland, Toowoomba, Queensland, Austrália; **Lewis Dartnell**, Universidade de Westminster, Londres, Reino Unido; **Duncan Davis**, Ph.D., Northeastern University, Boston, MA, EUA; **Pablo De León**, Universidade de Dakota do Norte, Grand Forks, ND, EUA; **Ivonne Del Valle**, Universidade da Califórnia em Berkeley, CA, EUA; **Paul Dilley**, Universidade de Iowa, Iowa City, IA, EUA; **Etana H. Dinka**, James Madison University, Harrisonburg, VA, EUA; **Michelle Duffy**, Universidade de Newcastle, Callaghan, NSW, Austrália; **Brian Duignan**, Encyclopaedia Britannica, Chicago, IL, EUA; **Dave Ella**, Catholic Education Office, Broken Bay Diocese, Pennant Hills, NSW, Austrália; **Cindy Ermus**, Ph.D., Universidade do Texas em San Antonio, San Antonio, TX, EUA; **Abigail H. Feresten**, Simon Fraser University, Burnaby, BC, Canadá; **Paolo Forti**, Instituto Italiano de Espeleologia, Universidade de Bolonha, Bolonha, Itália; **Prof. Kevin Foster**, Universidade de Oxford, Oxford, Reino Unido; **Chef Suzi Gerber**, chef executiva da Haven Foods, pesquisadora médica da Inova Medical System, Somerville, MA, EUA; **Elizabeth Graham**, University College London, Londres, Reino Unido; **Charlotte Greenbaum**, Population Reference Bureau, Washington, D.C., EUA; **Erik Gregersen**, Encyclopaedia Britannica, Chicago, IL, EUA; **David Hannah**, Universidade de Birmingham, Birmingham, Reino Unido; **Nicholas Henshue**, Ph.D., Universidade Estadual de Nova York em Buffalo, Buffalo, NY, EUA; **Katsuya Hirano**, Universidade da Califórnia em Los Angeles, CA, EUA; **Yingjie Hu**, Universidade Estadual de Nova York em Buffalo, Buffalo, NY, EUA; **Prof. Alexander D. Huryn**, Universidade do Alabama, Tuscaloosa, AL, EUA; **Keith Huxen**, The National WWII Museum, New Orleans, LA, EUA; **John O. Hyland**, Christopher Newport University, Newport News, VA, EUA; **Salima Ikram**, Universidade Americana do Cairo, Cairo, Egito; **Joseph E. Inikori**, Universidade de Rochester, Rochester, NY, EUA; **Kimberly M. Jackson**, Ph.D., Spelman College, Atlanta, GA, EUA; **Mike Jay**, escritor e historiador médico, Londres, Reino Unido; **Laura Kalin**, Universidade Princeton, Princeton, NJ, EUA; **Duncan Keenan-Jones**, Universidade de Queensland, St. Lucia, Queensland, Austrália; **Patrick V. Kirch**, Universidade da Califórnia em Berkeley, CA, EUA; **Dr. Erik Klemetti**, Denison University, Granville, OH, EUA; **Rudi Kuhn**, Observatório Astronômico Sul-Africano, Pretória, África do Sul; **Dr. Jaise Kuriakose**, Universidade de Manchester, Manchester, Reino Unido; **Nicola Laneri**, Universidade dos Estudos de Catânia, Sicília, e Escola de Estudos Religiosos, CAMNES, Florença, Itália; **Cristina Lazzeroni**, Universidade de Birmingham, Birmingham, Reino Unido; **Daryn Lehoux**, Queen's University em Kingston, ON, Canadá; **Miranda Lin**, Universidade Estadual de Illinois, Normal, IL, EUA; **Jane Long**, Roanoke College, Salem, VA, EUA; **Janice Lough**, Instituto Australiano de Ciência Marinha, Townsville, Queensland, Austrália; **Ghislaine Lydon**, Universidade da Califórnia em Los Angeles, CA, EUA; **Henry R. Maar III**, Universidade da Califórnia em Santa Bárbara, CA, EUA; **Dino J. Martins**, Centro de Pesquisa Mpala, Nanyuki, Quênia; **Michael Mauel**, Universidade Columbia, Nova York, NY, EUA; **Prof. Karen McComb**, Universidade de Sussex, Falmer, Reino Unido; **Richard Meade**, Lloyd's List, Londres, Reino Unido; **Ian Morison**, 35º professor de Astronomia na Gresham College, Macclesfield, Reino Unido; **Brendan Murphy**, St. Francis Xavier University, Antigonish, NS, Canadá; **Robtel Neajai Pailey**, Escola de Economia e Ciência Política de Londres, Reino Unido; **Matthew P. Nelsen**, The Field Museum, Chicago, IL, EUA; **Gregory Nowacki**, Serviço Florestal dos Estados Unidos, Milwaukee, WI, EUA; **Mike Parker Pearson**, University College London, Londres, Reino Unido; **Bill Parkinson**, The Field Museum; Universidade de Illinois, Chicago, IL, EUA; **Melissa Petruzzello**, Encyclopaedia Britannica, Chicago, IL, EUA; **Martin Polley**, Centro Internacional para a História e a Cultura dos Esportes, De Montfort University, Leicester, Reino Unido; **John P. Rafferty**, Encyclopaedia Britannica, Chicago, IL, EUA; **Michael Ray**, Encyclopaedia Britannica, Chicago, IL, EUA; **Dr. Gil Rilov**, Instituto Nacional de Oceanografia, Pesquisa Oceanográfica e Limnológica de Israel, Haifa, Israel; **Kara Rogers**, Encyclopaedia Britannica, Chicago, IL, EUA; **Margaret C. Rung**, Roosevelt University, Chicago, IL, EUA; **Eugenia Russell**, pesquisadora independente, Reino Unido; **Mark Sapwell**, Ph.D., arqueólogo e editor de Arqueologia, Londres, Reino Unido; **Joel Sartore**, National Geographic Photo Ark, Lincoln, NE, EUA; **Dr. Benjamin Sawyer**, Middle Tennessee State University, Nashville, TN, EUA; **Mark C. Serreze**, Centro Nacional de Dados sobre Neve e Gelo; Universidade do Colorado em Boulder, Boulder, CO, EUA; **Pravina Shukla**, Universidade de Indiana, Bloomington, IL, EUA; **Prof. Michael G. Smith**, Purdue University, West Lafayette, IN, EUA; **Dr. Nathan Smith**, Museu de História Natural do Condado de Los Angeles, Los Angeles, CA, EUA; **Jack Snyder**, Universidade Columbia, Nova York, NY, EUA; **Hou-mei Sung**, Museu de Arte de Cincinnati, Cincinnati, OH, EUA; **Heaven Taylor-Wynn**, The Poynter Institute, St. Petersburg, FL, EUA; **Silvana Tenreyro**, Escola de Economia e Ciência Política de Londres, Reino Unido; **Lori Ann Terjesen**, Museu Nacional de História das Mulheres, Alexandria, VA, EUA; **Dra. Michelle Thaller**, Centro de Voos Espaciais Goddard da NASA, Greenbelt, MD, EUA; **David Tong**, Universidade de Cambridge, Cambridge, Reino Unido; **Sarah Tuttle**, Universidade de Washington, Seattle, WA, EUA; **Paul Ullrich**, Universidade da Califórnia em Davis, CA, EUA; **Javier Urcid**, Brandeis University, Waltham, MA, EUA; **Lorenzo Veracini**, Universidade de Tecnologia Swinburne, Melbourne, Victoria, Austrália; **Lora Vogt**, Museu e Memorial Nacional da Segunda Guerra Mundial, Kansas City, MO, EUA; **Jeff Wallenfeldt**, Encyclopaedia Britannica, Chicago, IL, EUA; **Dra. Linda J. Walters**, Universidade da Flórida Central, Orlando, FL, EUA; **David J. Wasserstein**, Universidade Vanderbilt, Nashville, TN, EUA; **Dominik Wujastyk**, Universidade de Alberta, Edmonton, AB, Canadá; **Man Xu**, Universidade Tufts, Medford, MA, EUA; **Taymiya R. Zaman**, Universidade de São Francisco, Califórnia, CA, EUA; **Alicja Zelazko**, Encyclopaedia Britannica, Chicago, IL, EUA; **Gina A. Zurlo**, Centro para o Estudo do Cristianismo Global, Seminário Teológico Gordon-Conwell, Boston, MA, EUA.

Título original: *Britannica All New Kids' Encyclopedia*

Copyright © 2020 por What on Earth Publishing Ltd e Britannica Inc.

Copyright das ilustrações © 2020 por What on Earth Publishing Ltd. e Britannica, Inc., exceto o que consta nos créditos da p.204.

Copyright da tradução © 2024 por GMT Editores Ltda.

Publicado em acordo com a IMC Agencia Literaria. Desenvolvido pela Toucan Books.

Todos os direitos reservados. Nenhuma parte deste livro pode ser utilizada ou reproduzida sob quaisquer meios existentes sem autorização por escrito dos editores.

coordenação editorial: Gabriel Machado
produção editorial: Guilherme Bernardo
tradução: Bruno Fiuza
preparo de originais: Raïtsa Leal
revisão: Laura Andrade e Luis Américo Costa
revisão técnica: Cássio Barbosa e Vinícius Camargo Penteado
avaliação de conteúdo: Fernando Alves de Souza
diagramação e adaptação de capa: Ana Paula Daudt Brandão
redação do glossário: Richard Beatty
direção de arte e design da capa: Andy Forshaw
ilustração e lettering da capa: Justin Poulter
impressão e acabamento: Ipsis Gráfica e Editora

Equipe da Encyclopaedia Britannica: Alison Eldridge, gerente editorial; Brian Duignan, editor sênior, Filosofia, Legislação e Ciências Sociais; Erik Gregersen, editor sênior, Astronomia, Exploração do Espaço, Matemática, Física, Computação e Química Inorgânica; Amy McKenna, editora sênior, Geografia, África Subsaariana; Melissa Petruzzello, editora assistente de Ciência Ambiental e de Plantas; John P. Rafferty, editor, Ciências da Vida e da Terra; Michael Ray, editor, Assuntos Militares e História Europeia; Kara Rogers, editora sênior, Ciência Biomédica; Amy Tikkanen, gerente de correções; Jeff Wallenfeldt, gerente, Geografia e História; Adam Zeidan, editor assistente, Meio-Oeste; Alicja Zelazko, editora assistente, Artes e Humanidades; Joan Lackowski, supervisora de checagem de fatos; Fia Bigelow, Letricia A. Dixon, Will Gosner, R. E. Green, verificadores de fatos.

CIP-BRASIL. CATALOGAÇÃO NA PUBLICAÇÃO
SINDICATO NACIONAL DOS EDITORES DE LIVROS, RJ

E46
v. 1

Enciclopédia Britânica para curiosos, vol. 1 / organização Christopher Lloyd ; tradução Bruno Fiuza. - 1. ed. - Rio de Janeiro : Sextante, 2024.
   il. ; 28 cm.

Tradução de: Britannica all new kids' encyclopedia
ISBN 978-65-5564-830-0

1. Enciclopédias e dicionários infantojuvenis. I. Lloyd, Christopher. II. Fiuza, Bruno.

24-88029   CDD: 036.9
                 CDU: (031)-053.2

Gabriela Faray Ferreira Lopes - Bibliotecária - CRB-7/6643

Todos os direitos reservados, no Brasil, por
GMT Editores Ltda.
Rua Voluntários da Pátria, 45 – 14º andar – Botafogo
22270-000 – Rio de Janeiro – RJ
Tel.: (21) 2538-4100
E-mail: atendimento@sextante.com.br
www.sextante.com.br